Tendances
méthode de français
B1

Jacky Girardet - Jacques Pécheur
Colette Gibbe - Marie-Louise Parizet

CLE INTERNATIONAL

Direction éditoriale : Béatrice Rego
Édition : Sylvie Hano
Couverture : Miz'enpage – Isabelle Vacher
Conception maquette : Miz'enpage

Mise en page : Isabelle Vacher
Recherche iconographique : Lorena Martini
Enregistrements : Quali'sons
Vidéos : BAZ

Introduction

Tendances B1 : vers une compétence d'utilisateur indépendant de la langue

Tendances est une méthode pour l'apprentissage du français langue étrangère qui s'adresse à des étudiants adultes ou grands adolescents et qui couvre les différents niveaux du CECR (Cadre européen commun de référence). Le présent ouvrage est destiné à des étudiants ayant atteint le niveau A2. Il les prépare au niveau B1, première étape vers un niveau d'**utilisateur indépendant** de la langue (le B2). On travaille donc non seulement la capacité à **faire face aux diverses situations de la vie quotidienne** mais aussi les **compétences de compréhension et d'expression des récits, des descriptions ou des jugements** constitutifs des interactions.

Des objectifs pratiques qui préparent l'étudiant à être pleinement acteur dans une société francophone où il va évoluer ou avec laquelle il est en contact réel ou virtuel.

Chacune des 9 unités est organisée selon une situation globale de la vie quotidienne ou **scénario actionnel** : *S'informer avec les médias ; Soigner son image ; Faire un voyage ; etc.*
Ces scénarios présentent des suites d'actions que l'étudiant va apprendre à réaliser. Par exemple, dans l'unité 4, « *Entretenir des relations amicales* » : échanger des souvenirs avec des amis, gérer des petits conflits ou des malentendus, s'adapter à différentes personnalités, demander ou donner un conseil ou un service.
À la fin de chaque unité, **un projet personnel ou collectif donne à l'étudiant l'occasion de mobiliser ses acquis dans une tâche concrète** qui lui permettra de mesurer son degré d'autonomie en français : *Poster un commentaire sur un site d'information ; Organiser une interview ; etc.*

Une approche réaliste de la grammaire et du vocabulaire fondée sur la réflexion et la nécessaire mémorisation

L'introduction des points de grammaire ou de lexique est toujours subordonnée aux tâches à réaliser tout au long des scénarios actionnels. On introduit par exemple les expressions de conséquence parce qu'on se mobilise contre un projet industriel polluant, l'expression du doute ou de la certitude à partir d'informations suspectes peu vraisemblables, le subjonctif passé quand on fait la liste de ce qu'il faut avoir préparé avant de partir en voyage.
Mais on n'oublie pas pour autant que l'acquisition des moyens linguistiques est affaire de **réflexion, de conceptualisation et d'automatisation**. Les différents points grammaticaux sont justifiés par la tâche à réaliser, conceptualisés par une approche inductive, automatisés dans des exercices oraux et écrits. L'organisation en scénarios actionnels facilite en effet le retour régulier des thèmes et des points grammaticaux.

Un reflet de la francophonie actuelle et des tendances de la société

Tendances fournit à l'étudiant un environnement linguistique et culturel riche et actuel : **documents audio** (reportages, micro-trottoirs, entretiens, émissions de radio), **reportages vidéo, articles de presse, séquences de films récents**.
Les documents supports, toujours en lien avec les scénarios actionnels, sont choisis à la fois parce qu'ils reflètent les comportements, les intérêts actuels des sociétés francophones et pour leur capacité à susciter remarques, commentaires et discussions chez les étudiants. Des « Points infos » apportent des éclairages et des informations culturelles.

L'étudiant, acteur dans son apprentissage

Tendances s'appuie aussi largement sur **des interactions dans le groupe classe**, qu'il s'agisse des tâches de compréhension, des petites discussions par deux ou en petits groupes ou des jeux de rôles. Par ailleurs, la méthode invite l'étudiant à trouver lui-même les solutions aux problèmes qu'il se pose. En même temps, elle se veut **rassurante** car elle s'appuie sur une **progression réaliste,** adopte **des démarches graduées**, fournit de nombreux exercices de renforcement et de vérification des compétences dans le livre de l'élève et dans le cahier d'activités et propose à la fin de chaque unité un récapitulatif des outils grammaticaux et lexicaux que l'étudiant aura découvert.

Tendances B1 bénéficie d'un environnement numérique complet.

La version numérique individuelle de *Tendances* permet à l'étudiant de travailler en autonomie avec l'ensemble des documents.
Avec la version numérique pour la classe (disponible sur clé USB et en version ebook), le professeur pourra utiliser les ressources du TBI et de la vidéoprojection. L'institution disposera par ailleurs d'un outil intégrable à son propre dispositif d'enseignement permettant notamment le soutien ou le rattrapage à distance.

Tableau des contenus

Unités	Objectifs actionnels	Grammaire
0 **Perfectionner son apprentissage**	• devenir autonome • développer des stratégies de compréhension à l'écrit comme à l'oral • éviter le stress à l'oral • observer des principes d'écriture	• l'acquisition d'automatismes • les pronoms et substituts lexicaux
1 **S'informer avec les médias**	• comprendre des informations générales dans la presse • commenter ces informations • poster des commentaires sur un site d'informations	• le conditionnel présent • l'expression du doute et de la certitude
2 **Soigner son image**	• choisir son « look » • être en forme physique • s'affirmer dans un groupe • répondre à une interview	• le futur antérieur et la situation dans le futur • la forme « en + participe présent » • l'interrogation
3 **Faire un voyage**	• préparer un voyage • se déplacer en voiture • gérer un problème lors d'un voyage • raconter les moments marquants d'un voyage • poster un avis sur un site de tourisme	• le subjonctif passé • le plus-que-parfait de l'indicatif
4 **Entretenir des relations amicales**	• évoquer des souvenirs d'amitié • faire face à un problème relationnel • s'adapter aux autres • rédiger une lettre amicale	• les temps du récit au passé (révision) • les indicateurs de temps • le conditionnel passé • le discours rapporté au passé

Thèmes et actes de communication	Prononciation et automatismes	Civilisation
• l'apprentissage d'une langue étrangère • les niveaux de langue	• découper la chaîne sonore • surveiller l'intonation • surveiller les marques importantes • distinguer les sons proches	• les Français et l'apprentissage des langues étrangères • le théâtre de l'absurde (Jean Tardieu et Eugène Ionesco) • revue de presse
• les faits divers • la politique • l'économie • donner un avis • imaginer les conséquences d'un fait	• le [ə] dans la prononciation du conditionnel • les sons [pl] – [bl] – [pr] – [br] • la conjugaison du conditionnel et du subjonctif	• l'avenir de la presse et la confiance dans les médias • l'usage du téléphone portable • les aides de l'État et le financement des projets • le quinquennat de François Hollande
• les vêtements • les sports et la santé • formuler des projets personnels • donner des conseils • exprimer la peur – encourager	• les sons [y] – [u] – [i] • la conjugaison du futur antérieur • les constructions avec le pronom « en »	• les modes et les apparences • les objets connectés • les nouveaux modes de communication (réseaux sociaux, selfies) • la mode du « coaching »
• les voyages • les moyens de transport • la conduite automobile • faire un constat d'accident • conseiller la prudence, mettre en garde	• les sons [v] – [f] – [b] • les constructions au présent avec pronom antéposé	• la circulation et les façons de conduire • les transports de demain en ville
• caractères et comportements • faire des suppositions • se disputer et se réconcilier • réagir à des propos désagréables	• le son [ã] • la construction du discours rapporté au passé	• les relations amicales au théâtre et au cinéma (*Le Mensonge* de Florian Zeller et *Entre amis* d'Olivier Baroux) • l'accueil d'un étranger dans les pays francophones

Tableau des contenus

Unités	Objectifs actionnels	Grammaire
5 **Défendre une cause**	• expliquer les causes et les conséquences d'un problème d'environnement ou de société • adhérer à une association • écrire pour défendre une cause	• l'expression de la cause • l'expression du but • l'expression de la conséquence
6 **S'intégrer dans un milieu professionnel**	• découvrir une entreprise et s'y adapter • communiquer au travail • se former et se reconvertir • présenter son lieu de travail ou son lieu d'études	• les pronoms relatifs composés (*auquel, lequel*) • le pronom relatif *dont* • *ce* + pronom relatif
7 **Profiter de ses loisirs**	• lire et parler de ses lectures • jouer • avoir une activité créative • présenter des lieux de loisirs originaux	• l'expression de l'antériorité, de la postériorité et de la simultanéité • les formes passives • la forme « (*se*) *faire* + infinitif »
8 **Consommer**	• apprécier un produit ou un service • se débrouiller avec l'argent • gérer son budget • débattre sur un sujet d'économie	• l'expression de l'appréciation (*si... que, tant... que,* etc.) • l'expression de la condition et de la restriction
9 **Participer à la vie citoyenne**	• s'intégrer dans une ville • juger une réalisation locale • participer à des consultations et à la vie politique locale	• l'expression de l'opposition • l'expression de la quantité (adjectifs et pronoms indéfinis) • les propositions participes

Thèmes et actes de communication	Prononciation et automatismes	Civilisation
• l'écologie • les innovations technologiques • l'art contemporain • donner un avis • organiser des arguments	• les sons [s] et [z] • les constructions avec pronoms compléments directs et indirects	• le secteur associatif • sujets de débat en France : la réintroduction des loups, la construction d'éoliennes, les corridas, l'art contemporain, l'accueil des immigrés clandestins
• l'entreprise et ses services • les professions • présenter un parcours professionnel • écrire à sa hiérarchie pour demander, s'excuser, transmettre un document, faire part d'un problème	• les sons [t] et [d] • le son [ʃ] • les constructions « ce + pronom relatif »	• les relations avec la hiérarchie et avec les collègues en France : le film *La Loi du marché* de Stéphane Brizé • travailler à Montréal • les conditions de travail des salariés en France • l'apprentissage
• l'histoire • les jeux • choisir un livre • raconter une fiction • présenter une activité créative • comprendre une règle de jeu • présenter un moment de l'histoire	• les sons [k] et [g] • les sons [y] et [ɥi]	• les prix littéraires • quelques romans à succès (Gaël Faye, Amélie Nothomb, Fred Vargas) • quelques personnalités célèbres de l'histoire • le développement des jeux en ligne • un styliste : Mossi Traoré
• évaluer un produit • se laisser guider par un répondeur • payer et faire des opérations bancaires • négocier • demander une aide financière	• l'enchaînement dans les constructions comparatives	• les nouveaux modes de consommation (ressourceries, achat direct au producteur...) • l'économie collaborative • deux sujets qui font débat : l'eau gratuite et le revenu de base universel • les banques et l'épargne
• l'immigration • la vie politique • raconter son intégration • commenter les résultats d'un sondage • construire une argumentation pour défendre, s'opposer, suggérer	• le son [r] • la construction avec *bien que* • les sons [s] – [ʃ] – [z] – [ʒ]	• la parité homme femme • deux musées récents : le Mucem de Marseille et le Centre Pompidou-Metz • les pouvoirs politiques et administratifs • le vote des étrangers

Les unités

Une unité 0 et 9 unités bâties chacune sur un scénario actionnel. Le scénario actionnel représente une suite d'actions orientées vers un but : S'informer avec les médias, Soigner son image, Faire un voyage, etc.

Chaque unité comporte :

• **une page de présentation des objectifs**

• **5 leçons,** chacune sur une double page, **développant un moment possible du scénario actionnel** : réagir à une information générale, comprendre une information politique ou économique, donner son avis sur des faits ou des idées, questionner les médias, poster des commentaires sur un site d'information. Chaque objectif est atteint au terme d'un **parcours d'apprentissage** qui voit se succéder différentes **tâches**. Par exemple, la leçon « Évoquer des souvenirs » (unité 4, leçon 1) implique comme tâches : faire une chronologie, raconter une anecdote personnelle, commenter une photo souvenir.

La 5e leçon, qui est, elle aussi, un moment du scénario actionnel donne lieu **à la réalisation d'un projet**.

• **une double page « Outils »**

• **une page « Bilan »**

Les leçons

• **Les leçons 1 à 4**

La progression grammaticale et lexicale

L'introduction de la grammaire et du lexique est subordonnée à l'objectif actionnel. Les points de grammaire et de vocabulaire sont donc à la fois justifiés et mis en œuvre.

L'objectif actionnel

Il correspond à une action ou à un ensemble d'actions que l'étudiant devra savoir accomplir pour atteindre un but dans sa vie de locuteur francophone.

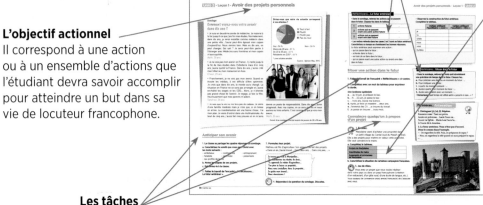

Les documents supports

Les leçons proposent un document écrit et, la plupart du temps, un document oral. La leçon 3 s'appuie toujours sur **une séquence radio** et la leçon 4 sur **un reportage vidéo**. Ces documents sont choisis comme des exemples de formulation linguistique dans le cadre de l'objectif actionnel et pour leur capacité à présenter le vocabulaire et les éléments grammaticaux nécessaires à ces formulations.

Les tâches

L'objectif de la leçon est atteint au terme d'un parcours d'apprentissage qui voit se succéder différentes tâches. Ces tâches peuvent être à dominante communicative ou porter sur un savoir-faire linguistique.

• **La leçon « Projet »**

La cinquième leçon de l'unité est construite selon les étapes de la réalisation d'un projet que l'étudiant devra mener à bien. Cette réalisation permet de remettre en œuvre les savoir-faire acquis dans les quatre leçons précédentes.

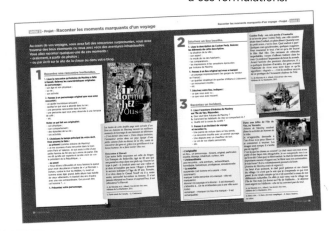

Les outils pour un apprentissage efficace

• Les activités de compréhension
Un appareil pédagogique important aide les étudiants dans leur travail de compréhension des documents oraux ou écrits : QCM, questionnaire de recherche, vrai ou faux, phrases à compléter, tableau à remplir.

• Les encadrés « Prononcez... Automatisez »
Cet encadré propose un travail de phonétique (discrimination et prononciation des sons) et des exercices visant à l'automatisation des constructions grammaticales.

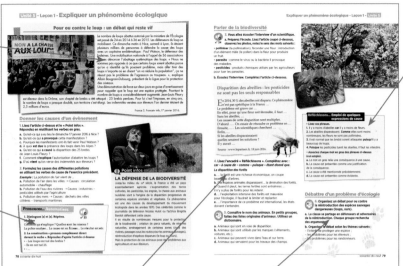

• Les focus « Réfléchissons... »
Ces focus sous forme d'encadrés proposent des moments de réflexion sur la langue. Les étudiants y induisent les structures et les règles grammaticales ou lexicales grâce à de petits exercices guidés par le professeur.

• Les exercices
Ils ont pour but la vérification de la compréhension des systèmes de la langue et contribuent à leur automatisation.

• Les activités de production
La leçon se termine souvent par une activité de production écrite ou orale.

• La vidéo et son exploitation
Comme la plupart des autres documents, la vidéo fait l'objet d'une exploitation détaillée qui commence par un travail sur les images après visionnage sans le son.

• Les « Points infos »
Ils font le point sur des aspects ponctuels de civilisation en liaison avec le contenu de la leçon. Ils sont souvent le support d'activités de comparaisons interculturelles, de recherches et d'échanges.

• Les activités en groupe
Selon l'objectif de l'activité, l'étudiant est invité à travailler seul, par deux ou en petit groupe.

La double-page « Outils »
Elle récapitule les principaux points de grammaire et de vocabulaire de l'unité. Pour l'étudiant, c'est un aide-mémoire et un instrument de référence.

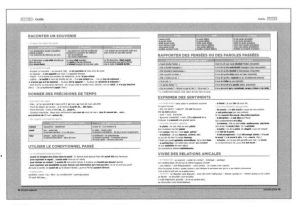

La page « Bilan »
Elle permet une première autoévaluation des acquisitions de l'unité.

Le cahier d'activités

Il reprend les contenus de chaque leçon pour les prolonger et les approfondir.
Dans le cahier d'activités, l'étudiant trouvera pour chaque leçon :
– une liste des mots nouveaux à traduire ;
– des activités de vérification de la compréhension des textes et des documents sonores du livre ;
– des exercices de réemploi du vocabulaire et des expressions introduits dans la leçon ;
– des exercices pour l'automatisation des formes de grammaire et de conjugaison ;
– des exercices complémentaires de prononciation ;
– des exercices d'écoute à partir de nouveaux documents sonores ;
– des activités liées à la découverte des différentes aspects de la civilisation ;
– une préparation au DELF.

Le livre du professeur

Le professeur y trouvera :
– le contenu et l'objectif de chaque leçon ;
– des propositions de parcours et de mises en œuvre diverses ;
– les explications nécessaires pour les points de grammaire, de lexique ou de phonétique ;
– des notes culturelles relatives au contenu des leçons ;
– les corrigés ou propositions de corrigés des exercices.

Un environnement numérique complet et innovant

Tendances B1 bénéficie d'un environnement numérique complet.
– Pour l'étudiant : les versions numériques individuelles enrichies avec tous les médias en ebook.
– Pour le professeur : les versions numériques pour la classe (TBI, vidéo projection) disponibles sur clé USB et en ebook.
– Pour l'institution : « ViaScola », un dispositif pour des offres d'enseignement hybride, soutien ou rattrapage à distance.

PERFECTIONNER
SON APPRENTISSAGE

1 **MIEUX S'EXPRIMER À L'ORAL**
- Éviter le stress
- Remplacer un mot par un autre
- Travailler les automatismes
- Demander l'aide de l'interlocuteur

2 **LIRE PLUS FACILEMENT**
- Anticiper les informations
- Trouver le sens des mots inconnus
- Exploiter le contexte

3 **EXERCER SES CAPACITÉS D'ÉCOUTE**
- Découper la chaîne sonore
- S'aider de l'intonation
- Surveiller les marques importantes
- Distinguer les sons proches

4 **AMÉLIORER SON EXPRESSION ÉCRITE**
- Distinguer les niveaux de langue
- Éviter les répétitions
- Surveiller les constructions
- Organiser les textes
- Connaître les bonnes formules

POURQUOI A-T-ON PEUR DE PARLER UNE LANGUE ÉTRANGÈRE ?
Témoignages

• J'ai fait allemand première langue pendant toute ma scolarité mais j'ai toujours peur de parler. C'est une langue compliquée. Au moment de prendre la parole, toutes les règles s'embrouillent dans ma tête.
Élodie, 30 ans

• Cela dépend de la personne avec qui je parle. Quand je parle anglais avec un Égyptien ou un Mexicain, je suis assez à l'aise. Mais quand c'est avec un Anglais ou un Américain, je suis paralysé. C'est pareil si dans le groupe, il y a un Français qui parle beaucoup mieux que moi.
Aurélien, 25 ans

• J'ai fait de l'espagnol à l'école. Je peux lire dans cette langue. J'adore l'Espagne et les Espagnols. Avec ma compagne, nous y allons souvent mais je suis incapable de prendre la parole dans cette langue. Quand je prononce un mot, je me sens tout bête. J'ai l'impression que je ne suis plus moi-même. Mon accent est lamentable.
Alexandre, 30 ans

Enquête réalisée auprès de Français qui utilisent occasionnellement une langue étrangère.

• Récemment, je suis allée à New York avec une amie qui a une cousine là-bas. Nous avons été invitées à un vernissage d'exposition où il y avait beaucoup d'artistes. J'étais intimidée. Un invité très sympa est venu me parler très gentiment. Il m'a posé des questions sur moi, sur ce que je faisais, où j'habitais. J'étais assez à l'aise. Puis, il a commencé à me parler de l'artiste qui exposait et là, je me suis trouvée complètement bloquée. Je ne pouvais dire que « yes » ou « no ».
Corine 28 ans

Éviter le stress

 1. En petit groupe, associez chaque témoignage à une/des cause(s) suivante(s) :
a. paraître ridicule ;
b. se trouver en état d'infériorité ;
c. faire des fautes ;
d. ne pas pouvoir exprimer ses idées.

2. Lisez les conseils ci-contre. Lesquels peut-on donner aux personnes de l'enquête ?

3. Échangez vos expériences. Demandez conseil aux autres étudiants et au professeur.

• Avez-vous peur de parler français ? Toujours ? Dans certaines situations ?
• Pouvez-vous expliquer pourquoi vous avez peur ?
• Si vous vous exprimez sans anxiété, est-ce naturel ? Avez-vous travaillé pour cela ?

Quelques conseils pour éviter le stress

1. Pensez que l'interlocuteur étranger est souvent indulgent car il a peut-être les mêmes difficultés que vous.
2. Dites tout de suite à votre interlocuteur quel est votre problème.
3. Préparez-vous à parler de quelques sujets quotidiens et fréquents : vos voyages, votre famille, votre ville, etc.
4. Dirigez la conversation sur les sujets que vous connaissez.
5. Ayez des automatismes (voir p. 13).
6. Posez des questions à votre interlocuteur. Écoutez-le.
7. Créez une relation de sympathie avec votre interlocuteur.

Remplacer un mot par un autre

4. Par quels mots ou expressions du tableau peut-on remplacer les mots suivants ?

Quand on parle sa langue maternelle, on doit quelquefois remplacer un mot par un autre.

a. un cancer   **e.** un vieux
b. un aveugle   **f.** mourir
c. un chômeur   **g.** un mensonge
d. un clochard   **h.** une femme de ménage

> **1.** un sénior
> **2.** un non voyant
> **3.** une longue maladie
> **4.** partir
> **5.** une employée de maison
> **6.** un demandeur d'emploi
> **7.** une contre-vérité
> **8.** un SDF (Sans Domicile Fixe)

Travailler les automatismes

6. Lisez, ci-contre des témoignages de personnes qui ont dû apprendre l'anglais. Quels ont été leurs problèmes ?

 7. Imaginez de petits exercices pour travailler vos automatismes. Continuez.

Utilisez les verbes : *aller – voir – visiter – manger – boire – rester – écouter – raconter – dire.*

a. Le passé composé à la forme négative
Retour de voyage
– Tu es allé à Marseille ?
– Non, je ne suis pas allé à Marseille.
– Tu as vu les Alpes ?
– Non, ...

b. Le pronom placé avant le verbe
Retour de soirée
– Tu as vu Adèle ?
– Oui, je l'ai vue.
– Tu lui as parlé ?
– Oui, ...

Demander l'aide de l'interlocuteur

 8. Écoutez. Un couple entre dans un magasin d'antiquités. Relevez :

N° 1

a. les mots que les personnages ne comprennent pas ;
b. les formules utilisées pour exprimer l'incompréhension ;
c. les formules utilisées pour expliquer.

5. Complétez cette conversation. Vous parlez avec un étranger qui parle moins bien français que vous.

Quand on parle une langue étrangère, on peut souvent remplacer un mot inconnu par un autre mot ou une expression.

Vous : Pour Noël, je prends des vacances.
L'étranger : Qu'est-ce que ça veut dire « Noël » ?
Vous : ...... Je pars avec deux copines
L'étranger : C'est quoi, « des copines » ?
Vous : ...... Elles sont sympas. C'est pas des filles qui râlent tout le temps.
L'étranger : Tu as dit « râlent ». Ça veut dire quoi ?
Vous : ...... Nous allons faire du ski dans les Alpes.
L'étranger : « Les Alpes », c'est quoi ?
Vous : ......

COMMENT ILS ONT APPRIS UNE LANGUE ÉTRANGÈRE

J'ai vraiment appris l'anglais lors du tournage de mon long métrage *J'irai dormir à Hollywood*. Avant, je ne le parlais pas vraiment. Je réfléchissais trop à mes mots. Aujourd'hui, quand une conversation bascule en anglais, je réponds dans la langue sans m'en rendre compte.
Antoine de Maximy, cinéaste

J'ai souvent dû faire des interviews en anglais, que je préparais soigneusement. Comme je ne suis pas beaucoup allé en Grande-Bretagne plus jeune, j'ai eu des difficultés à obtenir des réflexes en anglais.
Emmanuel Davidenkoff, directeur de la rédaction du groupe l'Étudiant

Personnalités interrogées par *Vocable*, 09/11/2012

Anticiper les informations

1. Lisez ci-contre les titres d'articles. Voici des mots ou des expressions pris dans les articles. Associez chaque mot ou groupe de mots à un titre.

a. la baisse des prix
b. une campagne électorale
c. un candidat
d. des chutes de neige
e. un cinéaste
f. un concert
g. des engins agricoles
h. un film
i. une mobilisation
j. des morts
k. une randonnée à ski
l. un rival
m. une salle de spectacle

2. Dans quelle rubrique du journal peut-on classer ces articles ?

a. Étranger **b.** Faits divers **c.** Société **d.** Spectacles

3. À propos de quel article peut-on poser les questions suivantes ?

a. Ils font quel type de musique ?
b. Pourquoi ils protestent ?
c. Qu'est-ce qu'on peut voir d'intéressant ?
d. Il s'est passé des choses graves ?
e. Qui va gagner ?

Manifestation d'agriculteurs à Rennes

CONCERT EAGLES OF DEATH METAL À L'OLYMPIA

PRÉSIDENTIELLE AMÉRICAINE

Changement climatique et avalanches

La sélection cinéma du Monde

 4. La classe se partage les cinq titres. Chaque groupe imagine le contenu de l'article. Rédigez un sous-titre pour votre article.

 5. Écoutez. Les informations données dans ces articles sont développées à la radio. Comparez avec votre production de l'exercice 4.
N° 2

Trouver le sens des mots inconnus

Il tombe d'une falaise de 1 200 mètres et s'en sort indemne !

Au Sri Lanka, une jeune mariée néerlandaise a vu son époux reculer pour mieux cadrer la photo, puis plus rien : il venait de tomber du haut de la falaise de « La fin du monde », haute de 1 200 mètres, avant d'être sauvé miraculeusement par un arbre. « Il a été extrêmement chanceux parce qu'il a atterri sur la cime d'un arbre après une chute de près de 40 mètres », a annoncé samedi un porte-parole de l'armée. L'homme, âgé de 35 ans, souhaitait immortaliser sa jeune épouse quand il est tombé du haut de la falaise, l'une des grandes attractions touristique du pays où le couple était en lune de miel, a-t-il expliqué.

Quelque 40 soldats munis de cordes ont réussi à récupérer le jeune marié qui a été transporté sur les épaules d'un militaire sur une distance de 5 km avant d'être héliporté vers un hôpital de la région. « Sa condition est stable et il est hors de danger », a indiqué un officier de police.

www.lefigaro.fr avec AFP, 21/02/2015.

6. Lisez l'encadré « Réfléchissons » et l'article de la page 14. Par deux, essayez de trouver le sens des mots surlignés.

7. Vérifiez vos réponses en associant chaque mot surligné à une des définitions suivantes :

a. avoir de la chance
b. sommet
c. quand la côte forme un mur qui tombe dans la mer
d. équipé
e. transporté par hélicoptère
f. se retrouver vivant et sans blessure
g. personne qui prend la parole au nom d'un groupe
h. les premiers temps après le mariage
i. pour garder un souvenir

8. Vérifiez votre compréhension de l'article. **La mère de la mariée rencontre une amie. Complétez ses phrases.**

« Figure-toi que j'ai reçu un appel de ma fille. Tu sais qu'elle s'est mariée. Avec son mari, elle est partie... pour...
Là-bas, ils sont allés voir...
Le mari a voulu... Mais, à ce moment-là, ...
Heureusement, ...
Mais il ne pouvait pas... Il a fallu...
On l'a amené... Mais, ma fille m'a dit que... »

Exploiter le contexte

9. Lisez l'extrait de la pièce de théâtre *Finissez vos phrases*. **Donnez votre opinion sur les affirmations suivantes :**

a. Monsieur A et madame B se voient très souvent.
b. Madame B a fait quelque chose d'extraordinaire.
c. Monsieur A n'aime pas ce qu'a fait madame B.
d. Madame B est fière de ce qu'elle a fait.

> ### Réfléchissons... Le sens des mots nouveaux
>
> • **Quelle phrase correspond à vos habitudes ?**
> Quand je rencontre un mot nouveau :
> – je suis bloqué(e) ;
> – je le cherche dans un dictionnaire bilingue ;
> – je continue ma lecture sans m'arrêter ;
> – j'essaie de trouver le sens du mot d'après le contexte.
>
> • **Mettez ces conseils en pratique dans l'exercice 6.**
> On peut trouver le sens d'un mot inconnu :
> – en le comparant à un mot de sa langue maternelle ou d'une langue connue ;
> – à partir d'un autre mot français (« encourager » à partir de « courage ») ;
> – à partir du sens général de l'article ;
> – à partir des autres mots de la phrase.

 10. En petit groupe, complétez les phrases de la scène, puis jouez la scène.

FINISSEZ VOS PHRASES !

Jean Tardieu est un écrivain qui a beaucoup joué avec le langage. Dans cette pièce de théâtre en un acte, les personnages ne finissent pas leurs phrases et pourtant on comprend...

Deux personnages se rencontrent dans la rue.
Monsieur A, *avec chaleur.* – Oh ! Chère amie. Quelle chance de vous....
Madame B, *ravie.* – Très heureuse moi aussi. Très heureuse de... vraiment oui !
Monsieur A. – Comment allez-vous depuis que...
Madame B, *très naturelle.* – Depuis que... ? Eh bien ! J'ai continué, vous savez. J'ai continué à....
Monsieur A. – Comme c'est... ! Enfin, oui, vraiment, je trouve que c'est....
Madame B, *modeste.* – Oh, n'exagérons rien ! C'est seulement, c'est uniquement... Je veux dire : ce n'est pas tellement...
Monsieur A, *intrigué mais sceptique.* – Pas tellement, pas tellement, vous croyez ?

Madame B, *restrictive.* – Du moins je le..., je, je... Enfin... !
Monsieur A, *avec admiration.* – Oui, je comprends : vous êtes trop, vous avez trop de...
Madame B, *toujours modeste, mais flattée.* – Mais non, mais non : plutôt pas assez...
Monsieur A, *réconfortant.* – Taisez-vous donc ! Vous n'allez pas nous... ?
Madame B, *riant franchement.* – Non ! Non ! Je n'irai pas jusque là !

Jean Tardieu, « Finissez vos phrases », in *La Comédie du langage*, Gallimard, 1987.

La Cantatrice chauve

Dans sa pièce de théâtre *La Cantatrice chauve*, Eugène Ionesco fait dire à ces personnages des phrases banales dans des conversations souvent absurdes. Voici l'arrivée de la bonne de monsieur et madame Smith.

Mary (*entrant*). – Je suis la bonne. J'ai passé un après-midi très agréable. J'ai été au cinéma avec un homme et j'ai vu un film avec des femmes. À la sortie du cinéma, nous sommes allés boire de l'eau-de-vie et du lait et puis on a lu le journal. […] Mme et M. Martin, vos invités, sont à la porte. Ils m'attendaient. Ils n'osaient pas entrer tout seuls. Ils devaient dîner avec vous, ce soir.

Mme. Smith. – Ah oui. Nous les attendions. Et on avait faim. Comme on ne les voyait plus venir, on allait manger sans eux. On n'a rien mangé, de toute la journée.

Eugène Ionesco, *La Cantatrice chauve*, 1950, © Gallimard.

Découper la chaîne sonore

1. Lisez l'encadré « Prononcez » ci-contre. Écoutez l'extrait de *La Cantatrice chauve*.

N° 3

a. Marquez les groupes rythmiques.

b. Trouvez :
– trois enchaînements entre consonne et voyelle ;
– trois enchaînements entre voyelle et voyelle ;
– trois liaisons.

2. Voici des phrases où les mêmes sons se succèdent mais ces phrases n'ont pas le même sens.

N° 4

Écoutez. Trouvez les groupes rythmiques pour les distinguer à l'oral.

a. Je suis en terre inconnue.
   Je suis en terrain connu.

b. La faim détend.
   La fin des temps.

c. Cet homme est ténor mais m'embête.
   Cet homme est énormément bête.

d. Vois les fenêtres sur la mer
   Voiles et feux naître sur la mer
   Le bal qu'on donne sur la mer
   Le balcon donne sur la mer

Poème de Jean Cocteau, « L'Hôtel ».

Prononcez... Automatisez

La chaîne sonore

• Les groupes rythmiques
Quand on parle, on regroupe les mots selon le sens. Un groupe rythmique peut comporter un ou plusieurs mots. :
« Sortez !... Vous sortez !... Vous sortez d'ici !... Vous sortez d'ici tout de suite ! »
Le groupe rythmique est terminé par un accent et par un allongement de la syllabe finale.

• L'enchaînement
À l'intérieur d'un groupe, les mots s'enchaînent.
On distingue :
1. l'enchaînement entre un mot se terminant par une consonne prononcée et un mot commençant par une voyelle : « Venez par_ici ! »
2. l'enchaînement entre un mot terminé par une voyelle et un mot commençant par une voyelle : « J'ai été amie avec elle. »

• Les liaisons
La liaison se fait entre un mot terminé par une consonne non prononcée et un mot commençant par une voyelle : « Voici mes_amis. »
Les liaisons peuvent être obligatoires, facultatives ou interdites.
La liaison peut modifier la prononciation de la consonne finale du mot :
« C'est un grand_ami. » prononcé [grãtami].

S'aider de l'intonation

3. Écoutez chaque phrase et lisez le commentaire ci-dessous. D'après l'intonation de la phrase, dites si ce commentaire est juste ou faux.

N° 5

Dans un jardin public, une jeune fille lit seule, sur un banc. Un jeune homme l'aborde.

1. Le garçon pense que la jeune fille n'est pas française.
2. Il pense qu'elle n'est pas marocaine.
3. Il pense que c'est impossible qu'elle soit algérienne.
4. Il sait qu'elle habite à Paris.
5. Il pense qu'elle habite à Paris.
6. Il ne sait pas si elle travaille.
7. Il ne sait pas si elle travaille dans un restaurant.
8. Il a reconnu la jeune fille.

Surveiller les marques importantes

4. Lisez le point « L'oral et l'écrit » de l'encadré « Prononcez ». Écoutez. Dites si le départ est passé, présent ou futur. Notez ce qui l'indique dans le tableau.

N° 6

Les étudiants de 2ᵉ année d'université passent une année à l'étranger avec les échanges Erasmus.

On parle...	
du passé	**a.** Nicolas **est parti** au Portugal. ...
du présent	...
du futur	**b.** Morgane s'en va **demain** à Berlin. ...

5. Écoutez et complétez les tableaux
a. Dites si on parle d'une personne ou de deux personnes. Notez les marques orales du pluriel.

N° 7

une personne	plusieurs personnes
...	les étudiants [ze]

b. Dites si on parle d'un homme ou d'une femme. Notez les marques orales du féminin.

un homme	une femme	on ne sait pas
...	l'ouvrière [ɛrə]	...

Distinguer les sons proches

6. Lisez l'encadré « Prononcez », ci-dessous. Écoutez. Notez la ville où ils vont.

N° 8 *Exemple : a. Je vais à Gand. → (2)*

a. (1) Caen	(2) Gand
b. (1) Bernay	(2) Pernay
c. (1) Mouzac	(2) Moussac
d. (1) Verrières	(2) Ferrières
e. (1) Jâlons	(2) Chalon
f. (1) Doulon	(2) Toulon

7. Écoutez. Des étrangers commandent un repas dans un restaurant. Dites s'ils prononcent bien et corrigez-les si c'est nécessaire.

N° 9

a. du veau	**c.** du chou	**e.** de la bière
b. de la laitue	**d.** du pain	**f.** des crudités

8. Il y a quelquefois en français des associations de sons surprenantes et comiques. Écoutez et lisez ces annonces trouvées dans la presse. Pourquoi sont-elles amusantes ?

N° 10

• Dans la commune de Serviers, c'est maintenant Roland Dupuis, père de trois enfants qui est maire.
• Monsieur Alex Terrieur, ancien élève de l'ENA, a été nommé ambassadeur à Tokyo.
• Caroline et Philippe Issier ont la joie de vous faire part de la naissance de leur fils Paul.
• Madame Perret, la directrice de notre école élémentaire a mis au monde, à 40 ans, une petite fille qu'elle a prénommé Inès.

Distinguer les niveaux de langue

 1. Travaillez par deux. Lisez ces phrases.

a. Imaginez dans quelle circonstance elles ont été produites.

1. Je serais très heureuse d'intégrer votre équipe comme stagiaire.

2. J'ai plus de batterie. Tu peux me passer ton portable une minute. Je dois appeler un pote.

3. Passe-moi un saladier... ou un grand bol, quelque chose pour mettre les œufs, s'il te plaît.

4. Bonjour Sarah. J'ai un problème pour loger les personnes invitées au Festival du film britannique. Pourrais-tu loger deux personnes les nuits de vendredi et de samedi ?

5. OK pour le ciné ce soir. RV à 18 h. À +.

6. À l'occasion de la Journée des Jardins, notre association serait heureuse que vous ouvriez votre jardin au public les 15 et 16 mai.

7. Je sollicite une aide complémentaire pour pouvoir terminer mon projet.

8. Tu as acheté le dernier roman de... comment elle s'appelle ? Ah oui, « Delphine Végan » ou quelque chose comme ça... Je pourrais te l'emprunter ?

b. Caractérisez ces phrases :
• plutôt écrites   • plutôt orales
• très familières   • familières   • standard   • formelles

c. Indiquez les caractéristiques :
– de l'écrit ;
– de l'oral.

Réfléchissons... L'expression écrite

L'expression écrite est la compétence la plus difficile à acquérir. Quand on écrit, l'interlocuteur ne vous aide pas (comme à l'oral). On ne peut pas être approximatif (comme en compréhension).

Pour améliorer son expression écrite, il faut apprendre à :
– éviter les répétitions ;
– faire des constructions grammaticales correctes ;
– organiser ses textes selon ce qu'on veut exprimer (raconter ou décrire quelque chose, exprimer des idées ou des sentiments, etc.) ;
– connaître les formules des écrits formels ou administratifs.

Éviter les répétitions

2. Reformulez les phrases en évitant les répétitions. Remplacez les mots soulignés par des pronoms.

Un père raconte

« Ma fille a accueilli pendant un mois Cara, sa correspondante de Namibie. Cara est venue avec son frère Dean.
Nous avons fait visiter notre région à Cara et à Dean.
Nous avons amené Cara et Dean à la montagne pour faire voir la neige à Cara et à Dean.
C'était la première fois qu'ils voyaient de la neige et qu'ils touchaient de la neige.
Nous avons emmené Cara et Dean à Paris. Cara étudie l'histoire de l'art. J'ai emmené Cara au musée du Louvre. »

3. Reformulez les phrases en évitant la répétition des mots soulignés. Utilisez des substituts (le chanteur, etc.), des pronoms démonstratifs (celui-ci, etc.).

Souvenirs

« Je me souviens. C'était en 1977. J'étais allée à un concert de JH à Montpellier.
D'abord, JH est arrivé avec une heure de retard et le public s'impatientait.
JH n'était pas dans son état normal. JH a dû quitter la scène plusieurs fois.
Enfin, au bout de huit chansons, JH est parti.
Le public a attendu JH pendant une demi-heure mais JH n'est jamais revenu.
Les spectateurs étaient très en colère. Certains spectateurs ont commencé à casser les sièges. La police est arrivée et a embarqué ces spectateurs. »

Surveiller les constructions

4. Complétez ces phrases quand c'est nécessaire avec des prépositions, des pronoms relatifs ou des mots interrogatifs, etc.

Retrouvailles

a. J'ai été invitée ... des amis ... une soirée.

b. À cette soirée, j'ai rencontré ... un ancien copain de lycée. Il travaille ... l'informatique.

c. Nous avons parlé ... nos anciens amis et ... professeurs ... lycée.

d. C'est un garçon ... mesure 1,90 m et ... fait beaucoup de sport.

e. Au lycée, il faisait .... musique. Il jouait ... guitare.

f. Il écrivait des chansons ... j'aimais beaucoup.

g. J'aimerai bien ... le revoir mais j'ai oublié ... lui demander son téléphone.

h. Je vais le demander ... mes amis.

i. Je ne sais pas ... il habite, ... il est marié, ... a des enfants.

j. ... sont ses amis aujourd'hui ? ... sont ses loisirs ?

Organiser les textes

5. Lisez, ci-contre, la réponse de Pamina à l'enquête sur le projet de nouveau théâtre. Relevez et classez les mots qui permettent d'organiser les idées.

• Idées qui vont dans le même sens
• Idées contraires
• Idées complémentaires
• Conclusion

6. Écrivez une réponse argumentée à la question : « Pourquoi vous apprenez le français ? »

a. Par deux, recherchez des arguments :

• pour l'apprentissage du français : utile pour les voyages – intérêt pour le cinéma ou la littérature française – intérêt professionnel, etc.

• contre cet apprentissage : difficulté de la grammaire – peu utile car partout on parle anglais, etc.

b. Écrivez votre réponse en organisant vos idées.

Êtes-vous pour ou contre la construction d'un nouveau théâtre ?

Je n'y suis pas favorable. En effet, d'une part, nous avons déjà un joli théâtre construit à la fin du XIXᵉ siècle, d'autre part il n'est pas toujours plein. Il est vrai que ce théâtre est un peu vieux mais il pourrait être rénové et il est évident que la rénovation coûterait moins cher qu'une nouvelle construction.

De plus, deux théâtres ne se justifient pas dans une petite ville comme la nôtre.

Enfin, les finances de notre commune ne sont pas particulièrement brillantes en ce moment. La construction d'un nouveau théâtre me paraît donc inutile.

Pamina

CONNAÎTRE LES BONNES FORMULES

7. Voici des formules extraites de lettres administratives. Choisissez une situation et écrivez la fin de la phrase.

Formules	Situations
a. Je vous remercie par avance de...	Pour répondre à une offre d'emploi
b. Je vous prie d'excuser....	Pour demander des renseignements
c. Je vous serais reconnaissant(e) si...	Après une absence au travail
d. Je souhaiterais...	À la fin d'une lettre administrative
e. Je sollicite...	Pour demander un rendez-vous
f. Je vous prie d'agréer....	etc.

Travaillez par deux. Tirez au sort une photo. Imaginez et jouez le dialogue que vous inspire cette photo.

S'INFORMER
AVEC LES MÉDIAS

1 RÉAGIR À UNE INFORMATION GÉNÉRALE
- Comprendre un fait divers
- Imaginer les conséquences d'une situation

2 COMPRENDRE UNE INFORMATION POLITIQUE OU ÉCONOMIQUE
- Résumer une information économique
- Comprendre des informations politiques
- Demander des précisions sur un évènement

3 DONNER SON AVIS SUR DES FAITS OU DES IDÉES
- Comprendre des arguments contre le téléphone portable
- Exprimer le doute ou la certitude
- Donner un avis

4 QUESTIONNER LES MÉDIAS
- Comprendre le travail d'une journaliste
- Répondre à une enquête sur la fiabilité des médias

PROJET

POSTER DES COMMENTAIRES SUR UN SITE D'INFORMATION

États-Unis: Un couple remporte officiellement 528 millions de dollars au Powerball, la loterie du siècle

Un couple du Tennessee est devenu vendredi le premier gagnant officiel du jackpot du siècle aux États-Unis, deux jours après avoir acheté l'un des trois billets gagnants de la cagnotte record d'1,58 milliard de dollars.

John Robinson et sa femme Lisa ont posé avec un énorme chèque factice de 528,8 millions de dollars lors d'une conférence de presse organisée par la loterie du Tennessee à Nashville. « C'est officiel. Nous sommes heureux de féliciter la famille Robinson de Munford pour leur gain historique », a également annoncé la loterie du Tennessee sur Twitter.

Le couple qui habite à Munford, petite ville de 5 000 habitants près de Memphis, a déclaré qu'il comptait continuer à travailler. Lui est dans l'entretien, elle travaille chez une dermatologue. Pressés de questions sur leurs intentions, les époux ont indiqué qu'ils comptaient payer les dettes étudiantes de leur fille, et donner de l'argent à leur église, mais n'avaient pas pour l'instant l'intention de déménager. Lisa a téléphoné à sa patronne, lui disant qu'elle prenait un jour de congé vendredi. « Je serai là lundi », a-t-elle ajouté.

20 minutes, 16/01/2016.

45 commentaires

• **José 57** – Si je gagne 500 millions de dollars, j'arrête de travailler, j'achète un hôtel particulier à Paris, une villa sur la Côte d'Azur et un jet privé. Et je profite de la vie. Et vous, si vous gagniez cette somme, que feriez-vous ?

• **Mylèna B** – Si je gagnais une somme aussi importante, je serais très embarrassée. Il faudrait gérer cet argent. Mes amis seraient jaloux. J'aurais plus de problèmes qu'aujourd'hui.

• **Eudoxie** – Moi, je saurais comment employer cette somme. Avec des amies, nous créerions une organisation pour la scolarisation des petites filles dans le monde. Dans beaucoup de pays, elles ne vont pas à l'école. Nous construirions des écoles et nous formerions des professeurs.

Comprendre un fait divers

1. Lisez l'article ci-dessus. Approuvez ou corrigez les affirmations suivantes :

a. On connaît le résultat du tirage de la loterie Powerball.
b. Le couple qui a gagné habite une petite ville aux États-Unis.
c. Ce couple a gagné 1,58 milliard de dollars.
d. Ils ont acheté leur billet la veille du tirage.
e. Ils appartiennent à la classe supérieure américaine.
f. Ils disent que cette somme va complètement changer leur vie.

2. Associez les mots et leur définition.

a. une loterie   **e.** un dermatologue
b. un jackpot   **f.** remporter
c. une cagnotte   **g.** poser
d. un gain

1. grosse somme d'argent mise en jeu dans une loterie
2. dans une loterie, somme qui s'accumule quand il n'y a pas de gagnant
3. jeu où on achète un billet qui est tiré au sort
4. somme qu'on gagne
5. rester immobile pour être pris en photo
6. gagner
7. médecin s'occupant des maladies de peau

Imaginer les conséquences d'une situation

3. a. Lisez les réactions à l'article. Caractérisez les commentateurs avec les mots suivants :

a. généreux
b. modeste
c. égoïste
d. dynamique
e. bon vivant
f. sensible

b. Faites le travail de l'encadré « Réfléchissons ».

4. Répondez à la question de José 57.

Si je gagnais, …

5. Conjuguez les verbes.

Rêve d'une nouvelle vie

Si je quittais mon travail, nous (*aller*) vivre à la campagne.
Tu (*travailler*) à la maison et tu (*aller*) à Paris un jour par semaine.
J'(*avoir*) un jardin et je (*produire*) des légumes et des fruits.
Nos enfants (*être*) heureux et en bonne santé.
Vous (*venir*) chez nous le week-end. Nous (*faire*) des balades en forêt.

 6. Par deux, imaginez les conséquences des situations suivantes.

Vous faites un séjour en France avec un(e) amie. Vous logez dans l'appartement de Français qui sont partis en vacances.

a. Que feriez-vous si vous perdiez vos papiers d'identité et votre argent ?
b. Que feriez-vous avec votre ami(e) si les Français rentraient plus tôt de vacances ?
c. D'après vous, que ferait votre ami(e) si vous disparaissiez sans donner de nouvelles ?

Prononcez... Automatisez

1. Le [ə] dans la prononciation du conditionnel présent. Répétez. N° 11

NB : Le « e » n'est pas prononcé quand il suit une seule consonne orale.

Un vieil acteur rêve

Si le téléphone sonnait, je décroch**e**rais…
Un producteur me propos**e**rait un rôle…
J'accepterais… Il me présent**e**rait ma partenaire… Nous répéterions nos scènes… Je retrouv**e**rais mon public…

2. La conjugaison du conditionnel. Étonnez-vous comme dans l'exemple.

• – Moi, si j'hérite de mon oncle, j'achète un château
• – Si tu héritais de ton oncle, tu achèterais un château !
• – …

Réfléchissons... Le conditionnel présent

• **Observez la première phrase des commentaires de José 57 et de Mylèna B. Notez les temps des verbes**

a. Si je gagne […] 500 millions de dollars, j'arrête […] de travailler.
b. Si je gagnais […] une somme aussi importante, je serais [*présent du conditionnel*] très embarrassée.

• **Observez les verbes dans les trois commentaires. Dans quelles phrases le commentateur :**
a. imagine une situation ;
b. fait une supposition ;
c. fait un rêve ;
d. parle de la réalité ?

• **Relevez les verbes au conditionnel. Quand utilise-t-on ce mode verbal ?**

• **Observez les formes des verbes au présent du conditionnel. Notez les ressemblances avec le futur :**
a. à l'oral ;
b. à l'écrit.

• **Complétez les conjugaisons des verbes de cette phrase.**
Si je gagnais 500 millions d'euros, j'achèterais un château.
– Si tu …, tu … .
– Si elle .., elle … .
– …

• **Complétez.**
Si je quittais mon travail …
être → je serais,   avoir → j'aurais, …
faire → …   aller → …
savoir → …   falloir → …

• **Comment peut-on trouver la conjugaison du conditionnel ?**

---

 7. Voici deux situations imaginées par des auteurs de science-fiction. Par deux, choisissez une de ces situations. Que feriez-vous ?

a. *Armageddon* (film de Michael Bay, 1998). Un astéroïde de la taille du Texas va s'écraser sur la Terre dans 18 jours. L'humanité disparaîtra.
b. *La Machine à explorer le temps* (roman de H.-G. Wells, 1895). Un savant a inventé une machine qui permet de voyager dans le temps.

Pour financer des installations sportives, des édifices, des animations

Au stade, au spectacle : la solution « naming »

Le Parc des Princes[1] pourrait-il être rebaptisé « Quatar Airways stadium » ? [...] L'Hexagone connaît depuis quelques mois une forte poussée de « naming », ce barbarisme[2] anglo-saxon qui désigne le « parrainage » d'un équipement ou d'un événement avec une marque. [...]

Dès la semaine prochaine, il ne faudra plus dire « P-O-P-B (Palais omnisport de Paris Bercy) »[3] mais « Accor hôtels arena POPB ». Ce contrat d'une durée de dix ans devrait rapporter annuellement plus de 4 millions à la Ville de Paris,

dont 3,35 au titre du « naming ». « La marchandisation de l'espace se développe fortement en France pour combler notamment la forte réduction de la dotation globale de fonctionnement[4] », confirme Marcel Botton, spécialiste des marques et PDG de la société Nomen. La question est de savoir aujourd'hui jusqu'où veulent aller les collectivités. Sont-elles prêtes à perdre leur identité ?

C'est une forme de sacrifice pour les collectivités mais qui rapporte gros dans cette période de disette. [...] Mais le sport n'est pas le seul à

vivre cette évolution, la culture y vient : le château de Versailles offre régulièrement son écrin à des soirées sponsorisées, les festivals s'adossent de plus en plus à des marques. Où poser des limites à cette invasion des marques ? « Il y a peu de chance que la tour Eiffel devienne un jour tour Häagen-Dazs, pense Marcel Botton, mais sait-on jamais ? On peut imaginer dans l'avenir des autoroutes sponsorisées, des plages. Seuls les symboles nationaux comme le drapeau semblent préservés. »

Xavier Frère, *Le Dauphiné libéré*, 3/10/2015.

1. Le plus grand stade de football parisien après le stade de France.
2. Mot nouveau ou déformé.
3. Grande salle de spectacle à Paris.
4. Voir le « Point Infos ».

La salle de spectacle de l'AccorHotels Arena

Résumer une information économique

1. Lisez l'article ci-dessus et choisissez la bonne réponse.

a. Cet article parle...
1. d'un stade.
2. d'un palais.
3. d'une salle de spectacle.
4. d'un monument du XVIIe siècle.

b. Ces équipements...
1. sont riches.
2. ont des problèmes d'argent.

c. Pour résoudre leurs problèmes, ces équipements...
1. cherchent des aides financières.
2. vont changer de nom en échange de financement.
3. vont recevoir des aides de l'État.

2. Répondez.

a. Pourquoi le Parc des Princes pourrait s'appeler « Quatar Airways stadium » ?
b. Pour quelle raison le Palais omnisport de Bercy a-t-il changé de nom ?
c. Quelles sont les causes du parrainage ? Quelles sont ses conséquences ?

3. Recherchez dans l'article. Quels mots ont le sens suivant ?

• 1er paragraphe : **a.** la France – **b.** aide privée à une activité sportive ou artistique
• 2e paragraphe : **c.** commercialisation – **d.** remplir un vide ou un manque
• 3e paragraphe : **e.** période de manque ou de pauvreté – **f.** belle boîte pour mettre des bijoux – **g.** se faire aider par quelqu'un

4. **Complétez ce résumé de l'article.**

Le mot « naming » vient de ... . Il peut se traduire par... .
On parle de « naming » quand on finance ...
Ce mode de financement est utilisé par ...
Les responsables d'équipements sportifs ou culturels sont obligés de l'utiliser parce que ...
On pense que dans l'avenir ...
Mais, la pratique du « naming » peut poser des problèmes...

 5. **Discutez. En petit groupe, recherchez des arguments pour ou contre la pratique du « naming ».**

Appuyez-vous sur des exemples (équipement de votre ville, monument).

Comprendre des informations politiques

N° 12

6. **Écoutez. Voici des extraits de 8 journaux radio choisis entre 2012 et 2017. Pour chaque évènement, complétez les titres de presse ci-dessous.**

Quelques temps forts du quinquennat du président François Hollande (2012- 2017)

- 6/05/2012 : élection ...
- 11/01/2013 : intervention ...
- 02/11/2013 : manifestation ...
- 31/03/2014 : remaniement...
- 23/7/2014 : loi ...
- 13/12/2015 : élection ...
- 26/01/2016 : négociation...
- 26/05/2016 : grève ...

---

7. **Trouvez les verbes correspondant à chaque évènement.**

- une élection : élire
- une intervention : ...

8. **À quel(s) évènement(s) correspondent les actions suivantes ?**

a. se battre   **e.** se mobiliser   **h.** proposer
b. changer   **f.** nommer   **i.** réclamer
c. discuter   **g.** se présenter   **j.** revendiquer
d. frapper

La crise a sonné les indigné(e)s se réveillent !

Le Palais des Papes pendant le festival d'Avignon

(i) Point infos

LES AIDES DE L'ÉTAT

En France, l'État et les collectivités locales (région, département, agglomération, commune) apportent une aide importante aux secteurs de la culture et des loisirs. Ils construisent et assurent le fonctionnement d'installations sportives ou culturelles publiques (stade, théâtre, etc.). Ils accordent aussi des subventions aux installations et manifestations privées. Par exemple, le festival d'Avignon est financé à 52 % par l'État et les collectivités.

Mais depuis la crise économique de 2008, l'État a réduit ses dotations aux collectivités et ses subventions aux organisations culturelles et sportives. Celles-ci doivent trouver d'autres moyens de financement.

Demander des précisions sur un évènement

9. **Trouvez les questions correspondant à ces réponses.**

Le 31 mai 2016, une Française répond aux questions d'un ami japonais sur la photo de presse ci-contre.
a. C'est une manifestation.
b. Sur la place de la République.
c. Ils veulent que le gouvernement abandonne le projet de loi El Khomri.
d. C'est une loi sur l'organisation du travail. Mais, ils manifestent aussi pour d'autres raisons.
e. Les inégalités, le chômage, tout ça. Ils sont là, jour et nuit depuis le 31 mars.

10. **Présentez brièvement un évènement de l'actualité politique de votre pays.**

La séquence radio

N° 13

À l'occasion de la journée internationale sans téléphone portable, nos journalistes ont interrogé l'écrivain Phil Marso qui est à l'origine de cette journée.

Peut-on se passer du téléphone portable ?

6. 7. 8 FÉVRIER 2013
13èmes **Journées Mondiales**
sans téléphone portable & smartphone

ALLO DOCTEUR !
L'ADIKPHONIA,
C'EST GRAVE ?

ADIKPHONIA
Format A5
Collection TIC SUBLIMINAL

www.mobilou.info

MAUVAISES ONDES POUR LA PLANÈTE ?

15èmes
JOURNÉES MONDIALES SANS TÉLÉPHONE PORTABLE & SMARTPHONE
6. 7. 8 FÉVRIER 2015

www.mobilou.info

COMPRENDRE DES ARGUMENTS CONTRE LE TÉLÉPHONE PORTABLE

1. Écoutez l'interview. Les questions de la journaliste correspondent-elles à ces demandes ?
La journaliste demande :
a. si on peut vivre sans téléphone portable.
b. pour quelle raison on pourra se passer de portable dans le futur.
c. comment on peut utiliser le portable intelligemment.
d. si Phil Marso a un téléphone portable.
e. quels sont les arguments favorables à l'utilisation du portable.
f. si certaines personnes sont stressées sans portable.
g. si celui qui n'a pas de portable peut s'intégrer à la société.

2. Réécoutez les réponses aux quatre premières questions. Les phrases suivantes correspondent-elles aux opinions de Phil Marso ?
a. Aujourd'hui, on ne peut pas vivre sans téléphone portable.
b. Dans quelques années, vivre sans téléphone portable sera impossible.
c. Les gens seront dépendants des nombreuses applications proposées.
d. Le portable est devenu le compagnon indispensable.
e. Phil Marso pense qu'il n'aura jamais besoin d'un téléphone portable.

3. Réécoutez toute l'interview. Sélectionnez dans la liste ci-dessous les arguments donnés par Phil Marso.

a. Les raisons de ne pas utiliser le portable
1. L'utilisation du portable est une addiction.
2. Dans le passé, on vivait sans portable.
3. Le portable fait perdre du temps.
4. On n'a plus de vie privée.
5. Il est discriminant.
6. Sans portable, on est angoissé.
7. Il est dangereux pour la santé.

b. Les solutions pour se passer du portable
1. Couper son portable de temps en temps.
2. Favoriser les rencontres réelles.
3. Affirmer son originalité face aux autres.
4. Considérer l'utilisation du portable comme une addiction, donc comme une maladie.
5. Acheter des journaux et des livres.

4. Associez ces mots ou expressions de l'interview avec les expressions du tableau ci-dessous.
a. C'est foutu. (fam.)   **g.** modérer
b. maîtriser un outil   **h.** un truc (fam.)
c. se trimballer (fam.)   **i.** rater
d. forcément   **j.** angoissant
e. la province   **k.** harceler
f. alerter   **l.** un troupeau

1. obligatoirement	**7.** un groupe d'animaux
2. c'est sans espoir	**8.** demander avec insistance
3. avertir	**9.** manquer
4. très inquiétant et stressant	**10.** diminuer l'utilisation
5. savoir l'utiliser	**11.** emporter quelque chose
6. une chose	**12.** les régions

Dix opinions sur l'utilisation du téléphone portable

Opinions entendues lors d'un débat

1. Je suis sûre que le portable rendra sourd les gens des générations futures.

2. Il paraît que les têtes pensantes de la Silicon Valley interdisent le portable à leurs enfants : « On limite les nouvelles technologies à la maison. » confiait Steve Jobs au New York Times.

3. On risque de perdre sa réputation à cause d'un tweet imprudent. C'est arrivé à des personnalités importantes.

4. Je doute que le portable améliore les relations sociales.

5. Il est probable qu'on devienne dépendant de son smartphone.

6. Je ne suis pas sûr qu'on l'utilisera beaucoup pour lire des livres ou regarder des films.

7. Il se pourrait que les ondes émises par les portables causent des cancers.

8. L'utilisation continue du portable provoquerait des déformations de la colonne vertébrale.

9. Je suis certaine que les accidents de la route dus au portable vont augmenter.

10. Il est impossible que le portable soit seulement un objet à la mode. Dans le futur, il aura autant d'importance que la voiture aujourd'hui.

Source : *Marianne*, 5 juin 2015.

Exprimer le doute ou la certitude

5. En petit groupe, lisez le document ci-dessus.
a. Faites le travail de l'encadré « Réfléchissons ».
b. Discutez chaque argument.

6. Par deux, faites des prévisions sur le futur. Choisissez un des domaines suivants et trouvez d'autres prévisions. Utilisez l'encadré « Réfléchissons » et les expressions relevées dans l'exercice 5.

a. la santé
Je suis sûr que nous vivrons jusqu'à cent ans...

b. le travail
Il est possible qu'on ne travaille que 20 heures par semaine...

c. l'éducation
Il est probable que les professeurs n'auront plus le même rôle...

d. la maison
Les tâches domestiques seront peut-être faites par des robots...

e. les villes
On risque d'avoir plus de pollution...

Donner un avis

7. Vous venez d'écouter l'interview de Phil Marso. Vous écrivez un commentaire sur le site de la radio. Vous donnez votre avis sur :

a. les arguments contre le portable ;
b. la possibilité de modérer son utilisation ;
c. l'utilisation du portable dans le futur.

Réfléchissons... Apprécier la réalité d'un fait

• **Classez les phrases du document selon qu'elles expriment les notions suivantes :**
– la certitude ;   – le doute ;
– la possibilité ou l'impossibilité ;
– la probabilité.

• **Après quelle(s) notions met-on les verbes :**
– au mode indicatif (présent, futur, passé) ;
– au subjonctif ;
– au conditionnel ?

• **Dans les phrases suivantes, exprimez l'incertitude par le conditionnel, en supprimant les mots en italique.**
a. Pierre rentrera demain de voyage *mais je n'en suis pas sûre*.
b. Il a *peut-être* une réunion importante à Paris.
c. *Il est possible* que son entreprise signe un gros contrat.

Prononcez... Automatisez

1. Prononcez [pl] – [bl] – [pr] – [br]
Ce porta**bl**e me **pl**aît
Il est **pr**opre. Il est sim**pl**e. Il est **br**illant.
En **bl**eu, c'est possi**bl**e ? À quel **pr**ix ?
C'est peu **pr**oba**bl**e.

N° 14

2. Indicatif ou subjonctif. Confirmez comme dans l'exemple.
• – Tu prendras tes vacances en juillet. Tu es sûre ?
– Oui, je suis sûre que je prendrai mes vacances en juillet.
• – Tu iras en Italie. C'est probable ?
– ...

Comprendre le travail d'une journaliste

Le reportage vidéo

Journaliste francophone : si loin... si proche

N° 1

Notre journaliste interroge Annie Gasnier, journaliste des sports à RFI (radio France internationale).

1. Travaillez par trois. Lisez ci-dessus la présentation du reportage. Quelles images vous attendez-vous à voir ?

2. Regardez le reportage sans le son ni les sous-titres.
a. Comparez avec les suppositions que vous avez faites.
b. Avez-vous vu les objets suivants ?
1. un micro
2. un studio d'enregistrement
3. une bibliothèque
4. les noms de villes africaines
5. un journal sportif français célèbre
6. une coupe du monde
7. des écouteurs
8. un stade
9. un maillot de sportif

3. Regardez le reportage avec le son.
Dites si les phrases suivantes sont vraies ou fausses.
a. C'est très jeune que Annie Gasnier a eu envie de faire de la radio.
b. Elle a longtemps travaillé en Allemagne et en Pologne.
c. Elle a travaillé pour des quotidiens différents.
d. Elle a aussi travaillé pour la télévision.
e. En ce moment, elle fait une émission sur les sports.
f. Pour son travail, elle doit voyager.
g. C'est Annie Gasnier qui choisit seule les sujets de ses émissions.
h. Elle enregistre ses émissions à l'avance.

4. On interroge Annie Gasnier. Répondez pour elle.
a. Que faites-vous chez RFI ?
b. Comment se déroule votre travail ?
c. Vous êtes allée au Congo. Pour quoi faire ?
d. Dans votre équipe, il y a une bonne atmosphère ?
e. Quel est votre public principal ?
f. Y a-t-il une façon particulière de s'adresser à ce public ?
g. Que ressentez-vous au moment de prendre l'antenne ?

ⓘ Point infos

L'AVENIR DE LA PRESSE

Comme dans beaucoup de pays, le nombre de personnes qui achète un quotidien régulièrement est en diminution. Cette baisse est moins forte pour les abonnements et certains magazines comme les programmes de télévision.
Les quotidiens gratuits qui avaient beaucoup progressé jusqu'en 2008 sont en voie de disparition.
Cette tendance a plusieurs causes :
• la multiplication des sources d'information : la radio (qu'on écoute le matin ou dans sa voiture), les chaînes télé d'information en continu (BFMTV, ITV, France Info TV) et surtout les nombreux sites qui diffusent de l'information sur Internet
• l'uniformité des opinions dans les différents journaux. En 2015, le seul magazine qui a progressé est *Marianne* qui se caractérise par des révélations, des titres chocs et reste ouvert à différentes opinions. Mais les Français restent méfiants face aux médias. Pour la précision des informations, 48 % accordent leur confiance à la radio, 45 % aux journaux, 44 % à la télévision et 27 % à Internet.

5. Dans le reportage, à quels mots sont associés les mots suivants. Trouvez leur sens dans le tableau ci-dessous.
a. assidu
b. une invective
c. convivial
d. un sommaire
e. une dépêche
f. se rater
g. l'adrénaline

1. une insulte – 2. les principaux sujets d'un journal –
3. faire une erreur – 4. régulièrement à l'écoute – 5. quand on s'entend bien dans un groupe – 6. une nouvelle brève –
7. substance qui permet l'adaptation au stress

6. Annie Gasnier vient faire une conférence dans votre classe. Vous devez la présenter. Préparez une brève présentation de la journaliste.

Répondre à une enquête sur la fiabilité des médias

ENQUÊTE

Avez-vous confiance dans les médias ?
Entourez le chiffre correspondant à votre opinion.

	oui	moyennement	non
• Vous méfiez-vous des informations données par les médias suivants ?			
1. la télévision	2	1	0
2. la radio	2	1	0
3. la presse écrite (quotidiens et magazines)	2	1	0
4. Internet (sites d'information, forums, etc.)	2	1	0

	oui	en partie	non
• Pensez-vous que les médias :			
5. exagèrent certaines informations ?	2	1	0
6. déforment la réalité ?	2	1	0
7. donnent la priorité au sensationnel ?	2	1	0
8. donnent trop d'importance à l'émotion ?	2	1	0
9. ne donnent qu'une partie des informations ?	2	1	0
10. donnent trop d'importance à certaines informations et pas assez à d'autres ?	2	1	0
11. ne suivent pas les évènements qui durent trop longtemps (comme les guerres, les situations économiques difficiles...) ?	2	1	0
12. sont orientés politiquement ?	2	1	0
13. donnent la parole à n'importe qui ?	2	1	0

Comptez vos points.

➲ **Vous avez entre 0 et 12 points :** Vous êtes confiant dans les informations données par les médias. Mais, faites attention ! Les médias donnent la parole à des personnes qui ne sont pas toujours objectives. Sur Internet, les informations ne sont pas toujours fiables. Il faut savoir vérifier.

➲ **Vous avez entre 13 et 26 points :** Vous ne croyez pas tout ce que les médias racontent. Vous avez besoin de vérifier vos informations. Vous avez raison mais il faut aussi faire confiance aux journalistes. Ce sont des professionnels.

 7. Faites le test. Lisez le commentaire qui correspond à vos points. Comparez votre opinion sur la presse avec celle de votre partenaire.

8. a. Trouvez dans la colonne de droite la suite des phrases de la colonne de gauche.

Le directeur d'un journal parle de ses collaborateurs.

a. Ce journaliste est toujours en retard pour rendre ses articles...
b. Dans les interviews, cet homme politique dit des mensonges...
c. Notre comptable est très honnête...
d. Cette journaliste sait trouver les bonnes sources d'information...
e. Mon adjoint veut mon poste...

1. j'ai totalement confiance en lui.
2. on peut se fier à ses articles.
3. je me méfie de lui.
4. je ne peux pas compter sur lui.
5. ne vous y fiez pas !

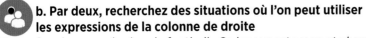 **b. Par deux, recherchez des situations où l'on peut utiliser les expressions de la colonne de droite**

Exemple : *dans une équipe de football : Ce joueur est souvent absent à l'entraînement. → On ne peut pas se fier à lui.*

Dans cette leçon, vous allez écrire un commentaire sur des informations données par des sites Internet.

1 Exprimez votre opinion

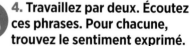

Euro 2016 – Au zoo d'Amnéville, l'otarie Watson pronostique une victoire de la France sur la Roumanie.

Watson, l'otarie star du zoo d'Amnéville, reprend du service pour l'Euro de foot, après avoir pronostiqué les matchs de l'équipe de France pour le Mondial 2014. Pour le match d'ouverture de l'Euro ce vendredi, Watson prédit une victoire de la France sur la Roumanie. [...]

Watson a fait le buzz à la dernière Coupe du monde : ses pronostics pour les Bleus se sont avérés justes, jusqu'en demi-finale [...] son soigneur Pablo Joury explique. « *En fait, il a trois glacières face à lui. On lui demande de choisir au hasard une des trois glacières. Dans chaque glacière, il y a un drapeau de l'équipe qui joue contre la France, le drapeau de l'équipe de France et un match nul.* »

Cécile Soulé, France Bleu, mardi 7 juin 2016.

Commentaires

- Je pense qu'il a réussi à pronostiquer le bon résultat par hasard. D'ailleurs, il s'est trompé à la finale du Mondial 2014.
- À mon avis, c'est un hoax, une fausse information.
- Il me semble que c'est impossible.
- Je ne crois pas qu'un animal puisse prédire l'avenir.
- Je ne pense pas qu'un homme, non plus, soit capable de le faire.
- Pour moi, c'est un coup de pub pour le zoo.

1. Lisez l'article ci-dessus. Approuvez ou corrigez les phrases suivantes :

a. Watson est un animal qui vit dans l'eau.
b. Watson est devenu célèbre pendant la Coupe d'Europe 2016.
c. Watson devine le résultat des matches à l'avance.
d. Watson ne se trompe jamais.
e. Pour prédire le résultat des matches, Watson fait un choix entre trois boîtes différentes.

2. Lisez les commentaires des lecteurs. Classez les mots qui permettent d'exprimer une opinion.

verbes suivis d'un verbe à l'indicatif	verbes suivis d'un verbe au subjonctif	expressions non verbales
...	...	À mon avis
...	...	...

3. Écrivez votre opinion sur l'article. Utilisez les expressions relevées dans l'exercice 2.

2 Exprimez vos sentiments

N° 15

4. Travaillez par deux. Écoutez ces phrases. Pour chacune, trouvez le sentiment exprimé.

a. l'admiration → phrase 2
b. le bonheur → ...
c. la déception
d. la fierté
e. la honte
f. l'indifférence
g. la reconnaissance
h. la surprise

5. Imaginez une situation où chaque phrase de l'activité 4 peut être prononcée.
Exemple : *Je trouve ce paysage admirable → Des randonneurs en haute montagne, par beau temps, admirent le paysage.*

6. Lisez l'article « Un ado sauve un enfant de la noyade ». Répondez.

a. Qu'est-ce qui s'est passé ?
b. Ça s'est passé où ?
c. Quand ?
d. Qui était cet ado ?
e. Il a sauvé qui ?
f. Cet enfant était seul ?

7. Écrivez un commentaire pour exprimer vos sentiments sur cet évènement.

Amiens – Un ado sauve un enfant de la noyade

Un jeune garçon de 14 ans a sauvé de la noyade un enfant de quatre ans tombé dans la Somme dimanche après-midi à Amiens, en sautant dans l'eau pour aller le chercher, a-t-on appris lundi de sources concordantes. Alors qu'il se baladait à vélo en milieu d'après-midi sur les bords de la Somme à Amiens, il a aperçu un attroupement et des appels au secours. « J'ai vu l'enfant, me suis déshabillé et j'y suis allé sans réfléchir », raconte-t-il. L'enfant de 4 ans faisait de la trottinette seul avec sa tante âgée de 12 ans sur le quai quand il est tombé à l'eau. Sa tante a bien essayé de le secourir dans un premier temps en sautant à l'eau, mais elle a dû rapidement renoncer devant la difficulté et a été ramenée sur la berge par un passant.

Paris Match, 01/03/2016.

3 Faites des suggestions

La foire aux interdits

En Belgique, depuis le 1er janvier 2014 une loi anti incivilités visant surtout les jeunes est contestée par une partie de la population.

Interdit de s'asseoir sur le dossier d'un banc public, de jouer faux si l'on est musicien ambulant, de lancer des boules de neige. Interdit, aussi, de transporter « *des personnes atteintes de maladie contagieuse* » (sans plus de précision) sauf en ambulance… Interdit, toujours, de tourner en rond avec « *un groupe de dix cyclistes* ». Autorisées, depuis le 1er janvier à sanctionner plus d'incivilités et plus lourdement des municipalités belges ont multiplié les panneaux et ont fait preuve d'une imagination débordante dépassant d'assez loin une loi qui visait à punir les comportements gênants comme l'abandon de détritus sur la voie publique, le squat d'une entrée d'immeuble ou la pollution par des déjections canines.

Jean-Pierre Stroobants, *Le Monde magazine*, 01/03/2014.

Vos commentaires

Il y aurait d'autres moyens que de multiplier les panneaux d'interdiction. Par exemple, pour les bancs publics, on pourrait utiliser l'humour : écrire « dos » sur le dossier et « s'asseoir ici » sur la partie horizontale… On pourrait aussi imaginer un panneau « Pensez aux personnes âgées qui ne peuvent pas s'asseoir sur le dossier ! » …

8. Lisez l'article ci-dessus. Faites la liste des interdictions qui ont été décidées.

9. Lisez le commentaire du lecteur. Répondez.

a. De quelle interdiction parle-t-il ?
b. Est-il d'accord avec cette interdiction ?
c. A-t-il d'autres solutions ? Lesquelles ?

10. Écrivez un commentaire à propos de cet article. Si vous n'êtes pas d'accord avec certaines interdictions faites des suggestions.

UTILISER LE CONDITIONNEL

Le conditionnel est un mode qui comporte deux temps principaux : le présent et le passé
(voir le conditionnel passé, p. 74).

Le conditionnel présent est utilisé :

• quand une action est imaginée ou supposée.
– *si* + verbe à l'imparfait → verbe au conditionnel
Si *la gauche* **gagnait** *les élections, la politique économique* **changerait**.
– *Supposons que* + subjonctif → verbe au conditionnel
Supposons que *Dupont* **soit élu**, *les impôts* **augmenteraient**.

NB : On peut aussi faire une supposition en utilisant l'indicatif.
Si *la gauche* **gagne** *les élections, la politique économique* **changera**.

• pour donner une information qui n'est pas sûre.
Selon les derniers sondages, la gauche **perdrait** *les élections.*

• pour faire une demande polie, pour suggérer, pour donner un conseil.
Je **souhaiterais** *vous rencontrer.*
On **pourrait** *aller au cinéma.*
À ta place, je n' **irais** *pas au restaurant L'Arlequin.*

• pour rapporter une phrase au futur prononcée dans le passé (voir p. 75).
Hier, *Estelle m'* **a dit** *qu'elle* **viendrait** *à la soirée de samedi prochain.*

Le conditionnel se forme avec le radical du futur et les terminaisons de l'imparfait.

infinitif	→	futur	→	conditionnel présent
parler	→	je parlerai	→	je parlerais
être	→	tu seras	→	tu serais
avoir	→	il/elle aura	→	il/elle aurait
pouvoir	→	nous pourrons	→	nous pourrions
venir	→	vous viendrez	→	vous viendriez
faire	→	ils/elles feront	→	ils/elles feraient

La conjugaison du conditionnel présent	
parler	**aller**
je parl**erais**	j'**irais**
tu parl**erais**	tu **irais**
il/elle parl**erait**	il/elle **irait**
nous parl**erions**	nous **irions**
vous parl**eriez**	vous **iriez**
ils/elles parl**eraient**	ils/elles **iraient**

EXPRIMER LE DOUTE OU LA CERTITUDE, LA POSSIBILITÉ OU L'IMPOSSIBILITÉ

• Le doute ou la certitude
Je suis sûre *qu'il va pleuvoir. – J'en suis sûre.*
Je doute qu'il *fasse beau demain (subjonctif) – J'en doute.*
D'après la météo, il **pleuvrait** *(conditionnel présent) demain, mais ce n'est pas sûr.*

• La possibilité
Paul n'a pas beaucoup travaillé mais il est intelligent. **Il est possible qu'***il réussisse à son examen. (subjonctif)*
Il se peut qu'*il réussisse. (subjonctif)*
Il peut *réussir. C'est possible.*
Il risque d'*échouer.*
Louise a beaucoup travaillé. **Il est impossible qu'***elle échoue.*
Elle a des chances *de réussir.*

• La probabilité
Il est probable que *la crise économique durera encore quelques années.*
Il est peu probable que *l'économie puisse redémarrer.*

EXPRIMER LA CONFIANCE OU LA MÉFIANCE

• **La confiance**

Clara m'a donné des conseils pour décorer mon appartement. Elle a bon goût. **J'ai confiance en** *elle.*
On peut **se fier à** *elle. On peut* **se fier à** *ses conseils.*
On peut **s'y fier**.
Elle viendra m'aider à emménager. Je peux **compter sur** *elle. C'est quelqu'un de* **fiable**.

• **La méfiance**

Edwige ne dit jamais ce qu'elle pense.
Je **n'ai pas confiance en** *elle.*
Je **me méfie de** *ses conseils. Je* **m'en méfie**.
On ne peut pas **compter sur** *elle. Elle n'est pas* **fiable**.

EXPRIMER UNE OPINION

• ***À mon avis... Selon moi... Pour moi...*** *la grève va durer.*
• ***Je pense (je crois) que*** *la grève va durer.*
Je trouve que *les syndicats ont raison.*

• ***Je ne pense pas (je ne crois pas) qu'***elle* **soit** *courte.*
(subjonctif après un verbe d'opinion à la forme négative)
Je ne trouve pas que *les syndicats* **aient raison**.

UTILISER LE TÉLÉPHONE MOBILE

• Souscrire un forfait chez un opérateur (Orange, SFR, Bouygues télécom, Free) – choisir des options
(communications à l'international – carte prépayée – etc.)
• allumer / éteindre son portable (son mobile) – un écran tactile
avoir du réseau – être connecté à Internet / se déconnecter – se mettre en mode avion
verrouiller / déverrouiller son portable (entrer le code PIN) – couper le son
une batterie chargée / déchargée – recharger la batterie (un câble de connexion)
• une application – télécharger une application – installer / désinstaller
• la messagerie – envoyer/recevoir des messages – consulter sa messagerie – conserver – sauvegarder/effacer
des messages (des textos, des SMS – des courriels, des mails) – textoter – twitter
• téléphoner – les contacts – les favoris – un répondeur – une annonce – enregistrer une annonce

PARLER DE POLITIQUE ET D'ÉCONOMIE

• **L'État**
le président de la République – le gouvernement (le Premier ministre – le ministre des Affaires Étrangères –
le ministre de l'Intérieur – le garde des Sceaux ou ministre de la Justice) – l'Assemblée nationale (les députés) –
le Sénat (les sénateurs) – le Parlement (réunion de l'Assemblée nationale et du Sénat)

• **Les collectivités locales (territoriales) et les acteurs**
la commune (la mairie – le maire – les conseillers municipaux) – l'agglomération (le président de l'agglomération –
les conseillers) – le département (les conseillers départementaux) – la région (l'hôtel de région – le président
de région – les conseillers régionaux)
une aide de l'état – une dotation

• **Les évènements de la vie politique**
la formation du gouvernement – un remaniement ministériel – une nomination (nommer) – une démission (démissionner) –
une élection (élire les députés – les électeurs – voter pour/contre...) – une dissolution – dissoudre l'Assemblée nationale
le vote des lois – présenter un projet de loi – discuter – voter la loi
une négociation (négocier) – une contestation (contester) – une grève (faire grève) – un syndicat

• **Les éléments de l'économie**
la croissance – l'emploi (le chômage) – le pouvoir d'achat – le budget (voir p. 131)
baisser (diminuer – être en baisse) – stagner (se maintenir – une stagnation – un maintien) – augmenter (croître –
l'augmentation – la croissance)

1. COMPRENDRE UN FAIT DIVERS

Lisez l'article ci-dessous. Répondez

a. Que s'est-il passé ?
b. Où cela s'est-il passé ?
c. Quand ?
d. Qui est l'auteur des faits ?
e. Qu'a-t-il fait ?
f. Pour quelles raisons ?
g. Quelles sont les conséquences ?
h. Que risque-t-il ?

Un trentenaire girondin[1], qui craignait que son amie, bloquée dans les embouteillages, ne rate son avion, a lancé une fausse alerte à la bombe à l'aéroport de Bordeaux-Mérignac...

Jeudi 21 mai, l'homme a appelé l'aéroport aux alentours de 7 h 30 et lancé : « Il y a une bombe ! », entraînant le bouclage d'une partie des lieux et le déclenchement de recherches par des policiers et des militaires présents sur place dans le cadre du plan Vigipirate, a indiqué le Parquet, confirmant une information révélée par *Sud Ouest* dimanche.

L'auteur du coup de fil, âgé de 33 ans, a été finalement localisé dans une bourgade située à une vingtaine de kilomètres de Bordeaux et interpellé.

Placé en garde à vue, l'homme a reconnu les faits et expliqué son geste par la situation de son amie qui se trouvait bloquée dans les embouteillages sur la rocade bordelaise.

Les faits sont passibles de deux ans d'emprisonnement et de 30 000 euros d'amende, a précisé le Parquet.

tempsreel.nouvelobs.com, 24/05/15.

---

1. Originaire de la Gironde, le département où se trouve Bordeaux.

2. IMAGINER LES CONSÉQUENCES D'UNE SITUATION

Continuez en imaginant les conséquences des situations suivantes. Utilisez les verbes entre parenthèse.

a. Un jeune écrivain : « Si je rencontrais le directeur des Éditions Gallimard... . » (*faire lire mon nouveau roman – être enthousiasmé – publier – avoir le prix Goncourt – passer à la télévision*)
b. Vous écrivez à une amie française : « Si tu venais dans mon pays... . » (*accueillir – aller voir – rencontrer – goûter – faire*)

3. EXPRIMER LE DOUTE OU LA CERTITUDE, LA CONFIANCE OU LA MÉFIANCE

Écoutez ces trois dialogues.
N° 16 a. Trouvez le titre de chacun.
1. Info ou intox ?
2. Dispute ou séparation ?
3. Appel à l'aide

b. Complétez le tableau.

Dialogue	Opinions exprimées	À quel propos ?
	certitude	
	doute	
	possibilité	
	impossibilité	
	probabilité	
	improbabilité	
	confiance	
	méfiance	

4. UTILISER LE TÉLÉPHONE PORTABLE

Complétez.

a. Au théâtre : « Pendant le spectacle, veuillez ... vos téléphones portables. »
b. En randonnée, dans la montagne : « J'essaie d'appeler Jean. Impossible, je ... »
c. Conseil à un amateur de musique : « Je peux reconnaître les morceaux de musique que j'entends. J'ai ... l'application Shazam. »
d. Pour éviter les ondes, la nuit, je mets mon mobile en ... .

5. CONNAÎTRE LA CIVILISATION FRANÇAISE

Approuvez ou corrigez les phrases suivantes.

a. Le président de la République est élu par tous les Français.
b. Il est élu pour sept ans.
c. Le Premier ministre est élu par les députés.
d. Les communes sont des collectivités locales (ou territoriales).
e. Depuis 2016, la France métropolitaine est divisée en 13 régions.
f. La France métropolitaine est souvent appelée « l'hexagone ».
g. Les associations culturelles reçoivent souvent des aides de l'État et des collectivités locales.
h. *Le Monde*, *Le Figaro* et *Ouest-France* sont des quotidiens nationaux.
i. Les Français s'informent de plus en plus sur Internet.
j. Les ventes de journaux et de magazines en kiosque diminuent.

SOIGNER
SON IMAGE

1 **AVOIR DES PROJETS PERSONNELS**
- Anticiper son avenir
- Situer une action dans le futur
- Convaincre quelqu'un à propos d'un projet

3 **ÊTRE EN FORME PHYSIQUE**
- Parler des avantages et des inconvénients du sport
- Pratiquer une activité sportive

2 **CHOISIR SON LOOK**
- Choisir un style de vêtements
- Donner ou prendre des conseils pour s'améliorer

4 **S'AFFIRMER DANS UN GROUPE**
- Comprendre le travail d'un comédien
- Exprimer la peur. Encourager
- Se faire connaître

PROJET

ORGANISER UNE INTERVIEW

Sondage

Comment voyez-vous votre avenir dans dix ans ?

• Je suis en deuxième année de médecine. Je resterai à la fac jusqu'à ce que j'aie fini mes études. Normalement, dans dix ans, je serai installée comme médecin dans une petite ville. J'aurai peut-être épousé mon copain d'aujourd'hui. Nous vivrons bien. Mais en dix ans, on peut changer. Qui sait ? Je serai peut-être partie à l'étranger avec Médecins sans frontières et mon copain m'aura quittée.
Aude, 20 ans

• Je ne vois pas mon avenir en France. J'y reste jusqu'à la fin de mes études dans l'hôtellerie mais d'ici cinq ans j'aurai quitté la France. Dans dix ans, j'aurai créé mon hôtel ou mon restaurant en Asie.
Erwan, 23 ans

• Franchement, je ne vois pas mon avenir. Quand on écoute les médias, il est difficile d'être optimiste. Je crois que dans dix ans, le monde aura changé. La situation en France ne se sera pas arrangée et j'aurai enchaîné les stages et les CDD... Alors, je n'attends pas grand-chose de l'avenir. Je voyage, je fais la fête. Heureusement que mes parents m'aident.
Sandrine, 25 ans

• Je sais que la vie ne me fera pas de cadeau. Je viens d'une famille modeste mais je crois que, si on bosse on arrive. La mondialisation est une bonne chose. J'ai mon plan. Je viens d'entrer dans une multinationale. Au bout de cinq ans, j'aurai fait mes preuves et on m'aura

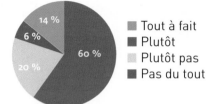

Diriez-vous que votre vie actuelle correspond à vos attentes ?

- 14 %
- 6 %
- 60 %
- 20 %

■ Tout à fait
■ Plutôt
■ Plutôt pas
■ Pas du tout

Oui : 74 %   Non : 26 %
Moins de 20 ans : 81 %
De 23 à 25 ans : 64 %
Résidents en ZUS* : 46 %

* zone urbaine sensible

Source : Opinion Way, 2015.

donné un poste de responsabilité. Dans dix ans, j'aurai progressé. Avec ma copine, on se sera mariés et nous aurons eu trois enfants. C'est comme ça que je vois mon avenir.
Malik, 26 ans

Extrait d'un sondage effectué auprès de jeunes de 20 à 30 ans.

Anticiper son avenir

1. La classe se partage les quatre réponses du sondage.

a. Caractérisez le sondé que vous avez choisi avec les mots suivants :
- ambitieux
- conformiste
- entreprenant
- fataliste
- optimiste
- pessimiste
- qui profite de la vie

b. Notez les étapes de ses projets.

c. Présentez-le à la classe.

2. Faites le travail de l'encadré « Réfléchissons... Le futur antérieur ».

3. Formulez leur projet.

Mathieu est fils d'agriculteur. Son amie Lydia fait des projets. « Dans un an, j'aurai trouvé ... Dans deux ans, ... Dans cinq ans, ... »

> *Je trouve un poste à Montpellier...*
> *Tu abandonnes tes études de droit...*
> *Tu apprends le métier d'agriculteur...*
> *Ton père te laisse sa propriété...*
> *Nous nous installons dans la propriété...*
> *Je quitte mon travail...*
> *Nous réussissons !*

 4. Répondez à la question du sondage. Discutez.

Réfléchissons... Le futur antérieur

• **Dans le sondage, relevez les actions qui se passent dans le futur. Classez-les dans le tableau.**

1	actions futures	...
2	actions qui se passent avant une autre action future	...
3	actions qui se passent avant une date future	...

• **Les verbes relevés dans les cases 2 et 3 sont au futur antérieur. Caractérisez ce temps en choisissant les bonnes réponses.**

Le futur antérieur peut exprimer une action :

– qui se passe dans le futur ;

– achevée dans le futur ;

– en train de se faire dans le futur ;

– qui se passe avant une autre action ou avant une date dans le futur.

• **Observez la construction du futur antérieur. Complétez le tableau.**

	verbes utilisant l'auxiliaire « avoir »	verbes utilisant l'auxiliaire « être »
je		
tu		
il/elle		
nous		
vous		
ils/elles		

Situer une action dans le futur

5. Faites le travail de l'encadré « Réfléchissons » ci-contre.

6. Complétez avec un mot du tableau pour exprimer la durée.

Une lycéenne optimiste

a. ... au 14 juin, je prépare le bac.

b. ...15 ... 22 juin, je passe le bac

c. ... trois ans, j'aurai ma licence.

d. Après, je ferai un mastère ... deux ans.

e. J'enverrai des CV ... je trouve du travail.

f. Je pense en trouver ... trois mois.

Convaincre quelqu'un à propos d'un projet

7. **Écoutez.**

N° 17 — Marjolaine vient d'acheter une propriété dans un petit village du Cantal (sud du Massif central). Elle a des projets pour mettre en valeur cette propriété. Elle veut convaincre le maire.

a. Complétez le tableau.

Projets de Marjolaine	
Inquiétudes du maire	
Arguments et promesses de Marjolaine	

b. Caractérisez la situation de certaines campagnes françaises.

8. **Jeu de rôles.**

Vous avez un projet que vous voulez réaliser dans votre pays ou dans un pays francophone (création d'un restaurant, d'un gîte rural, d'une école de langue, etc.) Vous essayez de convaincre un(e) ami(e) français(e) de s'associer avec vous.

Réfléchissons... Situer dans le futur

• **Dans le sondage, relevez les mots qui introduisent une précision de temps dans le futur. Classez-les.**

a. Pour préciser une date ou un moment du futur : ...

b. Pour indiquer une durée :

1. à partir du moment présent : ...

2. durée à partir d'un moment du futur : ...

3. durée sans relation avec un moment : ...

• **Remarquez :** quel temps est utilisé après « jusqu'à ce que... » ?

Prononcez... Automatisez

N° 18

1. Distinguez [y], [u], [i]. Répétez.

Rassurez-vous ! Tout est prévu.

Annie est prévenue... Lucie l'aura su...

J'aurai vu Sylvie... Marie-Lou l'aura lu...

Je l'aurai dit à Amadou...

2. Le futur antérieur. Vous n'êtes pas d'accord. Dites-le comme dans l'exemple.

• – On regardera la télé. Puis, on préparera le repas ?

– Non, on regardera la télé quand on aura préparé le repas.

• – ...

LA TOUCHE FRANÇAISE

Même si « l'habit ne fait pas le moine » les autres nous jugent d'abord à la façon de nous habiller. Il est donc important que notre style vestimentaire reflète notre style de vie. Le styliste Jean-Eudes Néton analyse pour nous les quatre principales tendances de la mode en France.

Les classiques chics

Avant on les appelait BCBG (bon chic bon genre) mais l'expression comme le style sont en perte de vitesse. Il marque une classe sociale bourgeoise repérable dans le 16e arrondissement de Paris et les dîners de province. La classique chic aime les belles matières, les imprimés discrets. On la voit souvent en robe ou bien en jupe droite, avec chemisier et veste blazer ou cardigan. Lui, s'aime en costume. Il porte volontiers une cravate qu'il enlève quelquefois pour faire décontracté.

Les bobos

C'est le style dominant aujourd'hui. Le bobo suit la mode tout en la rejetant. On le reconnaît à son éclectisme chic. Il mélange les vêtements de créateur avec des fringues trouvées chez Monoprix*. On le trouve principalement dans les milieux artistiques ou intellectuels. La bobo peut associer une jupe en jean avec un tee-shirt imprimé et une veste en skaï. Le bobo portera un jean et une veste en velours sur un pull

léger ou un polo. L'un comme l'autre sont souvent coiffés d'un chapeau. Mais l'important pour eux, c'est l'accessoire : sac, ceinture, chaussures doivent provenir d'une grande marque.

Les jeunes hipsters

Le jeune hipster fréquente les universités. On le repère aussi dans les start-up, les services marketing ou informatique des entreprises. Il a le culte du « pas cher » et achète volontiers ses fringues dans les friperies. Lui, porte un pantalon slim (très étroit) qui arrive au-dessus de la cheville, des baskets, une chemise qu'il boutonne jusqu'au dernier bouton. Il quitte rarement sa casquette ou son bonnet. La jeune hipster, elle, s'habille d'un mini short et d'un pull vintage.

Le style sportif

C'est un style décontracté qui se décline selon le milieu. Le sportif, au féminin comme au masculin, est invariablement chaussé de baskets et porte des vêtements amples et souples : un jogging avec cagoule, sweat imprimé, casquette. On le repère à son sac à dos et à son casque sur les oreilles. Un petit accessoire est nécessaire : foulard, montre, bracelet, tour du cou, grosse bague…pour lui comme pour elle.

* Chaîne française de supermarchés, dans les villes.

Choisir un style de vêtements

1. Lisez l'introduction de l'interview.

a. Que signifie le proverbe « L'habit ne fait pas le moine » ?
b. Êtes-vous d'accord avec l'idée développée dans cette introduction ?

 2. La classe se partage les quatre styles.
    a. Trouvez une photo qui correspond au style.
b. Recherchez :
– les milieux socio professionnels qui adoptent ce style ;
– les vêtements féminins ;
– les vêtements masculins.

c. Présentez ce style à la classe. Correspond-il à un style vestimentaire de votre pays ?

3. Classez et complétez le vocabulaire des vêtements.

– sur la tête : un bonnet, …
– pour le bas : …
– pour le haut : …
– aux pieds : …

 4. Tour de table. Quel est votre style de vêtements ?

JAMAIS SANS MON COACH

La profession de coach de vie est en plein essor et s'impose dans tous les domaines de la vie. En quoi consiste cette intervention ? Comment choisir le bon coach de vie ? N'est-ce pas une façon d'esquiver une psychothérapie ? Autant de questions importantes avant d'en solliciter un... Le terme « coach » vient, comme cet anglicisme l'indique, du milieu sportif. À l'origine, un coach, c'est un entraîneur qui mène son équipe à la victoire. Cette profession, née dans le sport de haut niveau, a essaimé dans le monde du management. En effet, les coachs sont d'abord intervenus dans les entreprises pour motiver les salariés, pour améliorer les résultats des commerciaux, ou encore pour renforcer l'esprit de corps des employés. Depuis quelques années, il existe des coachs pour tous les domaines de la vie personnelle : éducation des enfants, conciliation vie personnelle et vie professionnelle, reconstruction après un divorce, réalisation de soi, relooking, etc. Les émissions de télévision s'en sont même

fait l'écho en multipliant les programmes mettant en scène des coachs s'immisçant dans la vie quotidienne du moindre quidam. Il en va néanmoins des coachs de vie comme de toutes les méthodes de développement personnel : n'importe qui peut s'autoproclamer coach de vie. Il n'y a aucune école, aucun diplôme officiel [...]

Grazia, Clémence Rigny, 2 mars 2016.

Donner ou prendre des conseils pour s'améliorer

 5. Travaillez par deux. Lisez l'article ci-dessus. Répondez.

a. Quelle est l'origine du mot « coach » ? Qu'est-ce qu'un coach à l'origine ?
b. Cette profession a-t-elle évolué ? Dans quels domaines exercent les coachs ?
c. Est-ce une profession officielle ?

6. Recherchez des arguments pour ou contre la consultation d'un coach.

7. Lisez le « Point infos ». Donnez votre avis sur ces comportements. Comment les expliquez-vous ?

 8. Jeu de rôles. Utilisez le vocabulaire de l'encadré.

a. Vous avez passé un entretien pour un nouvel emploi. L'entretien s'est mal passé. Vous allez bientôt en passer un autre. Vous demandez conseil à un(e) ami(e).
b. Vous allez participer à un « speed dating ». Vous demandez conseil à un(e) ami(e).

Pour s'exprimer

• **Décrire l'apparence**
– Tu ressembles à... Tu as l'air d'un vieux.
– On dirait un vieux... On dirait que tu es...
– Il semble... Il paraît... Il fait... vieux

• **Donner des conseils**
– Il faut que tu ailles chez le coiffeur.
– J'aimerais que tu perdes 4 kilos... (*subjonctif après les verbes qui expriment la nécessité ou la volonté*)
Tu devrais mettre une robe...

Point infos

LE PRIX DU LOOK

Dans le passé, la vieillesse était synonyme de sagesse et d'expérience. Aujourd'hui, elle est plutôt perçue de manière négative.

Il faut donc rester jeune et beau, ou en tout cas, le paraître. On doit pouvoir séduire à tout âge. Les entreprises hésitent à recruter les plus de 50 ans et certaines peuvent même suggérer à leurs employés de faire un régime ou de se teindre les cheveux. À tout âge, nous savons que nous allons être jugés sur notre apparence. Si bien que pour être « bien dans sa peau », « en forme », il faut avoir une image positive de soi et être performant physiquement et intellectuellement.

Tout un secteur de l'économie est dédié à ces nouveaux besoins. Les laboratoires inventent de nouveaux produits pour rajeunir la peau et amincir la taille. Certains proposent des régimes miracle. La chirurgie esthétique se développe : on choisit un nouveau nez, de nouveaux seins, de nouveaux cheveux aussi facilement qu'on change le papier peint de sa chambre. Les salles de gym, les séjours de remise en forme, les vacances actives, les coachs se multiplient. Mais tout cela a un prix. Les Français arrivent au 4e rang mondial pour les dépenses de soins esthétiques (derrière les États-Unis, le Japon et le Brésil). On peut estimer que les Français dépensent, selon leur revenu, entre 200 et 600 euros par mois pour soigner leur look.

La séquence radio

Sport en ville et pollution

n° 19

**Extrait de l'émission « Le conseil santé de RFI »
(Radio France internationale)**
On sait que le sport est bénéfique pour la santé.
Mais faire du sport dans l'atmosphère polluée
des grandes villes, n'est-ce pas dangereux ?
Claire Hédon interroge Jean-Marc Sène,
médecin du sport.

PARLER DES AVANTAGES
ET DES INCONVÉNIENTS DU SPORT

1. Écoutez l'introduction de l'interview. Qui est interrogé ?
Quel est le problème posé ?

2. Choisissez les bonnes réponses.

a. La journaliste demande au médecin...
1. s'il est utile de faire du sport en ville ;
2. ce que doivent faire les personnes qui ont des problèmes
respiratoires ;
3. si les villes très polluées sont dangereuses pour les sportifs ;
4. des conseils pour les personnes qui courent en ville.

b. Selon le médecin, faire du sport en ville...
1. est très dangereux pour la santé ;
2. est moins dangereux que de conduire sur une route ;
3. est à déconseiller quand la pollution est trop élevée ;
4. présente plus d'avantages que d'inconvénients.

c. Selon le médecin, si on veut faire du sport en ville, il faut...
1. éviter les lieux où il y a trop de circulation ;
2. préférer les après-midi ;
3. porter un masque ;
4. éviter les sports qui nécessitent trop d'efforts ;
5. choisir les espaces verts ;
6. sortir par beau temps.

3. Complétez ces extraits de l'interview.
a. Première réponse du médecin : Les bénéfices du vélo
pour la santé sont largement supérieurs aux risques associés à...
mais également à ...
b. Deuxième réponse : Ce qu'on pourra conseiller lors d'un pic
de pollution, c'est...
c. Troisième réponse : Aucun [masque] n'est efficace pour ...
les particules néfastes de pollution de rentrer dans nos organes.
Et puis, normalement, en prenant toutes ces précautions, vous
pourrez faire du sport en ville, sans trop de..., et même avec
une pollution urbaine vous en ... pour votre santé.

**4. Associez chaque sport à un avantage et à un risque.
Utilisez :**
• **pour parler d'un avantage :** développer – permettre
– favoriser (le patinage développe, permet, favorise...
l'équilibre) ;
• **pour parler d'un inconvénient :** provoquer – entraîner –
donner (des douleurs, des maux de tête...).

Les sports
la boxe
le football
la natation
le ski
le tennis
le vélo

Les avantages
a. esprit d'équipe
b. auto-défense
c. réflexes
d. équilibre
e. endurance
f. développement harmonieux
de la musculature

Les risques et les inconvénients
1. douleurs au bras
2. coup ou blessure aux jambes
et à la tête
3. fracture du nez
4. entorse du genou
5. chute et accident de la route
6. infection de la peau

Santé L'arrivée des objets connectés

Munis de capteurs, les objets connectés de santé et de bien-être fonctionnent avec une application mobile ou envoient des informations vers un service en ligne. Parmi les produits phares : le bracelet, qui enregistre le nombre de pas et de kilomètres parcourus ainsi que le rythme cardiaque ; la balance, qui permet de suivre sa courbe de poids et propose un coaching en ligne pour atteindre les objectifs fixés ; le tensiomètre, qui surveille la pression artérielle au quotidien ; la brosse à dents, qui renseigne sur les zones à nettoyer avec plus d'insistance ; le pilulier, qui envoie un signal d'alerte en cas d'oubli du médicament ou encore les capteurs, qui se glissent sous le matelas pour enregistrer les cycles du sommeil. Bienvenue dans l'ère de l'auto-mesure !

[...] Dans tous les cas, il s'agit de mieux se connaître, de repérer ses mauvaises habitudes de vie et de les corriger, afin d'être en meilleure forme. Bien plus que de simples gadgets à la mode, ces objets connectés ont un véritable impact sur la gestion de notre santé.

Ma mutuelle mon mag', n° 13, janvier-mars 2015.

Pratiquer une activité sportive

5. Résumez le texte ci-dessus. Continuez ces débuts de phrases.

Ce texte donne des informations sur...
Il décrit...
Ces objets fonctionnent avec...
Ils permettent...

6. Faites la liste des objets décrits dans le texte. Dites quelle est leur fonction. Aidez-vous des verbes suivants :

- utiliser – Cet objet est utilisé pour... On l'utilise pour...
- servir – Cet objet sert à... On s'en sert pour...
- permettre – Cet objet permet...

Exemple : *Le bracelet permet de connaître la distance qu'on parcourt. Il sert aussi à...*

 7. Travaillez par trois. Faites le travail de l'encadré « Réfléchissons ». Continuez les phrases suivantes. Imaginez plusieurs suites commençant par « en ».

a. Juliette a beaucoup minci en.....
b. L'équipe de football a gagné la coupe en...
c. Il s'est musclé comme Schwarzenegger en....

8. Répondez aux questions de ce forum.

Faites-vous du sport ?
Si oui, quels avantages y trouvez-vous ?
Quels inconvénients ?
Si vous ne pratiquez aucun sport, pourquoi ?

Réfléchissons... La forme « en » + participe présent

- **Dans les phrases ci-dessous, observez les groupes commençant par « en ».**

Un coach sportif donne des conseils

1. En courant tous les jours, vous augmenterez vos capacités respiratoires.
2. En voyant la ligne d'arrivée, ne ralentissez pas !
3. En inspirant, levez les bras !
4. En mettant ce bracelet connecté, vous contrôlerez votre rythme cardiaque.
5. Vous vous êtes fait une tendinite en forçant trop.

Qu'expriment-ils ?

a. une cause
b. une condition
c. un moment précis
d. la simultanéité
e. le moyen

- **Reformulez les phrases ci-dessus avec les expressions suivantes :**

au moment où... – au moyen de... – ... en même temps... – parce que... – si...

Prononcez... Automatisez

N° 20

Les constructions avec pronom objet direct

Répondez oui ou non. Vérifiez votre réponse.

- – Vous faites du sport ?
  – Oui, j'**en** fais. / - Non, je n'**en** fais pas.
- – Vos amis font du sport ?
  – Oui,... / - Non,...

Comprendre le travail d'un comédien

Le reportage vidéo

Comédien : face au public

N° 2

Notre journaliste est allé interroger le comédien Pascal Paolini qui prépare au théâtre Hébertot une pièce de théâtre de Serge Kribus *Antonin et Mélodie* **avec la compagnie Bewitched.**

1. Regardez la vidéo sans le son et les sous-titres. Faites la liste des différents lieux du théâtre.

2. Regardez la vidéo avec le son.

a. Complétez cette fiche.

> Nom : *Pascal Paolini*
> Profession : ...
> Activité actuelle : ...
> Comédiens préférés : ...
> Souhaits et projets : ...

b. Quelles informations Pascal Paolini donne-t-il sur :
1. le théâtre Hébertot ?
2. Serge Kribus ?
3. Antonin et Mélodie ?
4. Éric Ruf ?
5. Gérard Depardieu ?
6. Don Juan ?

3. Comment Pascal Paolini décrit-t-il les étapes de la préparation d'une pièce de théâtre ?
a. L'apprentissage du texte
b. Le travail sur le personnage
c. Le travail au plateau (la mise en scène)

4. Trouvez dans l'encadré la définition des mots suivants :
a. au rasoir   **c.** le plateau
b. la carrure   **d.** le trac

| **1.** la capacité | **3.** la scène |
| **2.** la peur | **4.** avec précision |

5. Approuvez en vous justifiant ou corrigez les phrases suivantes :
a. Pascal Paolini est un comédien consciencieux.
b. Il apprécie les grands acteurs populaires.
c. Il est paralysé par la peur quand il entre en scène.
d. Il a de l'ambition.

Exprimer la peur – Encourager

6. Associez chaque phrase à une situation.

Ce qu'ils disent

a. J'ai le trac.
b. Je m'inquiète.
c. C'était la panique.
d. J'angoisse.
e. J'étais terrifiée.
f. Je crains qu'il soit malade.
g. Il m'a fait peur.
h. J'étais un peu effrayé.

Les situations

1. Elle a vu un film d'horreur.
2. Un comédien va entrer en scène.
3. À 11 h, son collègue de travail n'est pas arrivé.
4. Il est minuit. Sa fille de 15 ans n'est pas rentrée d'une soirée.
5. Il y avait des bruits bizarres dans l'escalier, la nuit dernière.
6. Il attend le résultat de l'examen.
7. Quelqu'un a crié « Au feu ! » dans le grand magasin.
8. Son fils est sorti en claquant la porte.

7. Tour de table. Racontez la peur de votre vie.
C'était... Il y avait... J'étais... Tout à coup...

Se faire connaître

Témoignages sur les nouveaux modes de communication

• Les selfies

« C'est une façon de raconter une histoire. On témoigne d'un évènement inhabituel auquel on a assisté et qui nous a fait réagir, moins par narcissisme que par réflexe… Les clichés ont beaucoup d'avantages sur les textes. Ils sont plus rapides à réaliser qu'à décrypter. Ils sont aussi accessibles à tous quand on n'est pas forcément à l'aise avec l'écrit, et ils transmettent des émotions presque instantanément. »

Fanny Georges, enseignante-chercheuse en sciences de la communication à l'université Paris III.

• Les amis sur Facebook

« J'ai 520 amis sur Facebook. Ils me sont devenus indispensables. Tous les jours, je leur envoie des "posts", des coups de cœur et des coups de gueule. Je lis, je "like" (j'aime), je partage et je commente ; une vraie bouffée d'oxygène, le soir, après le travail. »
Aurélie

Version Femina des 3 août 2015 et 27 juin 2016.

8. Lisez le témoignage sur les selfies. Voici une liste d'explications à la mode des selfies. Relevez celles qui sont données dans le texte. Discutez. Les autres explications sont-elles justes ? En avez-vous d'autres ?

On prend des selfies parce qu(e)…
a. on aime se regarder.
b. on veut garder un souvenir d'un moment de sa vie.
c. c'est simple et facile à faire.
d. on peut l'envoyer rapidement à qui on veut.
e. on veut rester en contact avec ses amis.
f. on veut montrer qu'on fait quelque chose d'intéressant.
g. le selfie exprime bien ce qu'on ressent.
h. c'est une preuve qu'on se trouve dans un lieu.

 9. Travaillez en petit groupe. Discutez les informations données par le « Point infos » et le témoignage d'Aurélie. Complétez avec vos propres informations.
a. Quelles sont les particularités de chaque réseau social ? Les utilisez-vous ? Pourquoi ?
b. Faites la liste de ce qu'Aurélie fait sur Facebook.
c. Quels sont les avantages et les inconvénients des réseaux sociaux ?

   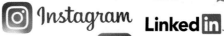  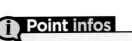

(i) Point infos

LES RÉSEAUX SOCIAUX

• 30 millions de Français utilisent **Facebook**. Sur leur « mur », ils présentent leurs goûts et les évènements qu'ils ont vécus. Ils créent des groupes d'amis avec qui ils échangent des avis (les « likes ») et des informations personnelles).
• **Twitter** est utilisé par 18 % des internautes pour des messages courts qu'ils postent sur leur mobile. Ce réseau convient particulièrement aux personnalités qui veulent réagir rapidement à l'actualité. Dans certaines universités, il permet aux étudiants de poser des questions au professeur pendant le cours.
• D'autres réseaux sont plus spécialisés : **Linkedin** ou **Viadeo** pour les contacts professionnels, **Copains d'Avant** pour retrouver d'anciennes connaissances. On apprécie de plus en plus les sites qui ne stockent pas les données personnelles comme **Instagram**, **Snapshat** ou **Whatsapp**. Ces réseaux ont profondément changé les modes de relation entre les gens. On peut rester en contact avec un très grand nombre de personnes, même si elles habitent à l'autre bout de la planète et si on ne les voit jamais. On peut communiquer tout en faisant autre chose (dans les transports en commun, au cours d'une réunion, etc.). Pour certains, les réseaux sociaux présentent des risques. Ils font perdre du temps, entraînent des addictions, privilégient les relations virtuelles et peuvent détruire des réputations.

Dans une soirée, dans le train ou l'avion, pendant un entretien, on peut vous poser des questions inattendues sur votre vie, vos goûts, vos envies... Vous allez organiser en classe une interview surprise.

1 Préparez les questions de votre interview.

1. Lisez le document de la page ci-contre.
a. Qu'est-ce qu'une interview loto ?
b. Associez chaque réponse avec un des thèmes suivants :
1. un souvenir ;
2. un trait de caractère ;
3. une personne qui vous a marqué ;
4. un choix ;
5. une envie ;
6. un rêve.

2. Lisez le paragraphe « Interroger » page 46. Reformulez les questions suivantes en utilisant les différentes constructions interrogatives.

Avant les vacances
a. Est-ce que vous avez choisi une destination ?
b. Vos amis partagent ce choix ?
c. Où vos amis vous rejoignent ?
d. Vos amis arrivent quand ?
e. Qu'est-ce que font vos amis ?
f. Pourquoi viennent-ils si tard ?
g. Comment est-ce que vous vous retrouvez ?

3. Écrivez la question correspondant à chaque réponse des interviews loto.
Exemples : Pour le thème « un souvenir » :
Quel votre meilleur souvenir d'école ?
Vous souvenez-vous de votre première voiture ?
Quel est le moment où vous avez eu le plus peur ?
Regroupez les questions de la classe, selon le thème, dans six boîtes différentes.

2 Organisez l'interview surprise.

4. Chaque étudiant tire au sort une question dans chaque boîte.
a. Pour chaque question, il rédige une réponse de quatre lignes.
b. Les interviews peuvent être regroupées sur le site de la classe ou être lues en classe.

LES INTERVIEWS LOTO DE *L'EXPRESS*

Chaque semaine, l'hebdomadaire *L'Express* interroge une personne de l'actualité en lui faisant tirer au sort six questions parmi cinquante. Voici quelques réponses de six personnalités différentes.

LAMBERT WILSON, comédien

• L'orgueil. Souvent les gens me trouvent fier et pompeux de l'extérieur alors que je suis totalement humble dans mon rapport à l'humanité. En revanche, je suis orgueilleux de mes origines irlandaises, une sorte de tradition familiale qu'on a établi en deux générations mon père et moi.

OXMO PUCCINO, rappeur

• Twitter, définitivement, et depuis le tout début. Facebook impose une interaction, une communication bilatérale. Les 140 caractères de Twitter ne m'ont pas particulièrement motivé mais ce côté limité m'a plu : cela donne une idée du temps de lecture, alors qu'on est cerné par les SMS, applis photos, mails… Twitter  n'a pas révolutionné mon écriture mais en a changé la forme, aiguillé mon propos et la manière de le recevoir.

NATALIE DESSAY, artiste lyrique

• Des livres, encore et toujours… et des DVD. Comme j'ai arrêté mes études très jeune – je suis entrée au conservatoire de théâtre à 19 ans – je suis avide de culture. Depuis, je n'ai de cesse d'apprendre, de comprendre… de rattraper le temps perdu.

MARIE GILLAIN, comédienne

• Je serais une rock star ! Chanter est souvent un fantasme chez les actrices. On est toujours cachée derrière un personnage ; du coup, la chanson permet de se dévoiler davantage. Et puis, j'aime tout ce qui entoure la musique : composer des textes, partir en tournée avec sa troupe… Mon rêve, ce serait de jouer dans une comédie musicale, façon Broadway.

SOPRANO, rappeur

• Oui… Akhénaton pour son discours, son parcours musical et familial. Il a défendu les cultures urbaines. Sa famille l'accompagne dans son travail. Moi aussi, mes deux petits frères sont sur scène avec moi. Mes cousins jouaient dans mon groupe Psy4 de la rime.

SHY'M, chanteuse

• La première fois que j'ai chanté à la télé. C'était pour *Histoires de Luv'*, le single avec K'Maro. Je l'ai accompagné notamment sur le plateau du Hit Machine. J'en garde un souvenir un peu douloureux. J'étais totalement angoissée. J'étais jetée dans un univers où je ne connaissais absolument rien, n'avais aucun repère…. Je n'avais jamais eu d'expériences auparavant dans des bars, dans la rue ou ailleurs. La toute première fois que j'ai chanté devant des gens, c'était lors d'un cours de musique au collège. Je reprenais *Je l'aime mourir* de Francis Cabrel. On devait se lever devant toute la classe et chanter. C'était horrible.

L'Express, « Les interviews loto », de 2013 à 2015.

PARLER DU FUTUR

• **Pour parler de l'avenir, on utilise le futur de l'indicatif.**
*Bientôt, je **quitterai** mon travail.*

• **Quand l'action future est proche dans le temps ou dans l'esprit**
– le présent de l'indicatif (avec une indication de temps) :
***L'année prochaine**, j'**arrête** de travailler.*
– le futur proche :
*Je **vais faire** un séjour linguistique.*
– les expressions « être sur le point de... », « être prêt à... »
*Je **suis sur le point de** faire mon inscription.*

• **Quand l'action future se produit avant une autre action future ou avant une date, on utilise le futur antérieur.**
*Le 1ᵉʳ septembre, j'**aurai quitté** mon entreprise.*
*Quand je **me serai installé** à Londres, je prendrai des cours d'anglais.*

• **Formes du futur antérieur**
auxiliaire *avoir* ou *être* au futur + participe passé

Prendre	Partir
j'aurai pris	je serai parti(e)
tu auras pris	tu seras parti(e)
il/elle aura pris	il/elle sera parti(e)
nous aurons pris	nous serons parti(e)s
vous aurez pris	vous serez parti(e)(s)
ils/elles auront pris	ils/elles seront parti(e)s

• **Pour situer une action dans le futur**
*J'aurai déménagé **en** août, **le** 30 août.*
***D'ici au** 31 août, je resterai à Paris.*
*Je travaillerai **jusqu'au** 31 juillet.*

• **Pour exprimer une durée dans le futur**
– **à partir du moment présent :**
***Dans** trois mois, je serai à Londres.*
– **sans précision de début ou de fin :**
*J'aurai aménagé **en** deux jours.*
– **sans précision de début :** *Je resterai à Londres **jusqu'à ce que** je **sache** bien m'exprimer en anglais.*
(*jusqu'à ce que* + subjonctif)
– **à partir d'un moment du futur :**
***Au bout d'**un an, j'espère que je me débrouillerai.*

INTERROGER

• **L'interrogation porte sur toute la phrase.** On utilise les constructions suivantes :
– **l'intonation à l'oral et le point d'interrogation à l'écrit :** *Tu t'intéresses au cinéma ?*
– **la forme « est-ce que ... » : *Est-ce que** tu t'intéresses au cinéma ?*
– **l'inversion du pronom sujet : *T'intéresses-tu** au cinéma ?*
Cette forme est rare avec le pronom-sujet « je » : ***Dois-je** m'excuser ?*
– **quand le sujet est un nom ou un groupe nominal :** *Tes amis s'intéressent-**ils** au cinéma ?*

• **L'interrogation porte sur un élément de la phrase.**
Les mots interrogatifs selon la fonction des éléments de la phrase
– **sujet : pour les personnes** → ***Qui** envoie ce message ?*
      pour les choses → ***Qu'est-ce qui** te plaît ?*
– **complément d'objet : pour les personnes** → *Tu écris **à qui** ? – Tu échanges des photos **avec qui** ?*
            pour les choses → ***Qu'est-ce que** tu écris ? – Tu écris **quoi** ?*
– **lieu : *Où** tu as pris ce selfie ? – **Par où** tu es passé ? – **Jusqu'où** tu es allé ?*
– **temps : *Quand** as-tu pris cette photo ? – Tu as pris cette photo **quand** ? – **Depuis quand ... ?** –*
      Pendant combien de temps... ?
– **manière : *Comment** vos amis partent-ils ?*

• **Constructions**
***Où** tes amis sont partis ?*
***Où est-ce que** tes amis sont partis ?*
***Où** tes amis **sont-ils** partis ?*
***Où** sont **partis tes amis** ? (Cette dernière construction est impossible avec « pourquoi ».)*

CARACTÉRISER UNE ACTION

On peut caractériser une action :
• avec un adverbe, une forme adverbiale ou une proposition participe **(voir pages « Outils », unité 9)**
*Elle vient au bureau **toujours** habillée avec élégance.*

• avec la forme « en + participe présent »
Formation du participe présent : radical de la 1re personne du pluriel du présent de l'indicatif + *-ant*.

parler : *nous parlons → parlant*   **prendre** : *nous prenons → prenant*
Cas particulier : *être → étant / avoir → ayant / savoir → sachant*

Cette forme peut exprimer :
– **la simultanéité :** *Il fait des abdos **tout en écoutant** la radio.*
– **le moment :** *J'ai vu un beau chemisier en passant devant la boutique Annabella.*
– **la cause :** *Elle s'est fait une entorse **en jouant** au tennis.*
– **la condition :** *Ce n'est pas **en faisant** ce régime que tu perdras du poids.*
– **le moyen ou la manière :** *Il a guéri son acné **en utilisant** Gomex.*

EXPRIMER LA PEUR – ENCOURAGER

• **Le sentiment de peur**
la peur (avoir peur – faire peur à quelqu'un) – la crainte (craindre) – la frayeur (être effrayé – effrayer) – l'inquiétude (s'inquiéter – inquiéter quelqu'un) – la terreur (être terrorisé – terroriser) – la panique (paniquer – provoquer une panique) – l'angoisse (angoisser)
Expressions familières pour exprimer la peur : avoir la trouille – flipper

• **Les verbes « avoir peur » et « craindre » sont suivis d'un verbe au subjonctif**
*Je crains qu'il ne **vienne** pas. – J'ai **peur qu'il soit** malade.*
On peut dire aussi : *J'ai peur qu'il **ne** soit malade.* Ce « ne » n'a aucune valeur négative.

• **Encourager**
avoir du courage, de l'assurance, de l'audace – oser faire quelque chose – affronter un problème – faire face à un problème
Courage ! – N'aie pas peur ! – Ne crains rien !
Il faut avoir du courage. – Il faut oser.
Ne te dégonfle pas. (fam.)

S'OCCUPER DE SON IMAGE

• **Les vêtements**
Cette jupe vous va bien. – Elle va avec vos chaussures et votre tee-shirt.
Ce pantalon est trop long/court. – grand, ample/étroit, ajusté – Il me serre trop. – Il me faut une taille au-dessus. –
Je fais du 40 (du M).
Ces chaussures me font mal. – Il me faut une pointure au-dessus. – Je chausse du 37.

• **L'esthétique**
• aller chez le coiffeur – se faire couper les cheveux – avoir une coupe à la Brad Pitt – se teindre les cheveux
• se raser – porter la barbe – avoir une barbe de trois jours – se laisser pousser la barbe, la moustache
• se maquiller
• aller chez l'esthéticienne – faire un massage – un nettoyage de peau – une épilation (épiler) – se faire faire les ongles

• **L'apparence**
Bastien semble fatigué. – On dirait qu'il est fatigué.
Cette robe ressemble à... – Elle me fait penser à celle de Marie.
Elle est différente. – Elle diffère... se distingue... se différencie par les broderies.

1. ANTICIPER SON AVENIR

Deux amoureux rêvent à leur avenir. Que disent-ils ? Utilisez les verbes entre parenthèses.

Ludovic : Dans cinq ans, j'aurai réussi....
(*réussir le concours de professeur – avoir un poste dans un lycée – s'installer avec Maria – avoir un enfant – se marier*)

Maria : Dans cinq ans, nous... Ludovic... Moi, j'....
(*partir à l'étranger – visiter plusieurs pays – s'installer au Brésil – trouver un poste de professeur pour Ludovic – créer un restaurant*)

2. DONNER DES PRÉCISIONS DE TEMPS DANS LE FUTUR

Complétez avec les mots suivant : *en – jusqu'à ce que... – dans – jusqu'à – quand – d'ici à...*

Un producteur de cinéma présente un projet de film.

a. ... quelques jours nous aurons fini d'écrire le scénario.

b. ... la fin du mois, j'aurai trouvé le financement.

c. ... le financement sera assuré, nous commencerons le casting.

d. Nous continuerons le casting ... nous trouvions l'actrice pour le rôle principal.

e. Le film sera tourné ... deux mois en Pologne.

f. Je m'occuperai du film ... sa sortie en salle.

3. PARLER DE SPORT

N° 21 **Écoutez. Un médecin donne son avis sur les idées suivantes. Sont-elles justes ou fausses ? Pourquoi ?**

Faire du sport fait-il maigrir ?

a. Une demi-heure de marche par jour suffit pour maigrir.

b. L'activité physique fait perdre de l'eau, pas des graisses.

c. Si on fait un régime, ce n'est pas nécessaire de faire du sport.

d. Plus on se muscle, plus on prend du poids.

e. Plus on vieillit, plus l'activité physique est nécessaire pour éviter de grossir.

4. INTERROGER

Lisez l'article ci-dessous.

Chaque jour, le charismatique patron de Virgin, Richard Branson, se réveille à 5 h 30 et enchaîne séance de méditation, postures de yoga et visualisation positive [...] Même son de cloche chez Tim Cook, le directeur général d'Apple, Tim Amstrong (AOL), Marissa Mayer (yahoo). Autant de grands noms cités par Hal Elrond, l'auteur du livre *The miracle morning* dans le but d'asseoir sa théorie : de telles routines matinales auraient un impact positif sur notre efficacité, notre état d'esprit et même notre niveau de bonheur. Pour un peu moins de 8 euros, ces 172 pages (en anglais) proposent un rituel bien spécifique. D'abord donc, se lever plus tôt que d'ordinaire, avant 8 heures impérativement, et d'un bond. Profiter de ce temps supplémentaire pour méditer (une dizaine de minutes), effectuer un peu de sport, écrire (ses pensées, une citation inspirante), lire (un roman, des articles, etc.), enfin formuler clairement ses objectifs de la journée [...] Ce sentiment trouve une explication biologique : les moments de détente et de loisir stimulent la branche parasympathique du système nerveux, celle qui répare et régénère les dommages liés au stress.

Émilie Veyretout, *Le Figaro*, 09/09/2015.

a. Répondez.

1. Que présente cet article ?

2. Le livre de Hal Elrond coûte combien ?

3. Quels conseils donne-t-il ?

4. Comment Richard Branson fait-il pour être efficace le matin ?

5. Dans quelle partie de l'article on trouve l'explication de cette pratique ?

b. Formulez différemment chacune des questions ci-dessus.

5. CARACTÉRISER UNE ACTION

Répondez à la question de ce forum. Utilisez les constructions de la page « Outils » (Caractériser une action).

Comment faites-vous pour être en forme le matin ?

FAIRE UN VOYAGE

1 **PRÉPARER UN VOYAGE**
- Choisir un type de voyage
- Donner des instructions

3 **GÉRER UN PROBLÈME**
- Parler des problèmes de circulation
- Comprendre une annonce
- Poster un avis sur un site de tourisme

2 **SE DÉPLACER EN VOITURE**
- Conduire une voiture
- Faire un constat d'accident

4 **PARLER DES MOYENS DE TRANSPORTS**
- Utiliser les moyens de transports
- Parler des transports du futur
- Donner des conseils de prudence

PROJET

RACONTER LES MOMENTS MARQUANTS D'UN VOYAGE

VOYAGER AUTREMENT

Le voyage original d'Adrien Séguy « en Accordéonistan »

« Un voyage en Accordéonistan, c'est un voyage musical accordéon au dos et micro au poing, à la rencontre des musiciens traditionnels qui façonnent la culture orale et musicale de la route de la Soie.

C'est également une quête existentielle, la recherche d'un instrument chinois ancestral qui, il y a deux siècles, fut ramené de Chine en Europe pour inspirer la création de l'accordéon.

Remontant la route de la Soie sur les traces de ce mythique instrument chinois, j'ai donc rencontré tous types de musiciens et artistes, me suis immergé dans leur culture, ai partagé la mienne à l'accordéon, et quand l'alchimie a opéré, j'ai joué avec eux leurs morceaux, les ai enregistrés et les ai colportés sur la route. Jusqu'à finalement arriver en Chine et trouver le *sheng*, l'ancêtre de l'accordéon. Le projet final étant d'aboutir à la création d'un album de musique comportant des morceaux de chaque pays traversé [...] »

www.routard.com, interviews de voyageurs.

LE SITE DES VOYAGES INSOLITES

Se déplacer
- En train sur la Cordillère des Andes
- En motoneige dans les forêts du Québec
- En bateau à la recherche des cités perdues de la Grèce antique
- En roulotte à la découverte de l'Irlande

Se loger
- Être invité chez l'habitant grâce au couchsurfing
- Échanger votre logement contre une case à Fort-de-France
- Louer pas cher avec Airbnb
- Dormir dans un igloo au Groenland

Voir
- Observer les tortues des Galapagos
- Caresser une baleine au Mexique
- Plonger dans la Grande Barrière de corail
- Goûter le vin de Tokay en Hongrie

Faire
- Survivre sur l'île de Robinson Crusoé
- Courir le marathon de New York
- Danser le tango à Buenos Aires
- Suivre les pas de Van Gogh en Provence

Choisir un type de voyage

1. Lisez le témoignage d'Adrien Séguy. Répondez, quand c'est possible aux questions suivantes :

a. Où est allé Adrien Séguy ?
b. Quand est-il parti ?
c. Qu'a-t-il vu ?
d. A-t-il fait des rencontres ? Lesquelles ?
e. Qu'a-t-il fait ?

2. Qu'est-ce que « l'Accordéonistan » ? Comment ce mot a-t-il été formé ?

 3. Travaillez par deux. Pour chaque rubrique du document « Le site des voyages insolites », trouvez deux autres possibilités :

***Exemple :** Se déplacer → À vélo dans le sud de la France*

 4. Vous avez décidé de faire un voyage à deux. Mettez-vous d'accord sur le lieu, le moyen de transport, le logement, les choses à voir ou à faire.

5. Écoutez ce micro-trottoir. Le journaliste a posé la question « Quel voyage aimeriez-vous faire ? ». Complétez le tableau.
N° 22

Personne interrogée	1	2
Où souhaite-t-elle aller ?	...	...
Avec qui ?	...	...
Quel type de voyage ?	...	...
Motivation pour ce voyage	...	...

Chers amis randonneurs,

Notre randonnée sur le chemin de Saint-Jacques de Compostelle démarrera dans 3 semaines et je voudrais faire le point avec vous. **Il faut que j'aie réservé les logements avant le 30 mai.** Merci donc de me confirmer votre participation.

Nous allons faire 25 km par jour pendant deux mois. **J'aimerais que vous vous soyez un peu entraînés avant le départ.** Cela évitera les coups de fatigue.

Il faut que vous ayez préparé votre sac deux ou trois jours avant le départ. Il doit être le plus léger possible mais prenez une bonne laine polaire. **Il est possible qu'il ait neigé dans les Pyrénées** quand nous les traverserons. Vous trouverez ci-joint une liste de **ce qu'il faut que vous ayez mis dans le sac.**

Je suis heureuse que vous vous soyez inscrits à cette randonnée et je vous donne rendez-vous le 14 juin à 18 h au Puy-en-Velay.

Cordialement,

Votre accompagnatrice Marielle

Donner des instructions

6. Lisez le courriel ci-dessus.

a. Répondez.
1. Qui écrit ?
2. À qui ?
3. Dans quel but ?

b. Faites le travail de l'encadré « Réfléchissons ».

7. Mélissa et Quentin vont partir en vacances demain avec leurs enfants. Mélissa fait le point. Rédigez ce qu'elle dit :

« Avant demain, il faut que j'aie fait...
Toi, Quentin, il faut que tu aies..... »

> **Moi :** aller faire le plein d'essence – vérifier la pression des pneus
> **Toi :** aller à la banque – acheter le pique-nique de midi
> **Nous :** réfléchir à l'itinéraire – faire nos valises
> **Les enfants :** préparer leur sac – ne pas oublier les casquettes

8. Deux amis ont décidé de se joindre au voyage que vous avez décidé de faire dans l'activité 4.

Vous écrivez un courriel à ces amis pour leur donner quelques instructions. Précisez :
a. ce qu'il faut avoir pris ou fait avant le départ : Il faut que vous...
b. les risques : Il est possible que...
c. vos souhaits : J'aimerais que...
d. votre satisfaction : Je suis content(e) que...

Réfléchissons... Le subjonctif passé

• **Observez les phrases en gras du courriel. Classez-les dans le tableau.**

La première partie de la phrase exprime...	Deuxième partie de la phrase
une obligation *Il faut que....*	*...vous ayez préparé votre sac*
un souhait...	...
une possibilité...	...
un sentiment...	...

• **Le temps des verbes de la deuxième colonne est le passé du subjonctif. Observez sa formation. Trouvez sa conjugaison.**

a. verbes utilisant l'auxiliaire « avoir »
« avoir » au... + ...
Il faut que j'aie préparé, que tu aies...
b. verbes utilisant l'auxiliaire « être »
« être » au... + ...
Il faut que je sois allée...

Prononcez... Automatisez

N° 23

1. Distinguez [v], [f] et [b]. Classez les mots dans la bonne colonne.

[v]	[f]	[b]
	1	

2. Confirmez comme dans l'exemple.
Des amis préparent un voyage au Québec
• – Nous devons réfléchir à l'itinéraire avant lundi.
– Oui, il faut que nous ayons réfléchi à l'itinéraire.
• - ...

Leçon de conduite

Alexandra (Alex ou Chouchou) et Jean (surnommé aussi « Minou ») sont en couple. Alexandra n'a pas de voiture. C'est la première fois qu'elle conduit la voiture de Jean.

Jean (*qui explique*) : Alors, ok, c'est pas compliqué. Même toi, tu peux y arriver, Chouchou... Alors, tu mets ton pied sur la pédale d'embrayage... tu passes la première et ... on y va doucement, tranquille. Et voilà : tu cales !... C'est pas grave... Contact... pédale d'embrayage... Tu passes la première et tu relâches tout doucement. Et normalement, ça va... Ne cale pas !

Alex : Excuse-moi ! C'est la première fois que je conduis ta voiture.

Jean (*ironique*) : C'est la première fois que tu conduis ma voiture ! Tu n'as pas besoin d'une voiture. J'en ai une. Ça suffit !

Plus tard, Alexandra cherche à se garer.

Alex : Tu crois que j'ai la place, Minou, pour me garer ?

Jean : Oui, ça, tu as la place. Tu as la place pour mettre deux tracteurs et un autobus.

Alex : Qu'est-ce que tu as ? Tu es de mauvaise humeur ou quoi ?

Jean : Non, je suis pressé, Alex. Dépêche !

Alex : Écoute : tu peux attendre !

Jean : C'est fou ! Tu ne sais pas conduire, toi.

Alex : Tu arrêtes de râler comme ça, sans arrêt... (*Elle finit par faire son créneau*)... Voilà !

Jean (*Il applaudit*) : Bravo ! Elle est à trois mètres du trottoir.

Alex : Arrête ! Franchement, tu exagères...

Jean : Regarde !

Alex (*elle regarde par la vitre*) : Attends ! Mais pas du tout. N'importe quoi !

Jean : Mais qui t'a appris à conduire ?

Alex : C'est toi, Minou.

Scène extraite d'un sketch de la série *Un gars, une fille*, avec Alexandra Lamy et Jean Dujardin.

Conduire une voiture

1. Lisez le sketch. Caractérisez chaque personnage avec les mots ci-contre.

 2. Par deux, jouez le sketch.
Trouvez les gestes, les intonations et les expressions du visage.

1. appliqué (e)	7. macho
2. attentif (attentive)	8. menteur (menteuse)
3. de mauvaise foi	9. patient (patiente)
4. docile	10. qui a de l'humour
5. dominateur (dominatrice)	11. râleur (râleuse)
6. énervé(e)	

3. Associez le problème et sa solution.

Problèmes	Solutions
a. Une roue est crevée.	**1.** Je m'arrête à une station-service pour faire le plein.
b. Il y a un panneau « stop » devant moi.	**2.** Je mets la roue de secours ou je gonfle le pneu avec une bombe anti-crevaison.
c. Je roule à 150 km/h sur l'autoroute.	**3.** Je mets le gilet de secours et le triangle. J'appelle un dépanneur.
d. Je suis en panne sur la route.	**4.** J'allume mes phares.
e. Je n'ai presque plus d'essence.	**5.** Je ralentis.
f. Il va bientôt faire nuit.	**6.** Je freine et je m'arrête.

 4. Jeu de rôles. Par deux, préparez et jouez une des scènes suivantes :

a. La leçon de conduite.

b. En panne, sur une route isolée.

c. Le chargement de la voiture avant le départ en vacances.

3. circonstances de l'accident :

Je roulais sur la nationale N51 et j'étais arrivé au niveau du croisement avec la départementale D28.
J'avais dépassé un camion qui roulait lentement quand j'ai aperçu le véhicule B qui venait à ma droite sur la D28.
Il n'avait pas vu le panneau « Céder le passage » et s'était engagé sur le croisement.
J'ai freiné mais le véhicule B s'était arrêté pour laisser passer une voiture qui venait dans l'autre sens. L'avant-gauche de ma voiture a heurté l'arrière du véhicule B.

Croquis de l'accident
Position des véhicules avant l'accident.

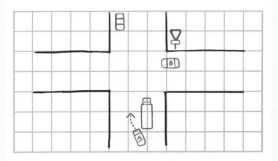

FAIRE UN CONSTAT D'ACCIDENT

5. Lisez le constat d'accident.

a. Montrez sur le croquis le mouvement des véhicules et la position des véhicules au moment de l'accident.
b. Qui est responsable de l'accident ?
c. Quels véhicules sont endommagés ?

6. Faites le travail de l'encadré « Réfléchissons ».

7. Ils disent ce qui s'est passé avant. Continuez.

a. La mère contente de son fils :
« Mon fils est très sympa. Hier, je lui ai prêté ma voiture. Quand je suis revenue du travail, il..... »
(rentrer à l'heure – garer la voiture – faire le plein – s'occuper de la pression des pneus)

b. Il a enfin acheté une voiture :
« Je l'ai enfin achetée hier mais avant..... »
(voir beaucoup de vendeurs – essayer des voitures – lire des avis sur Internet – discuter le prix)

8. Associez chaque verbe à un dessin.

a. doubler (dépasser)
b. ralentir
c. accélérer
d. se garer (stationner)
e. croiser
f. heurter (rentrer dans...)

① ② ③ ④ ⑤ ⑥

Réfléchissons... Le plus-que-parfait de l'indicatif

• **Dans le constat d'accident, relevez les actions qui se déroulent avant les actions suivantes :**
a. ... je roulais.
b. ... j'ai aperçu le véhicule B.
c. ... j'ai freiné mais j'ai heurté le véhicule B.

• **Observez les verbes que vous avez relevés. Ils sont au plus-que-parfait. Choisissez la bonne réponse.**
Le plus-que-parfait exprime une action :
– qui se passe avant / après une autre action.
– qui est achevée / qui est inachevée.

• **Trouvez la conjugaison du plus-que-parfait.**
→ verbes utilisant l'auxiliaire « avoir » :
auxiliaire « avoir » au temps ... + ...
→ verbes utilisant l'auxiliaire « être »
auxiliaire « être » au temps ... + ...

9. Travaillez par deux. Imaginez les causes de l'accident. Rédigez les deux constats d'accident.

L'un de vous conduisait le véhicule A, l'autre le véhicule B.

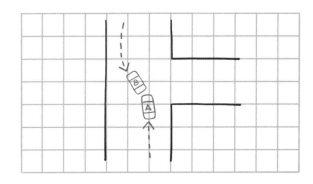

COMMENT SUPPRIMER LES EMBOUTEILLAGES DANS LES GRANDES VILLES ?

N° 24

Le problème se pose en particulier dans les pays en voie de développement. Deux urbanistes qui travaillent dans ces pays proposent leurs solutions : Frédéric Héran et Liliane Pierre-Louis de Ouagadougou. Faut-il, par exemple, construire davantage de voies périphériques ?

Parler des problèmes de circulation

1. Écoutez l'échange entre la journaliste et Frédéric Héran (1re partie du document).

a. Relevez les idées qui sont exposées.
• Plus la population augmente, plus il faut construire de routes.
• Il faut limiter l'utilisation de la voiture dans les villes.
• Il faut privilégier la marche à pied et les déplacements en deux roues.
• La marche est le moyen le plus sûr pour se déplacer.

b. Associez les mots et expressions suivantes avec les définitions du tableau.
1. la croissance démographique   3. faire allusion à...
2. favoriser   4. on n'est pas à l'abri de...

a. on risque	**c.** penser à
b. augmentation de la population	**d.** aider, privilégier

2. Écoutez l'intervention de Liliane Pierre-Louis.

a. Dites si les phrases suivantes sont vraies ou fausses.
1. Liliane Pierre-Louis parle de la capitale du Burkina-Faso.
2. Elle parle de ses inquiétudes.
3. Elle compare les villes d'Afrique entre elles.
4. Elle parle surtout de la conduite automobile.

b. Quelles sont les craintes de Liliane Pierre-Louis ?

c. Relevez les différences de comportements entre les motards français et burkinabais.
• Préparation à la conduite. En France, ... En Afrique, ...
• Vêtements...
• Façon de conduire...

d. Associez les mots suivants avec les définitions du tableau.
1. restreint   3. vrombir
2. une bassine 4. slalomer

a. faire des virages à droite puis à gauche comme au ski
b. quand un moteur fait beaucoup de bruit
c. un plat creux
d. limité

3. Travail en petit groupe. Faites cinq propositions pour supprimer les embouteillages. Vous pouvez vous inspirer des idées suivantes et en trouver d'autres.
• Construire de larges avenues dans les villes
• Construire de grands parkings en périphérie...
• ...

Prononcez... Automatisez

N° 25

L'enchaînement dans les constructions avec un pronom placé avant le verbe.

Répondez oui ou non, comme dans l'exemple.
On vous interroge sur votre ville.
• – Il y a trop de ronds-points dans votre ville ?
– Oui, il y en a trop.
– Non il n'y en a pas trop.
• – Vous allez dans le centre-ville en voiture ?
– ...

Comprendre une annonce

N° 26

**4. Écoutez ces sept annonces.
Pour chacune, complétez le tableau.**

Annonce	1	2	...
Le lieu **1.** une gare **2.** un aéroport **3.** le métro	3		
Le type de transport **1.** un avion **2.** le TGV **3.** un TER (train express régional) **4.** un train Intercités **5.** un métro	5		
Le motif de l'annonce **1.** un départ **2.** une arrivée **3.** un retard **4.** un changement de quai **5.** un embarquement **6.** un arrêt momentané **7.** des précisions sur les arrêts, les gares ou les stations desservies			

5. Pour chaque annonce, validez ou corrigez l'information.

1. Je vais descendre à la station Kléber.
2. L'embarquement pour New York se fait porte B.
3. On peut déjeuner dans ce train.
4. Nous arrivons de Paris. Nous descendons du train quai B.
5. Le mauvais temps ne permet pas d'atterrir à Paris.
6. Le train pour Brive part quai n° 3.
7. Le train qui vient d'Orléans sera là dans une heure.

Poster un avis sur un site de tourisme

6. Lisez les avis ci-contre. Complétez le tableau.

Lieu	On donne son avis sur.....	Mots utilisés pour caractériser
• un hôtel	• le prix des chambres • l'accueil • ...	• cher • sympathique • ...
• ...		
• ...		

7. Vous avez récemment fait un voyage, réservé un hôtel, un restaurant, etc., en passant par un site de type « Tripadvisor ». Écrivez un avis sur les prestations que vous avez eues. Exprimez votre satisfaction ou votre mécontentement.

Point infos

LA VOITURE EN FRANCE

• Pour beaucoup d'étrangers qui visitent la France, la voiture française type est plutôt de petite taille. Elle a une boîte de vitesse manuelle et marche au diesel. Ces caractéristiques sont dues en partie au fait que beaucoup de voies sont étroites (en ville ou dans la campagne) et que la France ne produit pas de pétrole.

Mais la voiture française type est en train d'évoluer. Elle a tendance à être plus spacieuse. Comme carburant, l'essence est en train de supplanter le diesel (trop polluant) et 4 % des voitures sont électriques. On remarque un intérêt de plus en plus grand pour les voitures automatiques.

• Les limitations de vitesse aussi évoluent. En ville et dans les villages où la vitesse est généralement limitée à 50 km/h, le panneau 30 km/h est de plus en plus présent (comme au Québec ou en Belgique). On pense aussi passer de 90 km/h sur les routes à 80 (comme en Suisse) et sur les autoroutes où on peut rouler jusqu'à 130 km/h (110 par temps de pluie) s'aligner sur la Belgique et la Suisse (120 km/h).

◉◉○○○ Avis publié : hier
Hôtel beaucoup trop cher pour la prestation. L'accueil est sympathique et le petit déjeuner correct mais les salles de bain sont minuscules et notre chambre sur le boulevard était trop bruyante.

◉○○○○ Avis publié : il y a 5 jours
Décevant. Je vais éviter cette compagnie. Sièges peu confortable. Pas assez de place pour les jambes. Il a fallu attendre 40 minutes avant l'heure du départ pour pouvoir enregistrer et le vol a eu 2 h de retard. Pas de boisson offerte pendant cette attente.

◉◉◉◉○ Avis écrit : le 24 septembre 2016
Cuisine raffinée. Service excellent et rapide. Cadre agréable. Je conseille cet endroit.
Plus ▼

◉◉◉◉○ Avis écrit : le 24 septembre 2016
Un lieu splendide, chargé d'histoire. Super bar avec une ambiance cool. Un personnel très efficace. Belle chambre à un prix raisonnable comparé aux hôtels de même catégorie.

◉○○○○ Avis publié : il y a 2 jours **NOUVEAU**
Ce restaurant bien situé est un attrape-touristes. Le service (masculin) est particulièrement désagréable. Les tables pas toujours bien nettoyées. La nourriture banale !

Le reportage vidéo

Êtes-vous vélib' ?

N° 3

Depuis quelques années, la mairie de Paris met des vélos à la disposition de tous ceux qui veulent utiliser ces moyens de transport. Notre journaliste interroge deux de ces usagers.

Utiliser les moyens de transport

1. Regardez le reportage avec le son. Dites si les arguments suivants sont cités. Qui les cite : l'homme ou la jeune femme ?

a. Les avantages

1. C'est facile à utiliser.
2. On reste en forme physique.
3. On n'a pas besoin d'entretenir soi-même son vélo.
4. C'est propre du point de vue écologique.
5. Les vélos sont très légers.
6. Ce n'est pas cher.
7. On trouve des Vélib' partout.

b. Les inconvénients

1. Il manque des pistes cyclables à Paris.
2. Il y a trop de voitures.
3. Les conducteurs de voitures ne prennent pas garde aux vélos.
4. On ne se sent pas en sécurité.
5. Les vélos sont trop lourds.
6. Le vélo est plus adapté à la banlieue qu'à Paris intra muros.

2. Expliquez à un ami ce qu'il faut faire pour utiliser le Vélib' à Paris (condition, prix, etc.).

3. Répondez d'après le reportage.

a. Comment a été formé le mot « Vélib' » ?

b. Quelles sont les avantages du vélo comparé :

– à la marche à pied ?
– au métro ?
– à la voiture ?

c. Que faudrait-il faire pour améliorer l'utilisation du vélo dans Paris ?

4. Discutez. Y a-t-il des vélos ou des voitures en libre service dans votre ville ? Si oui, quel sont les avantages et les inconvénients de ces moyens de transports ? Sinon, seriez-vous favorable à leur installation ?

5. Lisez le « Point infos ». Répondez à un(e) ami(e) francophone qui vous demande : « Comment peut-on se déplacer pas trop cher dans ta ville ? »

(i) Point infos

VOYAGER AU MEILLEUR PRIX

Avec tous les moyens de transport sauf les taxis, vous pouvez avoir des réductions si vous appartenez à une des catégories suivantes : enfant, jeune, étudiant, sénior, chômeur, famille nombreuse, groupe, handicapé, bénéficiaire d'aides sociales.

• Le prix du billet de train peut être moins cher :
– si on prend le billet à l'avance ;
– si on prend un billet week-end ;
– si on achète un billet non échangeable, non remboursable (idTGV) ;
– si on choisit la gare de Roissy ou de Marne-la-Vallée au lieu d'une gare parisienne.

Il existe aussi des cartes de réduction pour les enfants, les jeunes de 12 à 27 ans ou les plus de 60 ans.

• Pour le métro, le carnet de tickets est moins cher que le ticket à l'unité. On peut acheter un forfait à la journée (pass mobilis), à la semaine, au mois ou à l'année (pass navigo). Par exemple, le pass à la semaine coûte 19 €.

• Les trajets en taxi sont chers mais il existe un forfait pour les trajets Paris-Aéroport (55 € pour le trajet Roissy-Paris rive gauche).

• Pour les trajets entre les villes et les villages, il existe de nombreux services de cars. On achète souvent le billet au conducteur.

• Les transports entre particuliers se développent grâce à des sites comme *Blablacar*.

LES TRANSPORTS DE DEMAIN À PARIS

• Le téléphérique

Après New York et Rio, Paris sera équipé de téléphériques qui relieront ses principaux sites touristiques. Une formidable vitrine pour la société française Poma, leader mondial du secteur. Le coût d'installation de ces cabines sera limité.

• Les taxis sans conducteur

Comme les bus, ils seront automatiques, électriques et sans chauffeur. Cela réglera définitivement la querelle entre les taxis professionnels et Uber.

• Les drones de livraison

Finies les camionnettes qui polluent et qui bouchent les rues ! Demain, les principaux sites d'e-commerce, mais aussi les services postaux utiliseront ces « facteurs volants » pour porter les marchandises. Silencieux et rapides, ils seront guidés par un système GPS.

• Les vélos rapides

Les vélos seront équipés de batteries électriques (qui se rechargent en roulant) permettant d'atteindre sans effort les 50 km/h. Les stations de location seront installées en hauteur afin de libérer les rues et les trottoirs.

• Les bus automatisés

Les 4 500 bus de la RATP seront électriques. Sur certaines lignes, ils seront entièrement automatisés, sans chauffeur et dirigés via un réseau GPS surveillé à distance par des agents regroupés au sein d'une cellule informatique.

www.capital.fr, 17/09/2015.

Parler des transports du futur

 6. La classe se partage les cinq sujets du document.

a. Pour chaque sujet :
– décrivez l'innovation ;
– quels sont ses avantages ?
– quels sont ses inconvénients ?
– imaginez d'autres solutions au problème que l'innovation veut résoudre
b. Présentez votre recherche à la classe. Discutez.

Donner des conseils de prudence

 7. Jeu de rôles. Préparez et jouez une des scènes suivantes. Utilisez le vocabulaire de l'encadré ci-dessous.

a. Votre ami(e) veut partir seul(e) dans un pays étranger où il n'y a pas de touristes. De plus, la compagnie aérienne est sur liste noire. Vous lui conseillez la prudence.
b. Votre amie a rencontré hier soir un beau jeune homme qui semble avoir beaucoup d'argent, roule en coupé. Lamborghini et lui propose une croisière sur son yacht.
c. Votre ami(e) voudrait acheter une vieille voiture à un(e) inconnu(e) qui veut être payé(e) en liquide.

> **• Conseiller la prudence**
> Sois prudent(e)... – Mets-toi à l'abri... – Protège-toi de (contre)... – Mets tes bijoux en sécurité dans le coffre de l'hôtel...
> **• Mettre en garde contre une imprudence**
> Tu es imprudent(e)... – Tu commets des imprudences... – Je t'avertis... – Je te mets en garde : ce que tu fais est dangereux !
> Tu prends des risques... – Tu risques de te blesser...
> **• Exprimer la peur – encourager** (voir « Outils », unité 2, p. 47)

Au cours de vos voyages, vous avez fait des rencontres surprenantes, vous avez traversé des lieux étonnants ou vous avez vécu des aventures inhabituelles. Vous allez raconter quelques-uns de ces moments :
– oralement, à partir de photos ;
– ou par écrit sur le site de la classe ou dans votre blog.

1 Racontez une rencontre inattendue.

1. Lisez la rencontre qu'Antoine de Maximy a faite à Hawaii. Relevez les caractéristiques originales du personnage :
– son âge et son physique ;
– sa vie ;
– son activité.

2. Pensez à un personnage original que vous avez rencontré :
– un guide touristique amusant ;
- quelqu'un qui vous a abordé dans la rue ;
– une personne rencontrée dans le train ;
– une personne que vous avez observée à une terrasse de café ;
– etc.

Notez ce qui fait son originalité :
– son physique ;
– son comportement ;
– des épisodes de sa vie ;
– ses activités.

3. Choisissez le temps principal de votre récit. Vous pouvez le faire :
– **au présent** (comme Antoine de Maximy)
« Je me souviens d'une rencontre dans le train entre Paris et Valence. Je suis assis à côté d'une petite femme de 50 ans qui a envie de parler. Elle me dit qu'elle est voyante et qu'elle vient de voir le président de la République... »

– **au passé**
« Nous étions à Bruxelles et nous faisions la queue pour avoir des places à l'opéra de « La Monnaie ». Dehors, contre le mur du théâtre, il y avait un homme assez âgé, grand, belle allure mais habillé de vieux vêtements. Il chantait des airs d'opéra avec une voix extraordinaire. Qui pouvait être cet homme ?... »

4. Présentez votre personnage.

Les textes de cette double page sont extraits d'un livre où Antoine de Maximy raconte les meilleurs moments de tournage de son émission de télévision « J'irai dormir chez vous ». Dans chaque émission, l'animateur arrive dans un pays équipé d'une petite camera fixée au-dessus de sa tête, essaie de rencontrer des gens et, grâce à sa gentillesse et à sa bonne humeur, de se faire inviter chez eux.

Rencontre à Hawaii
Une autre belle rencontre est celle de Roger. Un Français de Belleville, âgé de 80 ans qui me prend en stop dans son pick-up. Encore un type à part : il conduit assis sur une valise et je dois m'installer par terre ! Roger a déserté le service militaire à l'âge de 20 ans. Ensuite, il a vécu dans le Grand Nord[1] où il a, entre autre, accouché lui-même sa femme. Il n'est jamais retourné en France et aujourd'hui, il est rebouteux[2] à Hawaii.

A. de Maximy et A. Allard, *J'irai dormir chez vous*, éditions de La Martinière, 2011.

1. Partie nord du Canada. – **2.** Guérisseur.

2 Décrivez un lieu insolite.

5. Lisez la description de Coober Pedy. Relevez les éléments de cette description :
– la situation de la ville ;
– son aspect ;
– le mode de vie des habitants ;
– les comparaisons ;
– les impressions et les sensations éprouvées par Antoine de Maximy.

6. Pensez à un lieu original qui vous a marqué
– un paysage impressionnant (les gorges du Verdon en France) ;
– un quartier inhabituel (le quartier d'Alfama à Lisbonne) ;
– un monument insolite ;
– etc.

7. Décrivez votre lieu. Indiquez :
– ce que vous avez vu ;
– ce que vous avez ressenti.

3 Racontez un incident.

8. Lisez l'aventure d'Antoine de Maximy sur l'île de Vao. Répondez.
a. Que veut faire Antoine de Maximy ?
b. Comment les habitants de Vao se comportent-ils ?
c. Quelle est la cause du conflit ?

9. Pensez à un incident de voyage et racontez-le.
– Une panne de voiture dans un lieu perdu.
– La rencontre insolite avec un animal sauvage.
– Une dispute avec un chauffeur de taxi.
– Le vol de vos objets personnels.
– etc.

• **L'originalité**
un lieu... un personnage... bizarre, original, particulier, insolite, étrange, inhabituel, curieux, rare
• **L'extraordinaire**
une rencontre... une aventure... extraordinaire, formidable, fantastique, prodigieuse, sensationnelle
• **La surprise**
surprendre (cet homme m'a surpris – il est surprenant)
marquer (cette rencontre m'a marqué – elle est marquante)
étonner (ce paysage m'a étonné – il est étonnant)
s'attendre à... (Je ne m'attendais pas à une ville aussi triste)
remarquer – marquer (ce lieu m'a marqué – il est remarquable)

Coober Pedy : un coin perdu d'Australie

Je m'envole pour Coober Pedy, une ville minière située dans l'*outback*, en plein désert. Quand je sors du petit avion, c'est le choc. Quel endroit à part ! Quelques rues goudronnées, quelques magasins. Pour couronner le tout, c'est ici qu'a été tourné le film *Mad Max*. Des carcasses de véhicules improbables, venues d'ailleurs traînent dans les rues. Ça renforce l'impression de bout du monde. Avant l'arrivée des premiers climatiseurs, il y a quelques dizaines d'années, les gens avaient l'habitude de vivre sous terre dans ce qu'ils appellent « *dugouts* »... c'est le meilleur moyen de se protéger de l'écrasante chaleur de l'été.

A. de Maximy et A. Allard, *J'irai dormir chez vous*, éditions de La Martinière, 2011.

Dans une tribu de l'île de Vao, au Vanuatu

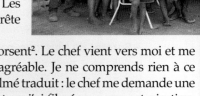

Antoine de Maximy voudrait filmer les activités des hommes de la tribu.

Je m'approche, demande à l'un d'eux si je peux filmer et je commence à tourner. Les images sont sympa, il n'arrête pas de rigoler[1].
C'est là que les choses se corsent[2]. Le chef vient vers moi et me parle d'une façon très désagréable. Je ne comprends rien à ce qu'il me dit. Celui que j'ai filmé traduit : le chef me demande une importante somme d'argent car j'ai filmé sans son autorisation. Je suis furax[3]. Il m'a volontairement poussé à la faute.
[*Antoine de Maximy essaie de négocier.*]
Au bout d'un moment, le chef perd patience et me chasse du village. Ce n'est que le soir que je comprends ce qui s'est passé. Je me rends compte qu'on s'est accroché à cause de nos différences culturelles. En effet, je suis venu voir le village sur l'île de Vao mais j'ai dormi sur l'île de Mallicolo... Je dépense mon argent sur Mallicolo : cela ne lui convient pas du tout.

A. de Maximy et A. Allard, *J'irai dormir chez vous*, éditions de La Martinière, 2011.

1. (fam.) rire. – **2.** (fam.) devenir compliqué. – **3.** (fam.) furieux, en colère.

UTILISER LE SUBJONCTIF PASSÉ

Le subjonctif passé s'utilise après les mêmes verbes ou expressions que le subjonctif présent.
Il exprime une action achevée par rapport à un moment de référence.
*Je ne suis pas sûre qu'il **soit parti** en vacances.* (l'action envisagée est considérée comme achevée)
*J'aimerai qu'on **se soit vu** avant son départ.* (l'action souhaitée est considérée comme achevée au moment du départ)
NB : Quand les deux propositions de la phrase ont le même sujet, on utilise l'infinitif.
*Je ne suis pas sûr de **partir** en vacances.*

• Formation du subjonctif passé

Auxiliaire « avoir » ou « être » au subjonctif + participe passé

finir	partir	se préparer
il faut que …	**il faut que …**	**il faut que…**
j'aie fini	je sois parti(e)	je me sois préparé(e)
tu aies fini	tu sois parti(e)	tu te sois préparé(e)
il/elle ait fini	il/elle soit parti(e)	il/elle se soit préparé(e)
nous ayons fini	nous soyons parti(e)s	nous nous soyons préparé(e)s
vous ayez fini	vous soyez parti(e)(s)	vous vous soyez préparé(e)(s)
ils/elles aient fini	ils/elles soient parti(e)s	ils/elles se soient préparé(e)s

• Emploi du subjonctif passé

On le trouve après les verbes et les expressions
qui expriment :
– une obligation :
***Il faut que… Il est nécessaire que…** nous **ayons préparé**
notre valise avant le départ.*
– une volonté, un souhait :
*Je **veux**… Je **voudrais**… J'**aimerais** que tu **aies fait**
le plein d'essence.*
– certains sentiments :
*Je **regrette** qu'il n'**ait** pas **pris** une carte.*
*J'ai **peur qu'**il se **soit perdu** sans son GPS.*

– le doute, la possibilité :
***Il est possible** qu'il ne **soit** pas **rentré** avant la nuit.*
– une opinion négative :
*Je **ne pense pas** qu'elle se **soit inscrite** à la randonnée.*
– l'antériorité :
*Nous devons être sortis de Paris **avant que** les gens
soient sortis des bureaux.*
– une supposition (voir p. 32), un but (voir p. 89), une
conséquence (voir p. 88), une opposition (voir p. 144).

EXPRIMER L'ANTÉRIORITÉ

• **Le plus-que-parfait exprime** une action qui s'est déroulée avant une action ou un moment du passé.
*Quand j'ai réservé mon vol pour Varsovie, Julia **avait** déjà **réservé** le sien.*
*Elle l'**avait réservé** depuis le mois de janvier.*

• **Formes du plus-que-parfait**

auxiliaire « avoir » ou « être » à l'imparfait + participe passé

Prendre	Sortir	Se renseigner
j'avais pris	j'étais sorti(e)	je m'étais renseigné(e)
tu avais pris	tu étais sorti(e)	tu t'étais renseigné(e)
il/elle avait pris	il/elle était sorti(e)	il/elle s'était renseigné(e)
nous avions pris	nous étions sorti(e)s	nous nous étions renseigné(e)s
vous aviez pris	vous étiez sorti(e)(s)	vous vous étiez renseigné(e)(s)
ils/elles avaient pris	ils/elles étaient sorti(e)s	ils/elles s'étaient renseigné(e)s

UTILISER LES MOYENS DE TRANSPORTS

• Prendre le train

un train – une rame – une voiture – une place (un duo, un carré, une place isolée) – être en tête / en queue du train
réserver… acheter… composter… son billet avant le départ – un billet échangeable, non échangeable, non remboursable –
un billet plein tarif/ tarif réduit (jeune, sénior…) – une carte de réduction – un abonnement

monter dans le train/descendre du train – contrôler les billets (un contrôleur)
la gare – attendre sur le quai
les trains : un TGV (train à grande vitesse) – le TER (train express régional) – le RER (réseau express régional
à Paris) – l'Eurostar (vers la Grande-Bretagne) – le Thalys (vers les Pays-Bas)

• **Prendre l'avion**
un vol (Le vol d'Air France de 8 h 30 pour Rio) – un aéroport – le terminal B – la porte 47
le comptoir d'enregistrement d'Iberia... enregistrer les bagages... embarquer – une carte d'embarquement...
payer un supplément pour les bagages... passer les contrôles de police, la douane (fouiller)... déclarer un achat
un commandant de bord – une hôtesse – un steward
monter dans l'avion – attacher sa ceinture – rouler sur la piste – décoller (le décollage) – atterrir (l'atterrissage)

• **Prendre le métro ou l'autobus**
une station (un arrêt d'autobus) – une bouche de métro – une rame – la ligne 14
monter à la station Châtelet – descendre à Concorde – prendre la correspondance à Iéna
un ticket de métro – un carnet – une carte de transport

• **Prendre le taxi**
appeler un taxi – un chauffeur de taxi – un taximètre

CONDUIRE UNE VOITURE

• **Les véhicules**
une voiture (une auto) – un 4x4 – un utilitaire – un camion

• **Les parties de la voiture**

le toit
le pare-brise
le volant
une vitre
un essuie-glace
une aile
un moteur
une roue
un phare
un siège
un clignotant
un rétroviseur
une portière
un pneu

• **La conduite**
démarrer – débrayer/embrayer – passer une vitesse –
allumer les phares – freiner (les freins) – accélérer/
ralentir – se garer – stationner – croiser – dépasser,
doubler un véhicule – rouler

• **Les incidents et les accidents**
tomber en panne – une panne d'essence (faire le plein
d'essence) – faire remorquer la voiture jusqu'à un
garage – faire réparer – crever (une crevaison)
avoir un accident – heurter un véhicule – enfoncer,
arracher une aile – faire un constat d'accident – être
responsable/non responsable

• **La circulation**
une circulation fluide – un bouchon de trois kilomètres,
un embouteillage

ORGANISER UN VOYAGE

• **Les types de voyage**
un voyage d'affaire – un voyage organisé (un groupe,
un accompagnateur, un guide) – un circuit – une visite –
une excursion – une croisière – un séjour
un office du tourisme – un site d'agence de voyage

• **Les bagages**
une valise – une malle – un sac – un sac à dos –
un bagage à main

• **Le logement**
un hôtel – une chambre simple/double – réserver –
confirmer – annuler – l'hôtel est complet
faire du camping – un emplacement – une tente –

un bungalow – un camping-car
un gîte – une chambre d'hôte – une chambre chez l'habitant
dormir à la belle étoile

• **Les formalités**
un passeport – un visa – remplir une fiche d'immigration,
une déclaration de douane
changer de l'argent – un bureau de change – le taux de
change

• **Les précautions médicales**
les vaccinations – se faire vacciner contre la fièvre jaune,
le choléra...
prendre des cachets contre le paludisme

CONSEILLER LA PRUDENCE (voir leçon 4)

1. UTILISER LE SUBJONCTIF PASSÉ

Mettez les verbes entre parenthèses à la forme qui convient.

Un constructeur automobile avant l'ouverture du Salon de l'auto
a. J'aimerais que vous (*installer*) le stand avant l'ouverture du Salon.
b. Il faut que nous (*vendre*) 500 modèles de la Diva avant la fin du Salon.
c. J'espère que nous en (*vendre*) 1000.
d. Il est possible que Citroën (*sortir*) sa nouvelle voiture électrique avant la fin de l'année.
e. Je regrette que le journaliste de *L'Auto Journal* (*ne pas venir*) à notre stand.

2. EXPRIMER L'ANTÉRIORITÉ

Mettez les verbes entre parenthèses à la forme qui convient.

Madame Aubrac a loué un gîte à des jeunes qui viennent de partir. Elle est allée faire l'état des lieux.
Madame Aubrac (*à son mari*) : Ce matin, je (*aller*) faire l'état des lieux au gîte. Les jeunes m'(*rendre*) les clés.
Le gîte était très propre. Ils (*balayer*) et (*nettoyer*) l'appartement. Ils (*couper*) l'eau et l'électricité.
Monsieur Aubrac : Tu (*ne pas avoir confiance*) en eux ?
Madame Aubrac : Si, nous (*se voir*) avant, au mariage de Noémie. Ils m'(*faire*) bonne impression. C'est là qu'ils m'(*demander*) le gîte.

3. DONNER DES CONSEILS DE PRUDENCE

Vous recevez d'un ami le courriel ci-dessous. Répondez-lui pour dire que vous acceptez. Donnez-lui des conseils de prudence. Dites-lui ce qu'il doit faire et ne pas faire.

Salut,
Ça y est, j'ai mon permis de conduire !
Accepterais-tu de me prêter ta voiture pour une semaine ? Nadia et moi, nous irions faire un tour en Belgique...
Ton pote
Rafik

4. EXPRIMER LA SURPRISE

a. Associez chaque phrase à une situation.
b. Pour chaque phrase, trouvez une autre situation.

> **a.** Ça m'a étonnée.
> **b.** J'ai été agréablement surprise.
> **c.** Je ne m'y attendais pas.
> **d.** Je ne l'avais pas remarqué.
> **e.** Cela m'a marqué.

> **1.** Ce matin, j'ai reçu une lettre qui m'annonçait que j'allais avoir la médaille de la Légion d'honneur.
> **2.** Tu ne t'es pas rendu compte ? Louise est enceinte de quatre mois.
> **3.** La semaine dernière, notre oncle nous a longuement parlé de la guerre d'Algérie.
> **4.** Au dernier repas de famille, mon cousin Olivier qui ne boit jamais d'alcool a bu trois coupes de champagne.
> **5.** Hier soir, Hugo a sonné chez moi, sans avertir. Il m'a offert un superbe bouquet de fleurs.

5. VOYAGER EN AVION

Elle raconte son voyage en avion. Remettez les phrases dans l'ordre.
a. Heureusement, car au décollage il y a eu des turbulences.
b. Il n'y a pas eu de problème au contrôle de police.
c. Nous avons embarqué à 18 h.
d. J'ai foncé à l'enregistrement.
e. J'ai réservé mon billet sur Liligo il y a un mois.
f. On nous a servi une excellente collation.
g. Deux heures après, nous avons atterri à Prague.
h. Par chance, le vol avait du retard.
i. J'ai attaché ma ceinture.
j. Le taxi a mis trois heures pour arriver à l'aéroport.

6. CONDUIRE UNE VOITURE

N° 27 **Écoutez. Juliette raconte son épreuve du permis de conduire. Indiquez sur le plan les mouvements de la voiture et les panneaux rencontrés.**

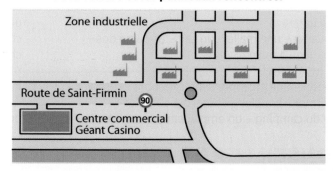

ENTRETENIR
DES RELATIONS AMICALES

1 ÉVOQUER
DES SOUVENIRS
• Faire une chronologie
• Raconter une anecdote
personnelle
• Commenter une photo souvenir

3 PARLER DE SES AMIS
• Caractériser les gens
• Rapporter des paroles

2 FAIRE FACE
À UN PROBLÈME
• Faire des suppositions
• Se disputer et se réconcilier

4 S'ADAPTER AUX AUTRES
• S'adapter à des comportements
différents
• Répondre aux personnes
désagréables
• S'adapter dans les pays
francophones

PROJET

ENTRETENIR UNE CORRESPONDANCE AMICALE

Nouveau m

Envoyer Discussion Joindre Adresses Polices Couleurs Enr. brouillon

À : Jérôme
Cc :
Objet : Photo
De : Barbara   Signature : Aucune !

Coucou Jérôme,
J'ai trouvé cette photo. On est tous les deux dessus mais j'ai oublié de quoi il s'agit. C'était à quelle occasion ? Tu peux me rafraîchir la mémoire ?

Nouveau message

Discussion Joindre Adresses Polices Couleurs Enr. brouillon

À : Barbara
Cc :
Objet : RE : Photo
De : Jérôme

Ma chère Barbara,
Les moments que nous avons passés ensemble ne t'ont pas beaucoup marquée... C'était au mariage de mon cousin Olivier. Je t'avais fait inviter parce qu'à cette époque nous étions ensemble. Tu ne te souviens pas ? Quelle histoire ! Le mariage de Lucie et d'Olivier devait être le mariage du siècle. Un château avait été réservé un an auparavant. Le mois précédent le mariage, nous avions reçu des instructions pour les vêtements : les petits garçons en costume gris et les petites filles en robe et chaussures blanches... J'avais rencontré les fiancés l'avant-veille du mariage. Ils nageaient dans le bonheur.
Je me rappelle bien le jour du mariage. Ce jour-là, il a plu et il a fait soleil. C'était une promesse de bonheur ! Il y avait trois DJ et un feu d'artifice magnifique.
Le surlendemain, les nouveaux mariés sont partis à Bali et la semaine suivante, j'ai reçu une carte postale enthousiaste.
Mais, quinze jours après, ils sont revenus et ont annoncé qu'ils allaient divorcer.
Plus tard, j'ai eu les confidences d'Olivier. Deux mois avant le mariage, Lucie et lui savaient qu'ils n'étaient pas faits l'un pour l'autre. Mais ils ont continué à jouer la comédie pour ne pas décevoir leurs parents et avoir une occasion de faire la fête...

Faire une chronologie

1. Lisez les deux courriels.

a. À quelle photo font-ils allusion ?

b. Approuvez ou corrigez les phrases suivantes :

1. Jérôme et Barbara sont des amis.
2. Ils sont allés ensemble au mariage de Lucie et d'Olivier.
3. C'était un mariage improvisé.
4. Le jour du mariage, Lucie et Olivier étaient très amoureux l'un de l'autre.
5. Ils ont menti à leurs parents et à leurs amis.
6. Ils ont fait leur voyage de noces en Amérique du Sud.

2. Faites la chronologie de l'histoire du mariage. Notez les indications de temps.

• un an auparavant → réservation d'un château
• ...

3. Faites le travail de l'encadré « Réfléchissons » sur les indicateurs de temps.

Raconter une anecdote personnelle

4. Faites le travail de l'encadré « Réfléchissons » sur les temps du récit au passé.

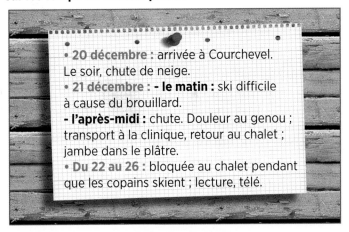

• **20 décembre :** arrivée à Courchevel. Le soir, chute de neige.
• **21 décembre : - le matin :** ski difficile à cause du brouillard.
- **l'après-midi :** chute. Douleur au genou ; transport à la clinique, retour au chalet ; jambe dans le plâtre.
• **Du 22 au 26 :** bloquée au chalet pendant que les copains skient ; lecture, télé.

5. Agnès a noté sur son agenda les détails de son séjour de ski à Courchevel. Faites le récit de ce séjour.

Prononcez... Automatisez

1. Distinguez [a] et [ɑ̃]. Cochez ce que vous entendez. Répétez.

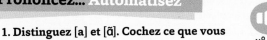 N° 29

[a]	[ɑ̃]	[ɑ̃] et [a]
Il y **a**...	Elle **en** veut ?	Il y **en a**...
...	...	...

2. Construction des verbes « se souvenir », « se rappeler » et « retenir ». Répondez « oui » ou « non ».

• – Vous vous souvenez de votre premier téléphone mobile ?
   – Oui, je m'en souviens.
   – Non, je ne m'en souviens pas.

Réfléchissons... Les indicateurs de temps

Les indicateurs de temps dépendent du moment de référence du récit : moment où on parle ou autre moment.

• **Continuez l'histoire en adaptant les indicateurs de temps.**
Le jour du mariage, Olivier raconte les préparatifs du mariage et ce qui va se passer.
« **Il y a un an**, nous avons réservé ... »

• **Complétez le tableau.**

On situe les évènements par rapport au moment où on parle	On situe les évènements par rapport à un autre moment
aujourd'hui ce mois-ci maintenant	... ... *à ce moment-là*
hier avant-hier la semaine dernière il y a un an	... ...
demain après-demain la semaine prochaine dans dix ans	... ... *dix ans plus tard*

Réfléchissons... Les temps du récit au passé

• **Observez le temps des verbes dans le courriel de Jérôme. Notez les verbes dans le tableau.**

	Évènements	Circonstances
Avant le mariage	*Je t'avais fait inviter*	*C'était au mariage de mon cousin Olivier*
Pendant et après le mariage	....	......

• **Par quel temps sont exprimés :**
a. les évènements principaux (évènements de références) ?
b. les évènements qui se passent avant ?
c. les circonstances : époque, sentiments, etc. ?

Commenter une photo souvenir

 6. Amandine commente la photo 3. Faites la chronologie des évènements.
N° 28

– Avant le 24 juin : ...
– 24 juin : ...
– 25 juin : résultat du concours
– 26 juin : ...
– 27 juin : ...
– Après le 27 juin : ...

7. Choisissez une photo de la page 64 ou une photo de la galerie de votre portable. Imaginez ou racontez les évènements relatifs à cette photo.

FAUT-IL TOUT SE DIRE ?

Alice et Paul (la cinquantaine) ont invité à dîner leurs amis Laurence et Michel. Avant l'arrivée des invités, Alice confie à Paul que le matin, elle a aperçu Michel, dans la rue, qui embrassait une inconnue. Elle pense qu'elle doit le dire à Laurence. Paul est d'un avis contraire. L'extrait suivant se situe pendant le repas. Alice et Paul sont allés un moment dans la cuisine.

Alice : Les choses seraient tellement plus simples si tout le monde se disait la vérité...

Paul : Ce serait un véritable cauchemar, Alice. Si tout le monde se disait la vérité il n'y aurait plus aucun couple sur terre [...] Prenons le cas de ce soir. Admettons que tout le monde se soit dit la vérité... Admettons... Tu imagines le carnage ? Tu aurais dit à Laurence que son mari la trompe. Très bien ! Formidable ! Nous aurions eu droit à une petite crise de couple, ce qui reste quoi qu'on en dise, un spectacle très divertissant ! Puis, j'aurais dit à Michel, certes qu'il est un très bon éditeur mais que tous les romans qu'il écrit sont illisibles. C'est vrai, c'est mon ami, je lui dois la vérité ! À l'heure qu'il est, il ne me parlerait sans doute plus mais au moins j'aurais été honnête. [...] Si on s'était dit la vérité, ce soir, Alice, si on se l'était dite, Michel ne me parlerait plus, il ne te parlerait plus, et sa femme ne lui parlerait plus.

Florian Zeller, *Le Mensonge*, L'Avant-scène théâtre, octobre 2015.

Faire des suppositions

1. Lisez la scène. Approuvez ou corrigez les phrases suivantes.

a. Alice est en couple avec Paul. Laurence est la compagne de Michel.
b. Laurence et Michel sont invités chez leurs amis Alice et Paul.
c. Michel trompe sa femme. Paul en a été témoin.
d. Alice pense qu'il faut mettre Laurence au courant.
e. Michel pense que ce serait amusant.

2. Notez l'enchaînement des conséquences évoquées par Paul.

• Si tout le monde se disait la vérité → ...
• Admettons que, ce soir, tout le monde se soit dit la vérité → ...

3. Faites le travail de l'encadré « Réfléchissons ».

Réfléchissons... Le conditionnel passé

• **Reportez dans le tableau les verbes de la scène.**

	expression de la supposition	*Si tout le monde se disait* la vérité
suppositions sur le présent ou le futur	conséquence	*les choses seraient tellement plus simples*
suppositions sur le passé	expression de la supposition	...
	conséquence	...

• **Le conditionnel passé exprime la conséquence d'une supposition au passé. Retrouvez sa construction.**
→ verbes utilisant l'auxiliaire « avoir »
S'il avait fait beau, hier, j'aurais appelé Lise, tu aurais...
→ verbes utilisant l'auxiliaire « être »
... je serais sorti(e), tu serais...
Je me serais amusé(e), tu te serais ...

• **Les emplois du conditionnel passé.**
Dites si dans les phrases suivantes, on exprime :
1. une information non vérifiée – **2.** un conseil –
3. un regret – **4.** une supposition ou une hypothèse.

a. Si tu n'avais pas fait ce voyage professionnel, tu serais venu à ma fête.
b. Tu te serais bien amusé.
c. À ta place, j'aurais demandé un congé.
d. On dit que Lucie et Olivier se seraient séparés.

4. Dites quelles sont les conséquences de ces situations. Utilisez les verbes entre parenthèses.

a. Suppositions

« Je ne crois pas que Doris et Louis soient amoureux l'un de l'autre. À la soirée de Marie, s'ils avaient été amoureux… » (*se parler, danser ensemble, embrasser, sortir dans le jardin*)

b. Regrets

« Ah ! Si nous avions pu vivre à la campagne, nous…, tu…, je … » (*avoir une ferme, élever des animaux, cultiver des légumes, faire du cheval*)

c. Conseils

« Pourquoi tu as refusé ce poste à New York ? À ta place, j' … » (*accepter, être bien payé, rencontrer des gens sympa, visiter les États-Unis*)

 5. Discutez en petit groupe. Si vous étiez à la place de Paul ou d'Alice, diriez-vous la vérité à Laurence ?

DISPUTE ENTRE AMIS

Richard, récemment divorcé a invité deux couples d'amis (Philippe et Astrid, Gilles et Carole) pour une croisière sur un voilier. Il leur présente sa nouvelle compagne, Daphnée, qui a 20 ans de moins que lui, qui est belle, intelligente mais très maladroite. En tombant du lit, elle s'est blessée au visage. Dès le premier soir, un conflit éclate. Astrid reproche à Daphnée d'être la cause du divorce de Richard. Daphnée réplique en citant l'empereur romain Marc Aurèle.
Le lendemain, sur le pont du voilier.

Philippe *(gêné)* : Je voulais m'excuser pour hier soir. J'avais trop bu… Pour Astrid, il faut apprendre à la connaître.
Daphnée : Bon… ce n'est pas trop grave.
Philippe : Il lui faut toujours quelques jours pour s'acclimater. Ce matin, ça devrait aller mieux.
Astrid arrive sans dire un mot et s'assoit.
Carole : Et Astridou, je te sers un petit café ? (*Astrid lui tend une tasse vide.*) Tu as bien dormi ? (*Astrid reste muette. Carole s'adresse alors à Daphnée.*) Ça te fait mal ?

Daphnée : Un petit peu, oui.
Astrid *(d'un air méchant)* : Ça va devenir violet et moche…
Daphnée : « Une fois réduites à ce qu'elles sont physiquement, les choses retrouvent leur peu d'importance », Marc Aurèle. Écoute Astrid. J'ai pas envie que tu gâches tes vacances et je n'ai pas envie que tu gâches les miennes. Alors, on a deux options : soit on s'explique maintenant, soit on s'ignore poliment pendant le séjour.
Astrid *(elle se lève et quitte ses amis)* : Option numéro 2.

Entre Amis, film d'Olivier Baroux avec Daniel Auteuil, Gérard Jugnot, François Berléand, Zabou Breitman, Mélanie Doutey, Isabelle Gélinas, 2015.

Se disputer et se réconcilier

6. Lisez la scène.

a. Relevez les passages où un personnage…

1. s'excuse.
2. excuse quelqu'un.
3. essaie de calmer le jeu.
4. change de sujet.
5. aggrave la situation. (« met de l'huile sur le feu »).
6. veut se réconcilier.
7. refuse de se réconcilier (« coupe les ponts »)

b. Trouvez les mots qui signifient :

1. s'habituer…
2. laid…
3. pourrir, rendre déplaisant
4. faire comme si l'autre n'existait pas

7. Voici les moments d'une dispute.

a. Remettez-les dans l'ordre.

b. Imaginez une histoire en utilisant ces verbes.

1. Ils se fâchent
2. Ils s'apprécient
3. Ils se réconcilient
4. Ils se rencontrent
5. Ils se détestent
6. Ils se disputent
7. Ils entretiennent de bonnes relations

 8. Par deux, préparez et jouez une des scènes suivantes :

a. Daphnée et Philippe courent après Astrid et essaient de discuter.

b. Carole et Daphnée réfléchissent à la façon de calmer Astrid.

Quel type d'ami(e) êtes-vous ?

TEST

1. Vous connaissez la date de naissance :
- ● d'au moins cinq de vos amis.
- ▲ de deux de vos amis.
- ■ d'aucun.

2. Quelle est, pour vous, la qualité principale d'un ami ?
- ● la fidélité.
- ▲ la disponibilité.
- ■ la bonne humeur.

3. Selon vous, la vie en colocation, c'est :
- ● des soirées passées à discuter et à faire la fête.
- ▲ un moyen de payer un loyer pas cher.
- ■ le risque de se fâcher.

4. Un(e) ami(e) passe vous voir sans avertir à 19 heures :
- ● vous lui demandez s'il/elle peut rester à dîner.
- ▲ vous lui dites de s'asseoir cinq minutes.
- ■ vous lui demandez de passer un autre jour.

5. Votre ami(e) a une nouvelle compagne (un nouveau compagnon) que vous détestez :
- ● vous pensez que vous finirez par l'apprécier.
- ▲ vous dites à votre ami(e) que vous préférez la(le) voir seul(e).
- ■ vous vous dites que vous avez tourné une page avec lui/elle.

6. Quand un(e) de vos ami(e)s a renversé sa tasse de café sur votre pantalon :
- ● vous lui avez dit que c'était un vieux pantalon.
- ▲ vous avez affirmé que la tache partirait avec du produit détachant.
- ■ vous lui avez dit que vous aviez acheté ce pantalon 150 € aux Galeries Lafayette.

7. Quand votre ami(e) vous a montré sa nouvelle voiture :
- ● vous lui avez dit qu'il/elle avait fait le bon choix.
- ▲ vous lui avez demandé si vous pouviez l'essayer.
- ■ vous lui avez demandé de vous la prêter pour le week-end.

8. Un(e) ami(e) vous a demandé de lui prêter de l'argent :
- ● vous lui avez demandé combien il/elle voulait.
- ▲ vous lui avez demandé ce qu'il/elle voulait faire avec cet argent.
- ■ vous lui avez donné le taux d'intérêt.

➤ **Votre type d'ami**

Vous avez une majorité de ● : vous êtes « l'ami pour la vie ».
Vous êtes fidèle, disponible, à l'écoute des autres. On peut compter sur vous et vous savez être généreux. Vos amis sont aussi importants que votre famille. Veillez à vous protéger et à garder votre liberté pour pouvoir rencontrer d'autres personnes.

Vous avez une majorité de ▲ : vous êtes « le bon copain », « la bonne copine ».
Vous êtes sociable et sincère mais vous restez indépendant. Vous avez beaucoup d'amis mais vous les contactez selon votre humeur. Soyez plus généreux. Donnez davantage de vous-même.

Vous avez une majorité de ■ : vous êtes « l'ami toxique ».
Vous êtes égoïste et souvent hypocrite. Vous profitez des autres sans rien donner en retour. Vous avez des relations mais pas de vrais amis. Peut-être avez-vous eu des expériences malheureuses en amitié ? Essayez de faire confiance aux autres.

L'amitié est un des thèmes majeurs du cinéma d'aujourd'hui. Ici, *Les Petits Mouchoirs* de Guillaume Canet, 2010.

Caractériser les gens

1. Faites le test ci-dessus. Discutez votre résultat avec votre partenaire. Reconnaissez-vous certains de vos amis dans ces types ?

2. Associez ces définitions à des mots de « Votre type d'ami ».
- **a.** Il ne pense qu'à lui.
- **b.** Elle se lie facilement avec les gens.
- **c.** Il est toujours prêt à rendre service.
- **d.** Elle n'a jamais trompé son mari.
- **e.** Il cache ce qu'il pense.
- **f.** On peut avoir confiance en elle.

3. Lisez le texte « Les manipulateurs »
a. Trouvez les expressions qui signifient :
1. ne pas se poser de problèmes moraux.
2. sans que la personne s'en rende compte.
3. qui agit par intérêt.
b. Que signifie « manipuler quelqu'un » ?
c. Trouvez des professions où il faut être manipulateur.

Les manipulateurs

... Une chose est sûre, aujourd'hui, il faut savoir se vendre, séduire, manier parfaitement le verbe quitte à laisser ses scrupules au vestiaire. « La manipulation est une technique de communication utilisée afin d'influencer une personne à son insu » rappelle Didier Courbet, professeur en sciences de l'information et de la communication à l'université d'Aix-Marseille. Politique, publicité, vente, marketing... tout le monde cherche à influencer tout le monde [...] Le manipulateur [...] est intelligent, calculateur, séducteur, rationnel, dominateur....

Valérie Josselin, *Version Fémina*, 23/05/2016.

La séquence radio

Comment déjouer les manipulateurs

N° 30

Qui ne s'est pas fait avoir une fois dans sa vie ? Qui n'a pas été une fois victime d'un manipulateur ? Élodie Mielczareck, une sémiologue nous apprend comment les reconnaître.

Prononcez... Automatisez

N° 31

Une amie vous parle d'une rencontre dans une soirée. Étonnez-vous comme dans l'exemple.
• – Il m'a dit « Je suis acteur »
– Il t'a dit qu'il était acteur !
• – ...

4. Écoutez la séquence radio. Relevez les signes donnés par la sémiologue (personne qui étudie les signes).
a. Ce qu'on ressent face à un manipulateur :
1. On ne se sent pas bien.
2. On a des douleurs au ventre.
3. On tremble.
4. On respire mal.
5. On a mal à la tête.
6. On est angoissé.
7. On est en sueur.
b. Ce qu'on observe chez le manipulateur :
1. Il nous regarde fixement.
2. Il est agressif.
3. Il change d'attitude.

Rapporter des paroles

5. Faites le travail de l'encadré « Réfléchissons ».

6. Voici la conversation que vous avez eue avec Jessica. Rapportez-la à un ami.
« J'ai demandé à Jessica... Elle m'a répondu... »
Vous : Tu es libre samedi après-midi ? J'ai envie d'aller à la piscine.
Jessica : Je vais visiter le château de Vincennes avec Mathieu. Il passera me prendre et nous rentrerons vers 19 h. Viens avec nous.
Vous : Non merci. Je l'ai déjà visité deux fois. Fatima m'a proposé d'aller au cinéma. Je vais accepter.

Réfléchissons... Rapporter des paroles passées

Observez les questions 4 à 8 du test et leurs réponses.
Remarquez comment les paroles sont rapportées :
a. au moment où elles sont prononcées (questions 4 et 5) ;
b. quand elles ont été prononcées dans le passé (questions 6 à 8).

Dans chaque cas, complétez le tableau et notez :
a. le type de phrase (affirmative, interrogative, impérative) ;
b. le temps des verbes ;
c. la construction de la phrase rapportée.

Phrases prononcées	Phrases rapportées
4. a. Tu peux rester à dîner ? (phrase interrogative au présent)	Vous lui demandez s'il peut rester à dîner (*demander si...*+ présent)

 7. Par deux, préparez et jouez la scène.

Vous avez rencontré par hasard une personne célèbre. Vous avez échangé quelques mots. Vous racontez votre rencontre. Utilisez les verbes : *affirmer – avouer – demander – dire – préciser – répliquer – répondre.*
« Je lui ai demandé si... Il m'a répondu que... »

S'adapter à des comportements différents

Le reportage vidéo

Mariages : organisatrice de bonheur

N° 4

Vanessa Toklu organise des mariages. Elle nous parle de son métier.

1. Regardez la vidéo sans le son.
a. Quel type de mariage Vanessa Toklu organise-t-elle ?
Justifiez votre réponse en citant ce que vous avez vu :
1. les lieux ;
2. les tables et la décoration ;
3. la nourriture.
b. Avez-vous vu les choses suivantes ?
1. une alliance
2. un chandelier
3. une boîte de dragées
4. une fleur à la boutonnière
5. un voile de mariée

2. Regardez la vidéo avec le son. Dites si les phrases suivantes sont vraies ou fausses :
a. Un mariage, c'est vite préparé.
b. Quand on prépare un mariage, tout dépend de la date.
c. On rencontre le client une seule fois.
d. On doit beaucoup se déplacer.
e. On essaie d'adapter l'évènement à la demande du client.
f. Même quand tout est bien préparé, on peut avoir des problèmes inattendus.

3. Répondez à ces questions sur Vanessa Toklu.
a. Quelle formation a-t-elle suivi ?
b. Quelles sont ses compétences ?
c. Qui sont ses clients ?
d. Qui sont ses partenaires principaux quand elle organise un mariage ?
e. A-t-elle des clients difficiles ?
f. Qu'est-ce qui lui plaît le plus dans ce métier ?

4. À quelles occasions Vanessa emploie-t-elle ces mots ? Associez-les à leur définition.
a. exigeant   **c.** un prestataire   **e.** une montgolfière
b. rigoureux   **d.** en amont

---
1. personne qui fournit un service
2. ballon, ancien mode de transport aérien
3. avant l'événement
4. précis   **5.** qui n'est pas superficiel

Répondre aux personnes désagréables

5. Travaillez par deux. Associez les paroles désagréables aux traits de caractère suivants :
arrogant – grossier – indiscret – macho – médisant – pessimiste – râleur – xénophobe.

6. Trouvez une réponse pour chaque parole désagréable. Imaginez d'autres réponses possibles.

Paroles désagréables
a. Vous vivez seule ou avec un copain ?
b. En France, c'est quand même mieux que chez vous.
c. Comment voulez-vous que cette entreprise marche si elle est dirigée par une femme.
d. Le chômage, l'insécurité... tout ça, c'est la faute des étrangers.
e. Quelle soirée ! Les invités étaient ennuyeux, le repas immangeable et je ne parle pas du vin !
f. Vous êtes bête ou quoi ?
g. Ce pays court à la catastrophe. Dans dix ans, on est foutus !
h. Il paraît que Jean n'est pas très honnête.

Réponses
1. Restez chez vous. Vous seriez malheureux ailleurs.
2. Vous ne savez pas voir le bon côté des choses.
3. Vous pourriez être poli.
4. Pourquoi dites-vous ça ? Vous avez des preuves ?
5. Vous auriez dû vivre au XIXe siècle.
6. Ça ne vous regarde pas !
7. Alors, il faudrait renvoyer chez eux beaucoup de gens célèbres.
8. Vous voyez tout en noir, vous !

S'adapter dans les pays francophones

Vraiment étrange ce pays !

Diane, une Parisienne, vient d'arriver au Québec. Elle est invitée pour la première fois chez des Québécois. Elle compare la soirée à une soirée des beaux quartiers de Saint-Germain-des-Prés à Paris.

Je me sens mal à l'aise devant ces regards qui sont justement si bienveillants et font tout pour que je me sente bien. On ne médira pas de moi sitôt la porte passée.

Côté femmes : pas le moindre regard critique sur la marque de mes chaussures ou ma coupe de cheveux. Je me sens vraiment loin de Paris et libérée d'un poids social, sans cette bonne vieille rivalité féminine entre amies où il ne faut jamais être plus mince que l'autre […] Y a des règles comme ça. On vous souhaite d'être heureux en amour mais on ne vous pardonne pas de parvenir à l'être. On doit se plaindre de son amant – ou si l'on n'a même pas l'originalité d'en avoir un, de son mari – de son boulot, de la politique, du temps, de soi-même surtout, bref, l'important, c'est de râler. C'est même le cœur des soirées entre amis. On écoute l'autre en faisant mine d'acquiescer, puis on se gausse dès son départ. À Paris, le sentiment d'insatisfaction se respire autant que les particules fines. Pas ici, c'est bizarre. Vraiment étrange ce pays.

Diane Ducret, *L'homme idéal existe. Il est Québécois*, Albin Michel, 2015.

7. Lisez l'extrait du roman de Diane Ducret. Pourquoi la jeune femme se sent-elle mal à l'aise ?

 8. Travaillez par deux ou trois.
a. Caractérisez les comportements décrits dans le texte avec les adjectifs suivants :

1. la gentillesse
2. la jalousie
3. la médisance
4. la sincérité
5. l'hypocrisie
6. la méchanceté
7. l'obligation de critiquer

b. Dans quelle autre situation peut-on utiliser ces adjectifs ?

9. Au fil du texte, recherchez les mots ou expressions qui signifient :

1. dire du mal des gens.
2. réussir à faire quelque chose.
3. une relation extraconjugale.
4. faire semblant de…
5. approuver, être d'accord.
6. se moquer.
7. la pollution.

10. Lisez le « Point infos ».
a. Retrouvez sur une carte les pays qui sont cités. Citez d'autres pays francophones.

b. Selon les pays, quelles sont les qualités qui sont appréciées par les gens ?
Au Québec : la générosité, la simplicité…

 11. Regroupez-vous selon votre pays d'origine. Faites une liste de conseils à l'intention d'étrangers qui veulent s'installer dans votre pays et qui veulent se faire des amis.

ⓘ Point infos

SE FAIRE DES AMIS DANS LES PAYS FRANCOPHONES

La première règle à suivre est de ne pas assimiler les Québécois, les Belges, les Sénégalais, etc. à des Français. Céline Dion est québécoise, Benoît Poelvoorde est belge comme Cécile de France (malgré son nom). Il faut s'intéresser à leur pays et, si vous connaissez la France, ne pas trop en parler.

Ne pas oublier non plus que les comportements sont plus liés à la zone géographique qu'à la langue. À Montréal, les relations sont très décontractées : on se tutoie vite et, quand on est invité à une soirée entre amis, on apporte sa bière et de la nourriture à partager. Agir ainsi au Burkina Faso serait impoli.

Dans les pays de l'Afrique francophone ou du Maghreb, on accueille toujours ses invités avec une boisson fraîche ou une tasse de thé. Refuser serait mal vu.

Dans ces derniers pays, comme au Viêt-Nam ou au Cambodge les marques extérieures de respect sont très importantes. Le plus jeune salue le plus âgé (ou le supérieur hiérarchique) et on ne dit jamais à une personne qu'elle a tort.

En Suisse, le respect de l'autre se mesure à la ponctualité (on n'arrive ni en retard ni en avance), au calme (on ne parle pas fort) et à l'adhésion aux règles.

Vous allez travailler par deux. Vous écrirez à votre partenaire un courriel amical.
Vous y donnerez des nouvelles agréables et des nouvelles désagréables
à propos de votre travail, de votre famille, de vos amis, de vos loisirs.
Ces informations pourront être réelles ou imaginées.
Vous répondrez au courriel que votre partenaire vous aura envoyé.

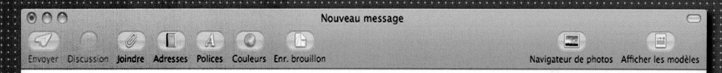

Nouveau message

Envoyer   Discussion   Joindre   Adresses   Polices   Couleurs   Enr. brouillon   Navigateur de photos   Afficher les modèles

Coucou Coralie,

Ton courriel m'a fait très plaisir. Je suis très heureuse que tu aies trouvé du
travail. J'ai l'impression que tu es bien tombée : ce couple de pharmaciens
à deux ans de la retraite qui te laisse libre de créer un rayon d'huiles
essentielles et de moderniser la pharmacie, c'est une chance pour toi.
Mais la nouvelle du décès de ton grand-père m'a rendu triste. Je garde un très
bon souvenir de lui. Je me souviens d'un repas chez tes parents où il nous avait fait beaucoup rire. Tu as
toute ma sympathie dans ce moment difficile.
Ne t'inquiète pas trop pour Loïc. S'il est désagréable avec toi, c'est qu'il t'en veut. Il est triste que ses
parents se soient séparés. Moi aussi, j'ai des soucis avec Noémie. Ses résultats scolaires m'ont déçue. La
semaine dernière, j'ai même été convoquée au collège car elle avait insulté un professeur. Tu te rends
compte ? Ici, tout le monde me connaît : je suis celle qui tient le magasin de bijoux fantaisie de la rue
Racine. J'avais honte !

Je ne comprends pas. Jusqu'en cinquième Noémie travaillait très bien. Est-ce qu'elle
fait sa crise d'adolescence ? Est-ce qu'elle a des chagrins d'amour ? Est-ce que c'est
parce que son père n'est jamais à la maison ? Je t'avoue que Guillaume m'inquiète :
entre ses missions à l'étranger, son club photo et ses compétitions de tennis, je ne le
vois pas beaucoup. Je sens qu'on s'éloigne l'un de l'autre. Je suis jalouse des filles qu'il
rencontre dans ses activités. Je regrette de ne pas pouvoir me mettre au tennis mais je
suis nulle. Bon, je n'aurais peut-être pas dû épouser un beau mec, spécialiste mondial
des champignons.
Heureusement, côté travail, je n'ai que des motifs de satisfaction. Le magasin marche
très bien. Je suis très contente. J'ai engagé une jeune assistante très sympathique et
surtout très efficace. J'espère qu'elle va rester et que l'été prochain je pourrai lui laisser
la boutique pendant trois semaines pour partir en vacances. Je pense que Noémie préférera
aller chez ses grands-parents côté paternel et que Guillaume sera occupé. Je vais donc me
faire plaisir et partir pour un trekking dans les Andes. J'en rêve depuis longtemps.
Il faut que tu viennes voir notre jardin. Je devrais dire mon jardin car c'est moi qui fais tout
de « a » à « z » avec, je dois le dire, les conseils de Guillaume. C'est là que je m'éclate le
dimanche. En ce moment, il est magnifique.
Fais-moi signe quand tu peux te libérer.

Bises
Stéphanie

1 Observez une lettre ou un courriel amical.

1. Travaillez par deux. Lisez le courriel de Stéphanie. Notez dans un tableau ce que vous apprenez sur les deux amies et ce que vous pouvez supposer (?).

Type d'information	Coralie	Stéphanie
• Vie professionnelle	• Elle était au chômage (?). Elle a trouvé du travail dans une pharmacie. Elle est pharmacienne (?)	• ...
• Famille	• ...	

2. Relevez les sentiments associés aux différentes informations. Notez dans le tableau les verbes associés à ces sentiments.

	Sentiment éprouvé	À propos de quoi	Verbe et construction pour « éprouver ce sentiment »	Verbe et construction pour « causer ce sentiment à quelqu'un »
1	• Plaisir	• Réception du courriel de Coralie par Stéphanie	• plaire – avoir du plaisir à...	• faire plaisir à quelqu'un
2	• ...	• Décès du grand-père de Coralie	• ...	• ...

3. Complétez le tableau ci-dessus avec les sentiments suivants :
l'admiration – la colère – l'ennui – la fierté – l'indifférence – l'intérêt – la joie – la surprise.

4. Classez les sentiments.
a. Sentiments éprouvés dans une situation agréable.
b. Sentiments éprouvés dans une situation désagréable.

5. Comment exprimer des sentiments ? Classez les différentes constructions que vous avez relevées dans les exercices 1 à 4. Complétez avec les exemples de la page « Outils », p. 75 (Exprimer des sentiments).

a. *être* + adjectif + de... : *Je suis fier de lui.*
être + adjectif + que... *Je suis fière qu'il ait réussi.*
b. *avoir* + nom + *de*
avoir + nom sans article
avoir + nom + *que...*
c. verbes *éprouver, ressentir* + nom
d. verbes exprimant un sentiment : *Cette nouvelle m'attriste.*
e. constructions qui signifient « causer un sentiment à quelqu'un ».

2 Écrivez une lettre ou un courriel pour donner des nouvelles à votre partenaire.

6. Faites une liste de 5 nouvelles positives et 5 nouvelles négatives.
Trouvez un sentiment à exprimer à propos de chaque nouvelle.

7. Écrivez votre lettre. Vous pouvez aussi faire un courriel que vous envoyez après la classe à votre partenaire.

3 Répondez à votre partenaire.

8. Lisez la lettre de votre partenaire. Relevez les informations positives et négatives.
Pour chacune, notez le sentiment que vous éprouvez.

9. Écrivez et envoyez votre courriel ou votre lettre.

ⓘ Point infos

LES ÉCHANGES AMICAUX PAR ÉCRIT

Les courriels, les SMS, les messages personnels postés sur Facebook sont peu formels.

• **La formule de début.** Avec tous types d'amis, on peut écrire *Bonjour (Sarah)*. De manière plus familière : *Salut (Sarah) – Hello – Coucou.*

• **La formule finale.** Les formules courantes sont : *Cordialement – Bien cordialement – Amitiés – Bien à toi (à vous)*. Avec des personnes plus proches : *Bises – À + – Ciao.*

• **Les abréviations.** Elles sont surtout utilisées dans les sms et pour les mots courants : slt (salut) – je tm (je t'aime) – bcp (beaucoup) – kdo (cadeau) – cdlm (cordialement) – biz (bises) – we (week-end) – oqp (occupé).

RACONTER UN SOUVENIR

• L'emploi des temps du passé

Au passé composé	À l'imparfait	Au plus-que-parfait
• Les évènements passés considérés comme achevés • Les moments de référence du récit	• Les actions en train de se dérouler pendant les moments de référence • Les circonstances • Les actions habituelles	• Les actions qui se passent avant une autre action ou une date passée
*Le 31 décembre, je **suis allée** réveillonner chez des amis.* *Nous **avons dansé**.*	*Le repas **était** excellent.* *Il y **avait** un feu de cheminée.* *Je **dansais** toujours le rock avec Jules.*	*Le 30 décembre, j'**étais rentrée** d'une semaine aux sports d'hiver.* *Léa et Jules m'**avaient invitée**.*

• Le souvenir et l'oubli

– évoquer un souvenir – se souvenir (de) : *Je **me souviens** de mes amis de lycée.*
– se rappeler : *Je **me rappelle** son nom. Il s'appelait Romain.*
– retenir : *Il m'a donné son numéro de téléphone. Je ne l'**ai pas retenu**.*
– oublier : *J'**ai oublié** le nom de famille de Léo. – Il ne **me revient** pas. – J'ai un **trou de mémoire**. – Je **n'arrive pas à m'en souvenir**. – Tu peux **me le rappeler** ? – Tu peux me **rafraîchir la mémoire** ?*
– avoir bonne ou mauvaise mémoire : *Je n'ai pas noté le rendez-vous. Désolé, c'est un **oubli**. Je **n'ai pas imprimé**.* (fam.) – *J'ai complètement **zappé**.* (fam.)

DONNER DES PRÉCISIONS DE TEMPS

• Sans point de repère
– Date : *Je l'ai rencontré **le** 3 mars, **à** 10 h, **en** mars, **au** mois de mars, **en** 2001.*
– Point de départ de l'action : *Je le reverrai **à partir de...**, **dès (que)...***
– Point d'arrivée : *Il sera à Paris **de... à...**, **jusqu'à...***
– Situation imprécise : *Nous nous retrouverons **au cours du** mois de mars, d**ans le courant de...**, **vers...**, **aux environs du** 10 mars, **autour de...***

• Par rapport à un point de repère

	Par rapport au moment où l'on parle	Par rapport à un autre moment
présent	aujourd'hui – maintenant	ce jour-là – à ce moment-là
passé	hier – avant-hier la semaine dernière – il y a dix jours	la veille – l'avant-veille la semaine précédente – dix jours avant (auparavant)
futur	demain – après-demain la semaine prochaine – dans dix jours	le lendemain – le surlendemain la semaine suivante – la semaine d'après dix jours après – dix jours plus tard

UTILISER LE CONDITIONNEL PASSÉ

• Le conditionnel passé est utilisé :

– **quand on imagine une action dans le passé :** *Si Jeanne avait épousé Paul elle **aurait été** plus heureuse.*
– **pour exprimer le regret :** *J'**aurais aimé** vivre au XIXᵉ siècle.*
– **pour donner un conseil :** *Tu **aurais dû** rencontrer Sylvia. À ta place, je **n'aurais pas épousé** Jeanne.*
– **pour exprimer une possibilité ou pour donner une information qui n'est pas sûre :** *Ils ne se sont pas parlé de toute la soirée. On **aurait dit** qu'ils étaient fâchés. Laure et Michel **auraient divorcé**.*

• Construction :

auxiliaire « avoir » ou « être » au conditionnel + participe passé
S'il avait fait beau.....

Inviter	Aller	S'amuser
j'aurais invité	je serais allé(e)	je me serais amusé(e)
tu aurais invité	tu serais allé(e)	tu te serais amusé(e)
il/elle aurait invité	il/elle serait allé(e)	il/elle se serait amusé(e)
nous aurions invité	nous serions allé(e)s	nous nous serions amusé(e)s
vous auriez invité	vous seriez allé(e)(s)	vous vous seriez amusé(e)(s)
ils/elles auraient invité	ils/elles seraient allé(e)s	ils/elles se seraient amusé(e)s

RAPPORTER DES PENSÉES OU DES PAROLES PASSÉES

Paroles prononcées par Paul dans le passé	Paroles rapportées
« Sarah étudie l'italien. »	Paul m'a dit que Sarah **étudiait** l'italien. [imparfait]
« Elle a étudié l'espagnol. »	Il m'a dit qu'elle **avait étudié** l'espagnol. [plus-que-parfait]
« Elle étudiait à Salamanque. »	Il m'a dit qu'elle **étudiait** à Salamanque. [imparfait]
« Elle va partir en Italie. »	Il m'a dit qu'elle **allait** partir en Italie. [imparfait]
« Elle y restera un an. »	Il m'a dit qu'elle y **resterait** un an. [conditionnel présent]*
« Va la voir ! »	Il m'a dit **d'aller** la voir. [infinitif]
« Tu parles italien ? »	Il m'a demandé **si** je **parlais** italien. [imparfait]
« Qui tu connais ? – Qu'est-ce que tu fais ? – Où tu vas ? »	Il m'a demandé **qui** je **connaissais**, **ce que** je **faisais** et **où** j'**allais**.

* Le conditionnel présent a une valeur de futur dans le passé.

EXPRIMER DES SENTIMENTS

• **La construction** varie selon le sentiment exprimé.
On peut trouver :
– être (se sentir) + adjectif : *Elle* **est** *heureuse.*
Elle **se sent** *joyeuse.*
– avoir + nom : *Il* **a** *honte.*
– éprouver (ressentir) + nom : *Elle* **a éprouvé** *de la tristesse. Il* **a ressenti** *une grande peine.*
• **Dans une situation agréable :**
– **le plaisir :** *Je vais chez lui avec* **plaisir.**
Son invitation me fait **plaisir.**
C'est **sympa** *chez lui. C'est* **super, génial** *!*
– **le bonheur :** *Je suis* **heureux, content, ravi.**
Le succès de Paul l'a rendu **heureux.**
C'était une soirée **agréable, merveilleuse.** *Qu'on était* **bien** *!*
– **la satisfaction :** *Un hôtel deux étoiles* **me convient.**
Je suis **satisfaite** *de mon séjour.*
Les prestations étaient **satisfaisantes.**

– **la fierté :** *Je suis* **fier** *de mon fils.*
• **Dans une situation désagréable :**
– **les soucis :** *J'ai* **des soucis** *à cause de mes enfants.*
Je **suis préoccupé** *par mes enfants.*
Ils me **causent des soucis, des préoccupations.**
– **la déception :** *Je* **suis déçu** *par Marie.*
Son comportement **m'a déçu.**
– **la tristesse :** *Elle se sent* **triste, malheureuse, déprimée.**
*Son échec l'**a rendu** triste. Ça l'a* **attristée.**
– **la peine :** *J'ai de la* **peine,** *du* **chagrin.** *Louis est malade.*
Il me **fait de la peine.**
– **le découragement :** *Il est* **découragé, abattu.** *Il* **n'a pas le moral.** *Il a* **le moral à zéro.** *Il en a* **marre.** (fam.)
– **la honte :** *Je n'ai pas été gentille avec elle. J'ai* **honte.**
Le comportement de Lucas **m'a fait honte** *!*

VIVRE DES RELATIONS AMICALES

• **se fréquenter :** se recevoir – rester en contact – échanger – partager
On s'entend bien. On est sur la même longueur d'onde.
– une relation – une fréquentation – un(e) ami(e) – un copain (une copine)
[Pour les jeunes, le mot « copain /copine » peut désigner la personne avec qui on a une relation amoureuse
c'est-à-dire le petit ami ou la petite amie.]
• **se fâcher :** se disputer (une dispute) – avoir des mots malheureux – blesser quelqu'un – mettre quelqu'un en colère
se fâcher – se brouiller (une brouille)
Il a été méprisant, grossier – Ils ne se parlent plus.
se réconcilier (une réconciliation)

1. DONNER DES PRÉCISIONS DE TEMPS

Lisez ce courriel de François.

« Je suis arrivé avant-hier à Montreux pour le festival international de chant choral. Hier, nous avons visité Montreux et aujourd'hui, nous faisons une excursion au bord du lac Léman. Demain et après-demain, nous répèterons notre spectacle. Puis, la semaine prochaine, nous travaillerons avec les autres chorales. Dans dix jours, nous donnerons notre concert. Je te joins une photo du château de Chillon. »

Un an plus tard, François commente la photo. Continuez.

« C'est la photo du château de Chillon que j'ai prise l'an dernier. Ce jour-là, nous … »

2. UTILISER LE CONDITIONNEL PASSÉ

Avec deux amis, vous avez réussi un examen. Vous avez voulu fêter l'évènement. Mais, vous n'étiez pas d'accord avec vos amis sur le lieu de la fête, les personnes à inviter, etc.
Vous aviez raison. La fête s'est mal passée. Le restaurant n'était pas bon. La musique non plus. Des personnes se sont disputées. Il a plu, etc.

Vous regrettez cette soirée et faites des reproches à vos amis. Continuez :

*« Si vous m'aviez écouté…..Nous aurions dû….
À votre place…. »*

3. RAPPORTER DES PAROLES PASSÉES

Rachel a rencontré Lambert dans une soirée. Elle rapporte la conversation qu'elle a eue avec lui.

« Il m'a demandé…. »

Lambert : Tu aimes la musique africaine ?
Rachel : Je suis allée écouter Manu Dibango, il y a longtemps.
Lambert : La semaine prochaine, la chanteuse ivoirienne Josey va venir. Ça t'intéresse ?
Rachel : Oui, bien sûr !

Lambert : Alors, je prendrai les billets et nous irons ensemble l'écouter.
Rachel : D'accord.
Lambert : Prends un pull. Le spectacle est en plein air.

4. S'ADAPTER AUX FRANCOPHONES

Lisez l'article ci-dessous. Les phrases ci-après sont-elles vraies ou fausses ?

Les questions linguistiques sont au cœur de la vie politique et sociale québécoise. Le combat pour le maintien de la francophonie est constant, agité, parfois sain, parfois crispé. Il ne s'agit pas ici de préserver un français puisé directement sur les bancs de Normale-Sup*, mais une langue unique, pétrie de vieilles tournures françaises, de joual (le parler populaire de Montréal), de structures de phrases calquées sur l'anglais avec un rapport décomplexé à la grammaire. « Je conseille aux néo-arrivants français d'ouvrir grand leurs oreilles, de ranger leur mépris pour l'accent au placard, de comprendre les différents registres (la langue parlée est très différente de la langue écrite) et d'adopter avec jouissance le maximum d'expressions québécoises », suggère Sarah. Ajoutons qu'à Montréal, le bilinguisme et le trilinguisme sont monnaie courante. Quand on débarque de France avec un anglais niveau 3e et un espagnol grand débutant, il convient d'être indulgent avec le participe passé d'un interlocuteur qui maîtrise très bien le français, l'anglais et le portugais du Brésil.

Emmanuelle Walter, *L'Obs*, 09/06/2016.

* École supérieure pour la formation des professeurs.

a. L'auteur donne une leçon aux Français.
b. Les Québécois sont très détendus quand on aborde la défense du français.
c. Il y a des différences importantes entre le français du Québec et le français parlé en France.
d. Un Français qui veut vivre au Québec doit s'assimiler.
e. Il est fréquent de rencontrer des Québécois qui parlent trois langues.

5. EXPRIMER DES SENTIMENTS

N° 32 **Écoutez. Des personnes réagissent à des évènements. Pour chaque personne, complétez le tableau.**

	Quel sentiment est exprimé ?	Quelle est la cause de cette réaction ?
1	• plaisir – admiration	• conversation avec un historien
2	…	…

POUR UN MONDE SOLIDAIRE
SANS GUERRES ET
SANS ARMES NUCLEAIRES

CAMPAGNE POUR LE DÉSARMEMENT NUCLÉAIRE

DÉFENDRE
UNE CAUSE

1 EXPLIQUER UN PHÉNOMÈNE ÉCOLOGIQUE
- Donner les causes d'un évènement
- Parler de la biodiversité
- Débattre d'un problème écologique

2 ADHÉRER À UNE ASSOCIATION
- Comprendre les buts d'une association
- S'engager

3 EXPOSER LES CONSÉQUENCES D'UNE INNOVATION
- Comprendre la présentation d'un projet
- Exposer des conséquences
- Donner son avis sur une innovation

4 ÊTRE POUR OU CONTRE L'ART CONTEMPORAIN
- Comprendre le travail d'un artiste
- Apprécier une œuvre d'art
- Organiser ses arguments

PROJET

ÉCRIRE POUR DÉFENDRE UNE CAUSE

Pour ou contre le loup : un débat qui reste vif

Le nombre de loups abattus autorisé par le ministère de l'Écologie est passé de 24 en 2014 à 36 en 2015. Les défenseurs du loup se mobilisent. Ce dimanche matin à Nice, samedi à Lyon, ils étaient plusieurs milliers de personnes à défendre la cause des loups avec un capitaine emblématique : Paul Watson, le défenseur des baleines. Une mobilisation nationale à l'appel de 36 associations venues dénoncer l'abattage systématique des loups. « Nous ne sommes pas opposés à ce que certains loups soient abattus parce qu'on a identifié qu'ils posaient problème, mais aller tirer des loups n'importe où en disant "on va réduire la population", ça ne résout pas le problème de l'agression au troupeau. », explique Allain Bougrain-Dubourg, président de la Ligue pour la protection des oiseaux.

Une démonstration de force sur deux jours en guise d'avertissement pour rappeler que le loup est une espèce protégée. Pourtant le nombre de loups a considérablement augmenté. Jean-Louis Fleury est éleveur dans la Drôme, son cheptel de brebis a été attaqué : 25 brebis perdues. Pour lui c'est l'impasse, en cinq ans, le nombre de loups a presque doublé, son territoire s'est élargi. Les indemnités versées aux éleveurs l'an dernier étaient de 2,5 millions d'euros.

France 3, Francetv info, 17 janvier 2016.

Donner les causes d'un évènement

**1. Lisez l'article ci-dessus et le « Point infos ».
Répondez en réutilisant les verbes en gras.**

a. Qu'est-ce qui a eu lieu le dimanche 17 janvier 2016 à Nice ?
b. Qu'est-ce qui **a provoqué** cette manifestation ?
c. Pourquoi les manifestants ont-ils fait venir Paul Watson ?
d. À quoi **est due** la présence des loups dans les Alpes ?
e. Qu'est-ce qui **a causé** la disparition des 25 brebis de Jean-Louis Fleury ?
f. Comment **s'explique** l'autorisation d'abattre les loups ?
g. D'où **vient** qu'on verse des indemnités aux éleveurs ?

2. Formulez les causes des différentes pollutions en utilisant les verbes de cause de l'exercice précédent.

Exemple : *La pollution de l'air vient de ...*
a. Pollution de l'air dans les villes → Causes : circulation automobile – chauffage
b. Pollution de l'eau des rivières → Causes : industries – pesticides utilisés par l'agriculture
c. Pollution des mers → Causes : déchets des villes côtières – transports maritimes

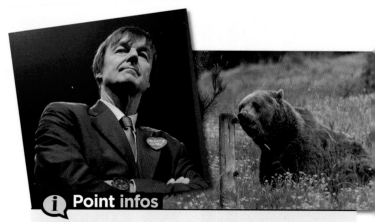

 Point infos

LA DÉFENSE DE LA BIODIVERSITÉ

Jusqu'au milieu du xxᵉ siècle, la France a été un pays essentiellement agricole. L'augmentation des terres cultivées, les pesticides, les engrais, la chasse aux animaux nuisibles sont à l'origine de la disparition progressive de certaines espèces animales et végétales. Ce phénomène est une des causes du développement du mouvement écologiste dans les années 1970. Des célébrités comme le journaliste de télévision Nicolas Hulot ou l'actrice Brigitte Bardot défendent cette cause.

Il en résulte de nombreuses mesures pour la protection de la biodiversité : création de parcs naturels, de réserves naturelles, aménagement de certaines zones (rives des rivières, passages sous les routes pour les animaux sauvages), réintroduction d'espèces disparues (le loup ou l'ours).

Mais la protection de ces animaux pose des problèmes aux agriculteurs et aux éleveurs.

Prononcez... Automatisez

N° 33

1. Distinguez [s] et [z]. Répétez.
Mystère

Comment **ç**a **s**'explique ? Quelles **s**ont les rai**s**ons ?
La poli**c**e analy**s**e... La cau**s**e est en Éco**ss**e... Le ré**s**ultat est **s**ûr.

2. La construction « pronom complément direct devant le verbe ». Répondez d'après l'article ci-dessus

• – Les loups ont tué des brebis ?
– Ils en ont tué 25.
• – ...

Parler de la biodiversité

N° 34

3. Vous allez écouter l'interview d'un scientifique.

a. Préparez l'écoute. Lisez l'article coupé ci-dessous, observez les photos, notez le sens des mots suivants :

• **polliniser** (la pollinisation), féconder une fleur : introduction d'un élément mâle (le pollen) dans la fleur pour produire un fruit.
• **parasite** : comme le virus ou la bactérie il provoque des maladies.
• **pesticides** : produits chimiques utilisés par les agriculteurs pour tuer les parasites.

b. Écoutez l'interview. Complétez l'article ci-dessous.

Disparition des abeilles : les pesticides ne sont pas les seuls responsables

En 2014, 30 % des abeilles ont disparu. Ce phénomène n'est pas spécifique à la France …
Le problème est grave car …
En effet, pour qu'une fleur soit fécondée, il faut …
Sans les abeilles, …
Les causes de cette disparition sont multiples.
D'abord … . On essaie de résoudre ce problème en …
Ensuite, … . Les scientifiques cherchent …
Enfin, …
Si les abeilles disparaissaient quelles seraient les solutions ?
Il y aurait …

Source : www.leparisen.fr, 18 juin 2016.

4. Lisez l'encadré « Réfléchissons ». Complétez avec :
car – à cause de – comme – puisque – étant donné que.

La disparition des forêts

a. … la forêt est une richesse économique, on coupe beaucoup d'arbres.
b. Des espèces animales disparaissent … la diminution des forêts.
c. Quand il pleut, les terres fertiles sont entraînées … il n'y a plus de forêts pour les retenir.
d. … l'exploitation intensive des forêts est mauvaise pour l'écologie, il faudrait la limiter et replanter.
e. … l'importance de ce problème est international, les états doivent s'entendre.

5. Connaître le nom des animaux. En petits groupes, faites des listes originales d'animaux. Utilisez un dictionnaire.

a. Animaux qui sont en voie de disparition.
b. Animaux qui sont utilisés par les marques (vêtements, voitures, etc.).
c. Animaux qui peuvent vivre dans l'eau et sur terre.
d. Animaux qui servaient pour les travaux des champs.

Réfléchissons... Emploi de quelques expressions de cause

• Lisez ces phrases.
1. Il y a moins d'abeilles **car** il y a moins de fleurs.
2. Les abeilles disparaissent. **Comme** elles sont moins nombreuses, les fleurs ne sont pas pollinisées.
3. Il est normal que les brebis soient attaquées **puisqu'**il y a beaucoup de loups.
4. Puisque les pesticides tuent les abeilles, il faut les interdire.

• Associez chaque mot en gras des phrases ci-dessus à un emploi.
a. Le mot en gras relie une conséquence à une cause.
b. La cause est présentée comme une justification de la conséquence.
c. La cause a été mentionnée précédemment.
d. La cause est présentée comme évidente.

Débattre d'un problème d'écologie

6. Organisez un débat pour ou contre la réintroduction des espèces sauvages dangereuses (loups, ours).

a. La classe se partage en défenseurs et adversaires de la réintroduction. Chaque groupe recherche des arguments.

b. Organisez le débat selon les thèmes suivants :
– l'intérêt de protéger une espèce ;
– les problèmes pour les éleveurs ;
– les problèmes pour les randonneurs.

DEVENIR BÉNÉVOLE

L'engagement des restos

ÊTRE BÉNÉVOLE AUX RESTOS DU CŒUR

→ C'est s'engager à rendre un service désintéressé aux personnes en difficulté.
→ C'est respecter la charte des bénévoles.

Nos activités de terrain

- Aide alimentaire
- Aide aux gens dans la rue
- Ateliers de cuisine
- Atelier de français, soutien scolaire et accès à Internet accompagné
- Les Restos bébés du cœur
- Culture, loisirs et départs en vacances

- Emploi
- Conseil budgétaire et microcrédit personnel
- Estime de soi
- Logement
- Accès aux droits et à la justice
- Accès à la santé

La charte des bénévoles

2 BÉNÉVOLAT SANS AUCUN PROFIT DIRECT OU INDIRECT

1 RESPECT ET SOLIDARITÉ ENVERS TOUTES LES PERSONNES DÉMUNIES

3 ENGAGEMENT SUR UNE RESPONSABILITÉ ACCEPTÉE

6 ADHÉSION AUX DIRECTIVES NATIONALES ET DÉPARTEMENTALES

5 INDÉPENDANCE COMPLÈTE À L'ÉGARD DU POLITIQUE ET DU RELIGIEUX

4 CONVIVIALITÉ, ESPRIT D'ÉQUIPE, RIGUEUR DANS L'ACTION

L'engagement étudiant aux Restos du Cœur

Pour venir en aide aux 950 000 personnes que nous accueillons, nous avons plus que jamais besoin de toutes les bonnes volontés ! C'est pourquoi nous faisons appel aux étudiants qui souhaitent rejoindre l'association afin qu'ensemble, **nous puissions poursuivre nos actions et faire vivre la solidarité.**
De nombreuses possibilités sont offertes aux **étudiants qui souhaitent s'impliquer ponctuellement** dans l'association (collectes, opérations paquets cadeaux, conférences…) **ou régulièrement** (distribution de repas chauds, soutien scolaire…).

Comprendre les buts d'une association

1. Lisez le document. Approuvez ou corrigez les phrases suivantes :

a. Les Restos du Cœur s'adressent à des personnes en difficulté.
b. Le seul but de cette association est de servir des repas.
c. L'association paye bien les gens qui y travaillent.
d. Près d'un million de personnes font appel aux Restos du Cœur.
e. On ne peut travailler pour cette association que si on a beaucoup de temps libre.

2. Faites le travail de l'encadré « Réfléchissons ».

3. La classe se partage les 12 activités proposées par les Restos du Cœur. Imaginez une présentation des buts de chaque activité.

« La distribution alimentaire a pour but d'aider… .
On donne … afin que… »

4. À quel point de la charte des bénévoles correspondent ces phrases ?

a. Travailler en collaboration avec les autres.
b. Obéir aux instructions des responsables de l'association.
c. Faire sérieusement le travail qu'on vous demande.
d. Avoir envie d'aider les gens en difficulté.
e. Accepter de travailler sans être payé.
f. Ne pas montrer ses idées et ses croyances.

S'engager

5. Reformulez les phrases suivantes en utilisant les verbes et expressions du tableau ci-dessous.

a. Ce médecin a envie de s'engager dans l'association Médecins sans frontières.
b. Jeanne a adhéré à Amnesty International.
c. L'association « Cimade » assiste les immigrés.
d. Ce supermarché coopère avec les Restos du Cœur.
e. François ne retire aucun profit de ses activités à Emmaüs.

> aider – être bénévole – être désintéressé – être solidaire – rejoindre – s'impliquer – s'inscrire - soutenir

6. Nommez les personnes. Associez les mots et expressions des deux colonnes.

a. un pauvre	**1.** un non-voyant
b. un chômeur	**2.** un malade mental
c. un clochard	**3.** un demandeur d'emploi
d. un paralysé	**4.** un malentendant
e. un aveugle	**5.** une personne démunie
f. un sourd	**6.** une personne de petite taille
g. un fou	**7.** un sans domicile fixe (SDF)
h. un nain	**8.** une personne à mobilité réduite

7. Lisez le « Point Infos ». Comparez avec ce qui existe dans votre pays.

8. Vous souhaitez adhérer à une association. Vous faites votre demande sur son site.

a. Choisissez votre association.
b. Complétez les rubriques du site de l'association.

> • Comment avez-vous connu notre association ?
> ....
>
> • Pour quelles raisons souhaitez-vous y adhérer ?
> ....
>
> • Pensez-vous avoir les compétences requises ?
> ....

Réfléchissons... L'expression du but

• **Le but est exprimé par un nom. Complétez avec :**
le but – la motivation – l'objectif – le projet.
a. ... de l'association est d'aider les enfants handicapés.
b. ... de cet étudiant est la réussite à l'examen.
c. ... de cette start-up est de s'installer au Sénégal.
d. ... principale de ce membre de l'association est la générosité.

• **Le but est exprimé par un verbe. Reformulez les phrases ci-dessus en utilisant les verbes suivants :**
avoir pour but (de) ... – chercher(à)... – avoir l'intention de... – viser (à)...

• **Le but est exprimé par une préposition ou par une conjonction. Observez ces constructions.**
Les Restos du cœur distribuent de la nourriture ...

pour que
afin que } les personnes pauvres puissent manger.
de sorte que

pour...
afin d(e) ... } aider les personnes en difficulté.

(i) Point infos

LE SECTEUR ASSOCIATIF

Le secteur associatif est le troisième secteur d'activité en France après les secteurs privé et public. Il existe environ un million d'associations et 20 millions de Français adhèrent au moins à l'une d'entre elles.

Une association dite « loi 1901 » doit être « à but non lucratif », c'est-à-dire qu'elle ne doit pas faire de profit. Toutefois, elle peut payer du personnel et faire des investissements.

Il existe des associations dans tous les domaines d'activités : le sport, la culture, l'éducation, le logement, la défense de l'environnement, la défense des intérêts particuliers (comités de quartier, syndicats, etc.). Elles sont aussi nombreuses dans le domaine de l'aide aux personnes en difficulté : les Restos du Cœur (créés par l'humoriste Coluche en 1985), le Secours populaire, Emmaüs (collecte et vente de meubles et objets, accueil des personnes démunies).

Créer une association est un moyen d'avoir une activité professionnelle si ne on trouve pas de travail dans une entreprise et si on a certaines compétences (cours de guitare ou de yoga, assistance informatique, etc.)

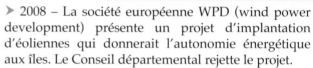

Le projet de parc éolien des îles d'Yeu et de Noirmoutier

Le projet en bref

Le projet de parc éolien en mer des îles d'Yeu et de Noirmoutier prévoit l'installation de 62 éoliennes d'une puissance unitaire de 8 MW, sur une surface de 83 km².

Le parc éolien sera situé à 11,6 km de l'île d'Yeu et à 16,5 km de Noirmoutier, sur une profondeur de fond marin variant de -17 mètres à -35 mètres.

Avec une puissance totale de 496 MW, le parc devrait produire en moyenne 1900 GWh par an, ce qui représente la consommation électrique annuelle d'environ 790 000 personnes, soit plus de la totalité de la population vendéenne.

Sous réserve de l'obtention des autorisations par le maître d'ouvrage, la construction et l'installation du parc débuteront en 2019 permettant ainsi la mise en service de 40 % des éoliennes avant le 1er juillet 2021.

L'exploitation du parc est prévue pour une durée de 20 à 25 ans. À partir de 2041 au plus tôt, le parc éolien sera démantelé. Cette opération durera deux ans en vue d'une remise en état du site dans un état comparable à celui établi lors de l'état initial.

Site du projet : http://iles-yeu-noirmoutier.eoliennes-mer.fr

Les étapes

➤ 2008 – La société européenne WPD (wind power development) présente un projet d'implantation d'éoliennes qui donnerait l'autonomie énergétique aux îles. Le Conseil départemental rejette le projet.

➤ 2009 – création de l'association NENY (non aux éoliennes de Noirmoutier et d'Yeu) qui s'oppose au projet.

➤ 2013 – Le Conseil départemental ayant changé, les pouvoirs publics décident de réaliser le projet. La réalisation est confiée au consortium EDF-Suez, EDP et Areva.

➤ 2015 – Un débat public est organisé pour présenter le projet et recueillir l'avis des habitants.

Les avis

◆ Rémi, chef d'entreprise – Cette réalisation n'aura que des effets positifs. Les éoliennes seront situées à plus de 10 km de sorte qu'elles seront peu visibles et qu'elles ne causeront pas de nuisances sonores. Il y aura des retombées positives sur l'emploi et surtout le parc éolien permettra l'indépendance énergétique des îles. Ce parc rendra l'électricité moins chère et moins polluante.

◆ Le collectif 85 – Les conséquences seront désastreuses. D'abord sur le plan économique. Le projet créera quelques emplois mais il en détruira car il y aura moins de touristes. Il occasionnera des coûts très élevés (installation et maintenance, puis démantèlement au bout de 20 ans).

Les éoliennes auront aussi des répercutions sur l'environnement. Elles entraîneront une érosion des plages. Elles provoqueront la mort de nombreux oiseaux et elles pollueront la vue. Par conséquent, nous nous opposerons fermement à ce projet.

Comprendre la présentation d'un projet

1. Dans le document ci-dessus, lisez « Le projet en bref » et « Les étapes ». Répondez.

a. Existe-il en France un projet d'énergie renouvelable ? Où ?

b. Quelle est son importance ?

c. Qui est à l'origine de ce projet ? Qui va le réaliser ?

d. Est-ce que tout le monde approuve le projet ?

e. Est-ce qu'il a des chances de voir le jour ? Quand ?

Exposer des conséquences

 2. Travaillez par deux. Lisez les avis sur le projet. Faites la liste des conséquences positives et négatives de cette réalisation. Complétez avec vos remarques.

3. Faites le travail de l'encadré « Réfléchissons ».

4. Complétez avec les verbes du tableau « Réfléchissons ».
Avantages et inconvénients du GPS
a. Le GPS ... de voyager sans cartes.
b. Il ... ses utilisateurs plus indépendant. Ils n'ont plus besoin d'avoir une carte.
c. Mais, consulter son écran GPS tout en conduisant peut ... des accidents.
d. L'absence de réseaux dans la campagne peut aussi ... des difficultés.
e. L'utilisation du GPS ... les gens dépendants car ils ne savent plus s'orienter seuls.

5. Imaginez la suite.
Avantages et inconvénients de la voiture électrique
a. La voiture électrique a un moteur silencieux. **Par conséquent**...
b. Mais une voiture silencieuse peut avoir des **effets** négatifs...
c. Au bout de 180 km la batterie est déchargée, **de sorte que**...
d. Elle n'utilise pas d'essence. Elle est **donc**...
e. Mais bien souvent, l'électricité est produite grâce à des centrales nucléaires ou thermiques. **C'est pourquoi**...

Donner son avis sur une innovation

Réfléchissons... L'expression de la conséquence

• Dans les avis sur le projet d'éoliennes, relevez et classez les mots qui expriment une idée de conséquences.

Complétez avec des mots de conséquence que vous connaissez.

Noms qui signifient « conséquence »	un effet
Verbes qui relient une cause et sa conséquence[1]	causer
adverbes ou conjonction qui introduisent une conséquence	de sorte que...

• Reformulez les phrases des « avis » en exprimant la conséquence différemment.
Exemple : Cette réalisation sera **donc** positive. Les éoliennes seront situées à plus de 10 km. **En conséquence**, elles seront peu visibles...

---

1. Remarque : les verbes « provoquer », « entraîner », « causer » sont plutôt utilisés pour des conséquences négatives. Le verbe « permettre » pour une conséquence positive.

Prononcez... Automatisez N° 35

La construction « pronom complément indirect devant le verbe ».
Confirmez comme dans l'exemple.
Une association se mobilise
• Tu as écrit au préfet ? Oui ?
– Oui, je lui ai écrit.

La séquence radio

L'obsolescence programmée

 N° 36

Pourquoi les appareils et les objets que nous utilisons tous les jours (le téléviseur, la lampe, etc.) s'usent-ils plus vite que dans le passé ? La faute à l'obsolescence programmée.
Notre journaliste interroge une militante d'une association de consommateurs.

6. Écoutez la séquence radio. Choisissez les bonnes réponses.
a. Quels sont les produits cités par la militante ?
1. une ampoule
2. un four à micro-ondes
3. un lave-linge
4. un lave-vaisselle
5. un ordinateur
6. un réfrigérateur
7. un téléviseur
8. un téléphone portable
9. une voiture

b. L'obsolescence programmée, c'est :
1. une stratégie commerciale pour vendre plus de produits.
2. un progrès technologique positif pour le consommateur.
3. un programme pour la durée de vie des appareils.

c. Cette technologie est :
1. honnête.   2. malhonnête.

d. Pour faire plus de profit, les entreprises françaises préfèrent :
1. réduire le coût de fabrication.
2. vendre plus de produits.   3. innover.

e. Cette technologie est :
1. rejetée par le consommateur.
2. acceptée.   3. ignorée.
4. associée à l'idée qu'on se fait des produits.

 7. Débattez. Pour ou contre l'obsolescence programmée. Par groupe, défendez le point de vue de l'entreprise ou du consommateur.

Comprendre le travail d'un artiste

Le reportage vidéo

Artiste : saisir son époque

N° 5

Le peintre Gérard Le Cloarec parle de son travail d'artiste

1. Regardez la vidéo sans le son ni les sous-titres. Choisissez les bonnes réponses.

a. Le reportage montre :
1. une exposition de peintures   2. un atelier d'artiste

b. On voit :
1. un artiste   2. des acheteurs   3. des visiteurs

c. Le peintre fait :
1. des paysages   2. des natures mortes   3. des portraits

d. Son style est :
1. classique   2. moderne

e. Le peintre représente la réalité avec :
1. des formes géométriques   3. des traits
2. des flèches   4. des couleurs vives

2. Résumez les explications que Gérard Lecloarec donne de sa peinture en complétant les phrases suivantes :
Gérard Lecloarec peint surtout...
Il s'intéresse à ce qui véhicule....
Pour lui, le but de la peinture, c'est...

3. Relevez et classez dans le tableau les opinions des deux visiteurs.

Opinions sur...	La jeune fille	L'homme
la peinture de G. Lecloarec		
l'art contemporain dans les lieux public		
l'art contemporain en général		

STREET ART : LA GRANDE GALERIE

Le magazine *Version Femina* interroge Sophie Pujas, journaliste et écrivain.[1]

Comment définir le street art ?
C'est un regard poétique posé sur la ville en jouant de manière artistique avec les divers éléments du mobilier urbain.

Quels sont les supports utilisés par les artistes ?
Panneaux signalétiques, poteaux, murs de briques, chaussée, égouts, marquage routier... jusqu'au sol. Le moindre interstice peut devenir un lieu créatif.

Comment expliquez-vous ce mouvement ?
Il s'agit d'un phénomène au long cours développé par des artistes cherchant des espaces autres que les galeries classiques pour exposer leurs œuvres et rencontrer un public plus large. L'idée est de poétiser la ville et cela plaît à tous.

Presque tous les pays sont empreints de street art ?
On en trouve principalement à Paris, où la tradition est assez ancrée, avec des pionniers comme Miss.Tic, mais la dimension est mondiale. Les artistes voyagent beaucoup et, à chaque fois, ils nourrissent les villes de leurs œuvres. Le street art n'est pas une création close mais, au contraire, un dialogue avec le public de la rue, partout dans le monde.

Propos recueillis par Valérie Duclos, *Version Femina*, 26/11/2015.

1. *Street art. Poésie urbaine*, de Sophie Pujas, Tana Editions.

Eye Ball par Le Cyklop, Pantin, 2014.

Baignoire par Jinks Kunst, Nantes, 2015.

Apprécier une œuvre d'art

4. Lisez l'interview de Sophie Pujas, page précédente. Approuvez ou corrigez les affirmations suivantes.
a. Les artistes du street art travaillent gratuitement.
b. Ils utilisent des supports variés.
c. Ils participent à des expositions.
d. Leur peinture s'adresse à des spécialistes.
e. Ils rejettent le système marchand de l'art.
f. Le street art est spécifique à la France.

5. Identifiez les supports de street art cités dans l'interview. Complétez avec d'autres supports possibles.

6. Voici des réactions de personnes qui visitent une exposition. Classez-les de la plus positive à la plus négative.
a. Cette sculpture me laisse indifférent.
b. Je trouve que ce tableau n'est pas terrible.
c. Le travail de cet artiste m'intéresse.
d. Cette œuvre est admirable.
e. J'ai horreur de cette peinture.
f. J'aime bien ce que fait cette artiste.
g. Je trouve ça pas mal.
h. J'aime beaucoup cette aquarelle.

7. Associez les remarques familières suivantes à des phrases de l'exercice 6.
1. C'est nul.
2. Je suis emballé.
3. J'ai été scotché.
4. C'est moche.
5. C'est le top.

Forum Questions-Réponses

Que pensez-vous de l'exposition des œuvres de Murakami à Versailles ?

• Je trouve cette exposition scandaleuse. D'abord, le style de Murakami n'est pas celui du château de Versailles. Ensuite, ces œuvres m'empêchent de rêver dans un des plus beaux châteaux du monde. Par ailleurs, je ne comprends pas ce qu'elles représentent. De plus, elles enlaidissent le lieu. Bref, je suis contre ce mélange des styles.
Léonardo de Sablé

• Non seulement ce n'est pas laid mais les deux styles ont quelque chose en commun. D'un côté, la richesse et les couleurs de la galerie des Glaces, de l'autre les formes variées et les couleurs vives de Murakami. Pourtant, je ne dirais pas que les styles se ressemblent. Versailles, c'est la grandeur, l'harmonie. En revanche, l'œuvre de Murakami, c'est l'art populaire et naïf.
Laméduse 36

Flower Matango de Tagashi Murakami au milieu de la galerie des Glaces à Versailles.

Organiser ses arguments

8. Lisez le forum ci-dessus. Faites la liste des arguments favorables et des arguments défavorables à l'œuvre de Murakami.

9. Faites le travail de l'encadré « Réfléchissons ».

10. Jeu de rôles à faire à trois ou quatre. Vous participez à une séance du conseil municipal de votre ville. Vous devez décider si la ville autorise des artistes de street art à s'exprimer sur les murs, les panneaux, les rues, etc.

Réfléchissons... Organiser des arguments

• **Dans le forum, relevez et classez les mots qui introduisent les arguments.**
a. Pour introduire un premier argument :
D'abord...
b. Pour énumérer des arguments...
c. Pour introduire une idée nouvelle ...
d. Pour introduire une idée importante...
e. Pour mettre en parallèle deux idées...
f. Pour introduire un argument opposé...
g. Pour terminer l'argumentation...

• **Continue le classement avec les expressions suivantes :**
Cependant – D'une part... D'autre part... – Deuxièmement – En outre – Par contre – Premièrement – Toutefois

Vous allez prendre position pour ou contre une cause ou un projet.
Vous rechercherez des arguments pour défendre vos idées et critiquer
vos adversaires. Vous écrirez une lettre ou une pétition et vous organiserez
un débat sur le sujet.
Vous pourrez travailler seul(e), par deux ou trois.

Peut-on être contre les corridas ?

La corrida fait partie de l'histoire méditerranéenne. C'est une culture, et une loi ne peut interdire une culture. On y puise des valeurs de courage, de loyauté… Dans le Sud, on n'imagine pas une fête sans taureau. La corrida a inspiré la peinture, avec Goya ou Picasso, la littérature, avec Hemingway ou Montherlant, et le cinéma, avec Buñuel. […]
Un taureau de combat est choyé pendant quatre ans dans un environnement préservé de l'agriculture intensive, où l'on trouve une biodiversité unique. Chaque année, on ne prélève que 6 % des animaux pour aller dans l'arène. Si on interdit la corrida, cette filière disparaîtra, et avec elle, les 94 % de bêtes restantes.
Je pense qu'il vaut mieux, pour un taureau, vivre quatre ans comme ça et mourir en combattant, que naître en batterie et finir à l'abattoir.
L'élevage de taureaux de combat fait vivre de nombreuses personnes […] Interdire la corrida provoquerait un manque à gagner considérable pour les villes taurines.

Patrick Colleoni, président de l'Association des critiques taurins du Sud-Est, Lunel (Hérault).

Un barrage contesté

Le projet de barrage dans la forêt de Sivens est défendu par le conseil général du Tarn[1] au nom des céréaliers qui manquent d'eau en fin de saison. Plusieurs collectifs le critiquent vivement depuis des mois, avec trois arguments-clés : le barrage menace la biodiversité (près d'une centaine d'espèces menacées), favorise l'agriculture intensive et coûte cher aux finances publiques.
Le débat sur la construction de cette retenue d'eau a pris de l'ampleur après la mort d'un jeune manifestant de 21 ans, dans la nuit du 25 au 26 octobre. Deux jours après sa mort, un rapport d'experts commandé par le ministère de l'Écologie donnait d'ailleurs raison aux opposants. Mais estimait « difficile » de stopper le chantier, compte tenu de son avancement.

FranceTV infos, 29 octobre 2014.

1. Sivens est une forêt située dans le département du Tarn (région Aquitaine).

1 Choisissez votre cause à défendre.

1. Partagez-vous les trois articles de la double page. Pour chaque article :
a. exposez le problème qui est posé ;
b. dites quelle est la position de l'auteur (pour, contre, neutre) ;
c. notez les arguments.

2. Présentez votre travail à la classe.

 3. En commun, recherchez d'autres causes possibles :
– une coutume qu'il faudrait supprimer ;
– un projet local à défendre ou à combattre (autoroutes, éoliennes, gares, etc.) ;
– une espèce animale en voie de disparition ou subissant de mauvais traitements ;
– un espace naturel menacé ;
– une injustice ;
– une réalisation artistique ou architecturale.

4. Choisissez votre cause et votre façon de travailler (seul, par deux ou trois).

Calais : des milliers d'internautes mobilisés pour soutenir un Anglais accusé d'avoir caché une Afghane de 4 ans.

Lundi, près de 50 000 personnes avaient signé une pétition en soutien à Rob Lawrie, un Anglais de 49 ans soupçonné d'avoir tenté de faire passer illégalement en Grande-Bretagne une fillette de 4 ans.

Les faits se sont produits la semaine dernière, au port de Calais. Le Britannique, ex-formateur dans l'armée et bénévole dans la « jungle »[1], a voulu faire passer cette Afghane. Un délit de « *compassion* » comme l'a qualifié Rob Lawrie, dont le cas a ému les Britanniques, mobilisés pour lui éviter la peine maximale encourue pour une aide au séjour illégal : cinq ans de prison et une amende de 30 000 €.

« *Son père m'a demandé plusieurs fois de l'emmener et j'ai toujours refusé*, rapporte Rob Lawrie, de Guiseley, dans le Yorkshire. *Lors de ma dernière visite nous étions autour d'un feu de camp et Bahar (prénom de l'enfant) s'est endormie sur mes genoux. Je me suis dit : Il n'y a pas d'avenir pour une enfant de 4 ans. J'ai perdu toute rationalité et je savais ce que je devais faire.* »

PAR O. P., *La Voix du Nord*, 11 novembre 2015.

1. Les guerres du Moyen-Orient aujourd'hui et d'Afghanistan dans les années 2000 ont provoqué une arrivée importante d'immigrés en situation illégale. Beaucoup voudraient passer au Royaume-Uni et s'entassent près de la ville de Calais dans un camp appelé la « jungle ».

2 **Préparez des arguments.**

5. a. Faites la liste des arguments de votre adversaire.
b. Pour chaque argument, trouvez :
– des conséquences négatives ;
– des solutions plus intéressantes.

6. Ajoutez vos arguments.

3 **Écrivez votre lettre ou votre pétition.**

7. Organisez vos arguments de manière logique. (voir « Organiser des arguments », page 89)

4 **Présentez votre position. Débattez en groupe.**

ⓘ Point infos

LA LETTRE ADMINISTRATIVE

Quand on écrit à une personne qui occupe une fonction de dirigeant ou une fonction importante, on doit respecter certains usages.

• **La formule de début**

Pour un homme : Monsieur le Directeur, Monsieur le Député

Pour une femme : Le Québec a clairement choisi de féminiser tous les noms de métier et les titres. En France, on trouve quatre situations :

– utilisation du titre masculin précédé de « la » : Madame la Ministre, Madame la Professeur, Madame la Juge, Madame la Ministre ;

– utilisation du titre féminin quand il existe : Madame la Directrice, Madame la Conseillère, Madame la Députée ;

– utilisation du titre récemment féminisé quand la forme féminine n'existait pas (Madame la Professeure) ou quand elle était considérée comme péjorative (Madame la Directeure de recherche) ;

– utilisation du masculin précédé de « le » : Madame le Directeur.

• **La formule finale**

Je vous prie d'agréer.... (Veuillez recevoir...)
Madame la Directrice/Monsieur le Directeur....

... mes salutations distinguées.

... mes respectueuses salutations (à une personne très importante).

... l'expression de mes meilleurs sentiments.

... l'expression de mes sentiments respectueux.

EXPRIMER UNE CAUSE

Entre les mots qui expriment les relations logiques (cause, conséquence, but, opposition), il peut y avoir des nuances de sens. Par ailleurs, ils entrent dans des constructions quelquefois différentes.

• **La cause est exprimée par un mot grammatical.**
– **Pourquoi... ? / Parce que...** introduisent des propositions et une relation de cause neutre.
*Pourquoi les glaces du pôle Nord fondent-elles ? **Parce que** le climat se réchauffe.*
– **À cause de + nom** introduit souvent une cause négative.
*Le climat se réchauffe **à cause de** l'effet de serre.*
– **Car** est neutre, comme **parce que**, mais coordonne une conséquence à sa cause. Il ne peut pas se placer en début de phrase.
*L'effet de serre augmente **car** on produit plus de CO_2.*
– **Puisque** introduit une cause souvent évidente dans un but de démonstration ou de justification.
*** Puisque** les étés sont très chauds, nous passons le mois d'août à la montagne.* (démonstration)
*Je n'ai pas pu partir en vacances **puisque** je travaillais !* (justification marquée par l'intonation)
– **Comme, étant donné que** se placent souvent en début de phrase et mettent la cause en valeur.
*** Comme** l'effet de serre augmente, le climat se réchauffe.*
*** Étant donné que** le climat se réchauffe, on voit de plus en plus de tornades.*
– **Grâce à**, introduit surtout une idée de moyen avec un effet positif.
*** Grâce à** la COP 21, les états vont lutter contre le dérèglement climatique.*

• **La cause est exprimée par un verbe.**
– Pour une cause positive ou négative : **venir de – provenir de – résulter de – être dû à.**
*De nouvelles ressources pétrolières **résulteront de** la fonte des glaces du pôle Nord.*
• Plutôt utilisé pour une cause négative : **être provoqué par – être causé par – s'expliquer par.**
*Les inondations **ont été causées par** les fortes pluies.*

• **La cause est exprimée par un nom.**
*Quelle est la **cause** (**l'origine**, **la raison**, etc.) des feux de forêts en Californie ? La sécheresse est une des causes de ces incendies.*

EXPRIMER UNE CONSÉQUENCE

• **La conséquence est exprimée par un mot grammatical.**
– **C'est pourquoi** se place en début de phrase.
*On a réintroduit des loups dans les montagnes. **C'est pourquoi** les troupeaux sont attaqués.*
– **Par conséquent, donc** peuvent se placer en début de phrase ou après le verbe.
*Les troupeaux sont attaqués. **Par conséquent (donc, alors)** les bergers sont mécontents.*
*Les bergers demandent **donc (par conséquent)** des indemnités.*
– **Ainsi** est souvent utilisé pour introduire un exemple de conséquence ou la conclusion d'une démonstration.
*Les agriculteurs sont mécontents. **Ainsi**, certains ont décidé de chasser les loups.*
– **De sorte que** réunit une cause à sa conséquence dans une phrase
*Les agriculteurs utilisent beaucoup de pesticides **de sorte que** les abeilles meurent.*

• **La conséquence est exprimée par un verbe.**
– Conséquence neutre : **produire – créer – rendre + adjectif.**
*Les scientifiques ont créé des espèces végétales plus résistantes. Ils ont, par exemple, **rendu** le maïs **moins gourmand** en eau.*
– Conséquence positive : **permettre.**
*L'association « Lola ya Bonobo » **a permis** à certains singes de survivre.*
– Conséquence négative : **provoquer – causer – entraîner – occasionner.**
*Les pesticides **ont provoqué** la disparition des abeilles.*

• **La conséquence est exprimée par un nom.**
*La réintroduction des ours a eu des **conséquences** (**des effets, des suites**) négatives pour l'élevage.*

EXPRIMER UN BUT

• Le but est exprimé par un mot grammatical.
– **Pour, en vue de...**
*L'association « Sortir du nucléaire » milite **en vue de** la fermeture des centrales nucléaires.*
– **Pour (afin de) + verbe à l'infinitif**
*Elle se bat **afin de faire** fermer les centrales nucléaires.*
– **Pour que, afin que + verbe au subjonctif**
*Elle se mobilise **pour qu'**il n'y **ait** plus de centrales nucléaires.*

• Le but est exprimé par un verbe.
– **Avoir pour but, chercher à, viser, projeter...**
*L'association **cherche à** intégrer les migrants.*

• Le but est exprimé par un nom.
Le but (l'intention, le projet, l'objectif) *de cette association est la défense du droit des femmes.*

ORGANISER DES ARGUMENTS

• Pour introduire un premier argument : **D'abord..., Premièrement...,**
• Pour organiser des arguments qui vont dans le même sens : **Deuxièmement (troisièmement...)... Ensuite..., Après...**
• Pour introduire un argument nouveau : **Par ailleurs..., En outre...**
• Pour introduire un argument important : **De plus..., Non seulement... Mais encore (aussi)...**
Non seulement *les ours attaquent les troupeaux **mais** ils sont **aussi** dangereux pour les randonneurs.*
• Pour mettre en valeur deux arguments (contradictoires ou pas) : **D'une part... D'autre part... – D'un côté... De l'autre**
• Pour introduire un argument qui s'oppose au précédent : **Pourtant... – Cependant... – Toutefois... – En revanche (par contre)...**
*La réintroduction des loups a des effets négatifs. **Toutefois**, elle permet le maintien de l'espèce.*
• Pour terminer l'argumentation : **Enfin, Pour finir, En conclusion, Bref...**

PARLER DE NATURE ET D'ÉCOLOGIE

• **Les animaux domestiques** : un chien – un chat – un cheval – un âne – etc.
• **Les animaux d'élevage** : une vache – un bœuf – un taureau – un mouton – une brebis – une chèvre – un cochon (un porc) – une poule – un coq – etc.
• **Les animaux sauvages** : un lion – un tigre - un loup – un ours – un éléphant – un renard – un singe – etc.
• **Les végétaux** – les plantes – les fleurs (une rose – une tulipe – un chrysanthème – une violette – du muguet – un lys – le lilas – une marguerite) – les arbres fruitiers (un pommier – un pêcher – un prunier – un abricotier – un cocotier – un palmier) – les arbres de la forêt (un pin – un sapin – un châtaignier – un érable – un chêne – un saule)
• **La disparition** d'une espèce (disparaître), l'extinction (s'éteindre) – une espèce en voie de disparition – une espèce menacée – en péril
• **La protection** de la nature (protéger) – la préservation (préserver) – la sauvegarde (sauvegarder)

S'ENGAGER POUR UNE CAUSE

• **Défendre une cause** (humanitaire, sociale, écologique, politique, artistique) – défendre un projet, une idée – soutenir une cause – une cause bonne/mauvaise – partager une idée – adhérer à un projet – s'opposer à un projet – combattre une idée
• **S'engager** – faire partie d'une association (d'un comité, d'un groupe) – être membre – payer une cotisation – être bénévole
Faire signer une pétition – distribuer des tracts – manifester – organiser un évènement, un débat

1. EXPRIMER LES CAUSES D'UN PHÉNOMÈNE SOCIAL

Présentez les causes de l'immigration en utilisant, selon le cas, une expression verbale (V) ou grammaticale (G).

a. L'augmentation des migrations de population dans les années 2010 ...(V)... plusieurs raisons.

b. ...(G)... la France offre de bonnes conditions de travail, certains étrangers choisissent d'y venir travailler.

c. Il est normal que la France attire les habitants des pays francophones ...(G)... ils s'adapteront facilement.

d. Souvent, l'immigration ...(V)... l'insécurité qu'il y a dans certains pays ...(G)... la guerre.

2. EXPRIMER LES CONSÉQUENCES D'UN PROJET

À partir des notes suivantes, rédigez le commentaire d'un opposant au projet de nouvelle gare. Utilisez différentes expressions de conséquence.

En raison du prolongement de la ligne de TGV Paris-Nîmes jusqu'à Barcelone, une gare TGV va être construite à Nîmes, à 10 km de l'actuelle gare située dans le centre.

Conséquences du projet

• Nécessité d'aller jusqu'à cette nouvelle gare en voiture (augmentation du trafic, pollution, coût du parking)
• 45 minutes de plus pour aller du centre de Nîmes à Paris
• Coût du fonctionnement et de l'entretien de deux gares
• Construction sur des terres agricoles prospères (expropriation des agriculteurs)

3. PARLER DE NATURE ET D'ÉCOLOGIE

Les mots de ces deux listes sont souvent associés dans la presse. Retrouvez ces associations.

a. biodiversité
b. espèces animales sauvages
c. effet de serre
d. loups et ours
e. pôle Nord
f. océans
g. pesticides

1. fonte des glaces – **2.** extinction – **3.** réintroduction – **4.** montée des eaux – **5.** réchauffement du climat – **6.** sauvegarde – **7.** pollution des eaux et des aliments

4. EXPRIMER LES BUTS D'UNE ASSOCIATION

Lisez l'extrait de la page accueil du site de l'association « Sortir du nucléaire ». Répondez.

a. Quelle est l'origine de cette association ?
b. Quel est son but principal ?
c. Quelles sont ses ressources financières ?
d. Quelles actions mène-t-elle ?
e. Est-ce que ces actions sont accompagnées d'une réflexion sur les solutions ?

Le Réseau « Sortir du nucléaire »

En 1997, la victoire de l'arrêt du surgénérateur Superphénix en Isère a été l'évènement déclencheur pour la création d'un projet ambitieux : un réseau national pour la sortie du nucléaire dans le pays le plus nucléarisé au monde. Ce qui au départ était un projet utopique autour de quelques militant(e)s s'est vite transformé en une réalité qui allait rassembler des milliers de personnes.

Impulser, coordonner et participer à des actions d'ampleur locales et nationales. Effectuer, jour après jour, un travail essentiel dans les domaines publics, médiatiques, politiques et juridiques. Son rôle est majeur !

Les moyens financiers de l'association proviennent exclusivement des dons et des cotisations de ses membres, sans aucune subvention de l'État.

Loin de la simple dénonciation, l'accent est mis sur les solutions pour montrer qu'un autre monde est possible... sans nucléaire autour de trois pistes essentielles :

– le développement des économies d'énergie et de l'efficacité énergétique,
– la mise en place d'une autre politique énergétique basée sur les énergies renouvelables (éolien, solaire, bois...) fortement créatrices d'emplois,
– le recours, en phase transitoire, à des techniques de production énergétique les moins néfastes possible pour l'environnement (centrales au gaz, cogénération...)

Site de l'association : www.sortirdunucleaire.org

5. JUGER UNE RÉALISATION ARCHITECTURALE

N° 37 **Des touristes donnent leur avis sur le centre George Pompidou (ci-contre). Complétez le tableau.**

	Caractérisation du bâtiment	Explication
1	surprenant	opposition entre le style du bâtiment et le style du quartier
...	...	...

UNITÉ 6

S'INTÉGRER
DANS UN MILIEU PROFESSIONNEL

1 DÉCOUVRIR
UNE ENTREPRISE
- Connaître les services d'une entreprise
- Présenter un parcours professionnel

2 COMMUNIQUER
AU TRAVAIL
- Communiquer avec la hiérarchie
- Communiquer avec les collègues
- Résoudre un cas de conscience

3 S'ADAPTER
À L'ENTREPRISE
- S'adapter à des habitudes culturelles différentes
- S'adapter aux conditions de travail

4 SE FORMER
ET SE RECONVERTIR
- Se former
- Se reconvertir

PROJET

PRÉSENTER SON LIEU DE TRAVAIL OU SON LIEU D'ÉTUDES

Connaître les services d'une entreprise

1. Dans quel service de l'entreprise ci-contre travaillent ces personnes ?

a. Il fabrique les produits que l'entreprise vend.
b. Elle gère les problèmes de droit auxquels l'entreprise doit faire face.
c. Il sélectionne les candidats parmi lesquels il choisira les employés.
d. Elle voyage dans tous les pays avec lesquels l'entreprise a des relations commerciales.
e. Il définit les arguments publicitaires grâce auxquels l'entreprise progressera.
f. Elle calcule le salaire qui sera payé à chaque employé.
g. Le service auquel il appartient imagine les futurs produits.
h. Le directeur à qui elle apporte des contrats à signer s'appelle Alexandre Lormeau.

2. Faites le travail de l'encadré « Réfléchissons ».

3. Combinez les deux phrases en utilisant un pronom relatif.

Alice vient d'être recrutée dans une société
a. Je travaille dans une société. Cette société a son siège à Bruxelles.
b. Je suis affectée au service commercial. Je me sens bien dans ce service.
c. Mes deux collègues sont sympathiques. Je partage un grand bureau avec eux.
d. Je vais souvent en Asie du sud-est, une belle région du monde. Je m'intéresse beaucoup à cette région.
e. Je connais bien le directeur. J'ai travaillé avec lui chez Airbus.

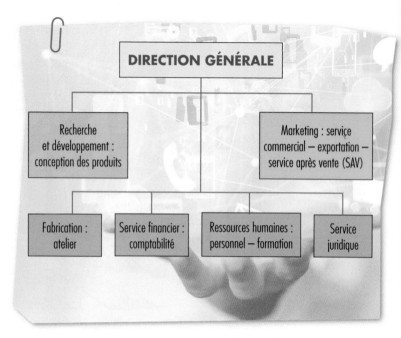

4. Complétez avec un pronom relatif.

Extraits du discours d'un chef d'entreprise
a. Le groupe ... notre entreprise appartient est leader mondial.
b. Nous devons atteindre les objectifs ... nous avons fixés.
c. La ponctualité est une qualité ... je suis très attaché.
d. Nous employons des chercheurs ... j'ai beaucoup d'admiration.
e. Cette année, nous aurons de nouveaux horaires ... il faudra s'habituer.
f. Il y a un point ... je voudrais insister : c'est l'organisation des RTT.

Réfléchissons... Les pronoms relatifs composés

• **Observez les phrases de l'exercice 1. Elles contiennent deux propositions (deux idées) :**
– séparez ces deux propositions.
– que représente le mot qui les relie ?
Exemple : Phrase a : *Il fabrique les produits. L'entreprise vend ces produits (que = les produits).*
Phrase b : ...

• **Les mots qui relient les propositions sont des pronoms relatifs. Classez-les dans le tableau et complétez le tableau.**

Le mot représenté par le pronom relatif est ...	il représente une personne	il représente une chose
sujet du verbe	...	...
complément direct	...	...
complément indirect avec la préposition « à »	*auxquels* (masculin pluriel)	...
complément indirect avec une préposition	...	...

Présenter un parcours professionnel

 5. Par deux, lisez le premier paragraphe de l'article de la page 93.

a. Essayez de trouver le sens des mots difficiles. Puis, associez les mots et les définitions.

1. une enseigne
2. truculent
3. un menuisier
4. une infirmité
5. une fratrie

a. les frères et les sœurs
b. il fabrique des meubles en bois
c. handicap physique
d. marque de magasin
e. original, un peu excessif

b. Caractérisez l'enfance de Jean-Claude Bourrelier en choisissant parmi les expressions suivantes :

1. un milieu favorisé
2. une famille nombreuse
3. un bon élève
4. en bonne santé
5. poussé par ses parents
6. un milieu modeste
7. un enfant unique
8. un mauvais élève
9. affecté d'un handicap
10. ralenti par ses parents

JEAN-CLAUDE BOURRELIER, l'ancien charcutier devenu pdg de Bricorama

Jean-Claude Bourrelier est l'heureux fondateur et PDG de Bricorama. Une enseigne prospère (725 millions d'euros de chiffre d'affaires l'an dernier) qu'il a bâtie de ses mains, en partant de rien. Dans un livre paru en début d'année, ce patron truculent revient sur son enfance sarthoise : un père ouvrier menuisier, une mère femme de ménage, quatre frères et sœurs destinés comme lui à quitter l'école tôt et à devenir apprentis. Excellent élève « *grâce ou à cause de mon infirmité* », explique-t-il – des otites à répétition l'avaient rendu à moitié sourd –, Jean-Claude Bourrelier n'a pas pu suivre les études dont il aurait rêvé : son père s'y est opposé, pour ne pas faire de jaloux dans la fratrie.

À l'aube de ses 14 ans, le jeune garçon s'est donc retrouvé chez le boulanger du village, pour apprendre le métier, puis chez le charcutier d'en face. Une fois monté à Paris, il enchaîne les petits boulots : livreur pour le caviste Nicolas, vendeur en porte-à-porte, démonstrateur de perceuses au BHV… Le bricolage le botte et le voilà qui entre, à 27 ans, comme commercial chez Black&Decker. « *J'étais bon et apprécié dans mon travail. Au bout de quelque temps, j'ai demandé à évoluer vers un poste dans le marketing. Là, j'ai pris en pleine poire le poids de mes origines sociales* », raconte-t-il à *Marianne*. Le premier refus de ses supérieurs est motivé par son absence de formation universitaire. Qu'à cela ne tienne, l'ancien charcutier se paye des cours du soir, bûche comme un damné les maths et l'algèbre, qu'il n'a jamais apprises, et parvient à décrocher son diplôme. Retour devant ses chefs, et nouvelle déconvenue : « *Vous n'avez pas tout*

à fait le profil », lui dit-on alors. […] Un mal pour un bien : dans la foulée, Jean-Claude Bourrelier a quitté Black&Decker et s'est mis à son compte, en rachetant son premier magasin de bricolage, prélude à une belle *success story*.

Arnaud Bouillin, *Marianne*, 10-16 juin 2016.

---

6. Lisez les autres paragraphes.

a. Essayez de trouver le sens des mots difficiles. Puis, associez les mots et les expressions à leur définition.

1. un caviste
2. une perceuse
3. le bricolage
4. botter (fam.)
5. la poire (sens figuré, fam.)
6. Qu'à cela ne tienne !
7. bûcher (fam.)
8. une déconvenue

a. instrument pour faire des trous
b. il vend des bouteilles de vin
c. travailler dur
d. le visage
e. réparer, fabriquer sans être professionnel
f. aimer
g. une déception
h. C'est sans importance !

b. Faites la liste des activités exercées par Jean-Claude Bourrelier.

7. Des personnes malveillantes parlent de Jean-Claude Bourrelier. Répondez-leur.

a. Encore un patron qui a hérité de ses parents !
b. On dit qu'il n'a pas fait d'études.
c. Il paraît qu'il a été renvoyé de chez Black&Decker.
d. On dit que ce n'est pas un grand travailleur.

8. Présentez au choix :

– votre parcours professionnel ;
– celui d'une autre personne ;
– le parcours professionnel de vos rêves.

Communiquer avec la hiérarchie

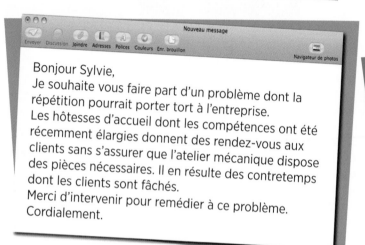

Monsieur le Professeur,
J'ai pris du retard, ce mois dernier, dans l'écriture de ma thèse. En effet, la dernière partie traite d'un sujet dont la complexité n'était pas prévue.
C'est un contretemps dont je vous prie de m'excuser.
Je souhaite donc reporter au mois prochain notre rendez-vous du 15 mai.
Respectueuses salutations.

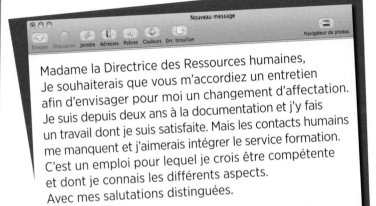

Madame la Directrice des Ressources humaines,
Je souhaiterais que vous m'accordiez un entretien afin d'envisager pour moi un changement d'affectation.
Je suis depuis deux ans à la documentation et j'y fais un travail dont je suis satisfaite. Mais les contacts humains me manquent et j'aimerais intégrer le service formation.
C'est un emploi pour lequel je crois être compétente et dont je connais les différents aspects.
Avec mes salutations distinguées.

Bonjour Sylvie,
Je souhaite vous faire part d'un problème dont la répétition pourrait porter tort à l'entreprise.
Les hôtesses d'accueil dont les compétences ont été récemment élargies donnent des rendez-vous aux clients sans s'assurer que l'atelier mécanique dispose des pièces nécessaires. Il en résulte des contretemps dont les clients sont fâchés.
Merci d'intervenir pour remédier à ce problème.
Cordialement.

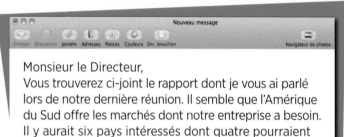

Monsieur le Directeur,
Vous trouverez ci-joint le rapport dont je vous ai parlé lors de notre dernière réunion. Il semble que l'Amérique du Sud offre les marchés dont notre entreprise a besoin.
Il y aurait six pays intéressés dont quatre pourraient passer commande rapidement.
Bien cordialement.

 1. Par deux, lisez les courriels ci-dessus. Trouvez :

a. Qui écrit ? À qui ?
b. Dans quel milieu professionnel ?
c. Quel est l'objet (le but) du courriel ?

2. Faites le travail de l'encadré « Réfléchissons ».

3. Combinez les deux phrases en utilisant « dont ».

Entendu dans le bureau de la directrice

a. Passez-moi le dossier SPEN. Vous vous occupez de ce dossier.
b. Nous avons recruté 20 personnes. Deux de ces personnes sont italiennes
c. Madame Tasca est une nouvelle comptable. Je suis très satisfaite de madame Tasca.
d. Cette année, nous avons fait un bon chiffre d'affaire. Je suis fière de ce chiffre d'affaire.
e. J'ai un nouvel assistant. Son épouse travaille aussi chez nous.
f. Le salon de Milan a connu une baisse de fréquentation.
Je m'étonne de cette baisse de fréquentation.
g. L'entreprise Duval n'est plus un concurrent sérieux.
Les employés de l'entreprise Duval ont fait grève.

Réfléchissons... Le pronom relatif « dont »

• **Dans les courriels ci-dessus, relevez les phrases contenant « dont ».** Elles comportent deux propositions (deux idées).
 – Séparez ces propositions.
 – Que remplace « dont » pour éviter une répétition ?
*Exemple : La dernière partie traite d'un sujet **dont** la complexité n'était pas prévue.*
→ *La dernière partie traite d'un sujet. La complexité **de ce sujet** n'était pas prévue.*

• **Complétez l'explication :** « dont » est un pronom relatif.
Il remplace...

• **Trouvez un exemple pour chaque cas.**
« dont » remplace un nom :
 – complément indirect d'un verbe : ...
 – complément d'un nom : ...
 – complément d'un adjectif : ...
 – indiquant une partie d'un ensemble : ...

4. Écrivez la phrase principale du courriel que vous faites à votre professeur dans les situations suivantes.

a. Vous lui transmettez un Powerpoint.
b. Vous vous excusez car vous allez manquer le cours pendant 15 jours.
c. Vous lui présentez un problème que vous avez avec le cours.

Communiquer avec les collègues

5. Écoutez ces cinq échanges entre collègues. Pour chaque dialogue, précisez :
N° 38

a. De quoi parlent-ils ?
1. un déjeuner   3. un dossier   5. un mariage
2. une réunion   4. une traduction

b. Quel est l'objet de l'échange ?
Il/elle demande... conseille... invite... reproche...

c. Quel est le résultat de l'échange ?
Exemple : échange 1 : rendez-vous à l'accueil pour aller déjeuner

Résoudre un cas de conscience

6. Travaillez par deux. Lisez la scène du film *La loi du marché*. Répartissez-vous les deux rôles. Pour votre personnage, recherchez :

a. Quel est le problème ? Quel est son cas de conscience ?
b. Quels sont ses arguments ?

7. Avec votre partenaire, imaginez la fin de la scène. Jouez-la devant la classe.

Prononcez... Automatisez

**1. Distinguez [t͡ɔ̃] et [d̃], [t] et [d].
Écrivez le dernier mot de chaque phrase dans la bonne case**
N° 39

[tɔ̃]	[dɔ̃]	[tɑ̃]	[dɑ̃]
du thon	...	...	...

2. Le pronom « dont ». Étonnez-vous comme dans l'exemple.
Présentation de photos
• – Je t'ai parlé d'un copain anglais. Le voici.
– C'est le copain anglais **dont** tu m'as parlé.
• – ...

LA LOI DU MARCHÉ

Madame Anselmi, caissière dans un grand magasin a été surprise par les agents de contrôle en train de conserver pour elle les coupons de réduction. Le directeur la convoque.

Le directeur : Alors, ils sont où ces coupons ?

Mme Anselmi : Je les ai avec moi. J'avoue… Ils sont là. Je vous assure que c'est la première fois […]

Le directeur : Ce n'est pas la première fois madame Anselmi. Comment ça se fait ? Vous savez que c'est interdit.

Mme Anselmi : Oui, je sais. Je sais parfaitement que c'est interdit.

Le directeur : Alors ?

Mme Anselmi : Vous me connaissez depuis tout ce temps-là. Je suis sérieuse dans mon travail.

Le directeur : C'est du vol. C'est pas le magasin que vous volez. C'est la prime de Thierry, c'est la prime de Jean-Élie, c'est la prime de tous les collègues. Vous êtes consciente de ça ? […]

Mme Anselmi : On peut trouver un arrangement.

Le directeur : Là, franchement, je vois pas bien lequel. Qu'est-ce que je peux faire moi, aujourd'hui ? Vous avez une idée de ça ?

Mme Anselmi : Vous supprimez ma prime.

Le directeur : Et vos collègues, qu'est-ce qu'ils vont dire ? Ils vont dire qu'on peut ramasser les coupons, les bons de réduction et retrouver son poste tranquille.

Mme Anselmi : Je vous ai expliqué. Vous connaissez mon sérieux. On peut s'arranger.

Le directeur : Le problème, maintenant, qu'on a entre nous, madame Anselmi, c'est la confiance. Il n'y a plus de confiance.

La loi du marché, film de Stéphane Brizé, avec Vincent Lindon, 2015.

Un Français à Montréal

Frédéric Bove, ancien directeur général du réseau international des « villes lumières », a immigré à Montréal en 2007, sans offre d'emploi. Extraits de l'interview qu'il a donnée au magazine L'Express.

C'est la première fois qu'on me posait la question: « Combien tu vaux ? » J'avoue que sur le coup, j'ai été un peu surpris. Mais c'était l'apprentissage de l'école nord-américaine: « Tu m'intéresses. Tu factures combien et on commence quand ? » Simplicité et pragmatisme. [...]

Les premières réunions auxquelles j'assistais étaient vraiment différentes de celles qui se tiennent en France: beaucoup moins d'affrontements verbaux, de confrontations directes. Le « politiquement correct » est très répandu au Canada. J'ai donc vite compris qu'il fallait oublier les formules à l'emporte-pièce comme « Mais c'est nul ! » Mieux vaut dire : « Oui, ça, c'est bien mais on va quand même regarder les alternatives... » [...]

L'aspect positif est qu'on peut « faire » tout de suite. C'est le *do it* nord-américain. Il n'y a pas de perte de temps dans les conflits et les réunions sans fin. Ici, c'est le contraire : malgré des différences et des désaccords, l'important reste d'œuvrer pour un objectif commun. En revanche, l'objectif du consensus peut parfois empêcher de trouver des réponses plus audacieuses et ralentir la créativité, alors même qu'il est nécessaire, dans certains cas, de trancher et d'oser. Le consensus ne va pas forcément dans ce sens. [...]

Les horaires m'ont tout de suite convenu. J'apprécie le fait de commencer tôt mais également de pouvoir partir tôt, tant que le travail est fait. Le système admet que la vie familiale est importante, pour les hommes également ! J'aime aussi la proximité qui se crée très facilement dans le travail ; on se tutoie, on s'appelle par nos prénoms... La hiérarchie est reconnue tacitement, mais celle-ci n'est pas pesante. Par contre, c'est bizarre de voir des gens, à 9 heures du matin, partir de l'entreprise avec leur boîte en carton sous le bras parce qu'ils viennent d'être remerciés. C'est la flexibilité, version canadienne... [...]

Au Québec, les managers ne vous demandent pas de faire vos preuves d'abord. La confiance vous est accordée comme un préalable sans discrimination d'âge, c'est à noter, et vous devez en profiter immédiatement pour « faire ».

Laurence Pivot, *L'Express Emploi*, 14/09/2015.

S'adapter à des habitudes culturelles différentes

1. Lisez l'article de *L'Express Emploi*. Notez les habitudes canadiennes qui surprennent le plus Frédéric Bove. Déduisez ce que peuvent être les habitudes françaises.

Comportements québécois	Comportements français
Les questions d'argent, de salaire sont abordées directement.	On hésite à parler d'argent.

2. Donnez un titre à chaque paragraphe.

3. Trouvez dans l'article les mots correspondant aux définitions suivantes.

Paragraphe 1 : coûter – présenter le prix d'un service ou d'un objet
Paragraphe 2 : paroles sans nuance – solution différente
Paragraphe 3 : travailler – accord – décider
Paragraphe 4 : satisfaire – sans l'exprimer formellement
Paragraphe 5 : condition formulée avant

4. Dans les paragraphes 2 et 3, recherchez les mots en relation avec les idées :
– de conflit ; – d'accord.

5. Écoutez la séquence radio. Complétez ce résumé de l'interview de Benjamin Pelletier.

a. Benjamin Pelletier parle des entreprises dont le personnel…

b. Il évoque trois problèmes : …

c. Même quand on traduit les mots il peut y avoir des tensions parce que… . Par exemple, les mots « décision »…

d. Les comportements associés à la pause déjeuner…

e. Quand on leur présente un projet, les Français… Pour beaucoup d'autres nationalités, …

f. On peut expliquer ce comportement des Français : …

6. Quels conseils donneriez-vous à un Français qui vient travailler ou étudier dans votre pays ?

S'adapter aux conditions de travail

7. Lisez le « Point infos ». Faites des comparaisons avec les conditions de travail dans votre pays.

8. Faites le travail de l'encadré « Réfléchissons ».

Réfléchissons… « ce » + pronom relatif

• **Dans les phrases ci-dessous, que représente « ce » ?**
a. une chose précise   **b.** une chose indéfinie

• **Remplacez « ce » par un autre mot.**
Exemple : On fait ce que (l'activité) *que tu veux*.

Léa : Aujourd'hui, on termine à 17 h. Qu'est-ce qu'on fait après ?
Sa collègue : On fait **ce que** tu veux. Moi, **ce dont** j'ai besoin, c'est de me changer les idées.
Léa : On va au ciné ? **Ce que** j'aimerais voir, c'est *Mustang*.
La collègue : Comme tu veux. On va voir **ce qui** te plaît.

9. Complétez avec : *ce qui – ce que – ce dont.*
a. J'aimerais savoir … touche un employé au SMIC.
b. … fait la différence entre les employés du privé et ceux du public, c'est le système de retraite.
c. Aménager le CDI, c'est … rêvent beaucoup de patrons.
d. Je suis un travailleur indépendant. Pour mes horaires, mes congés, je fais … je veux.

Prononcez… Automatisez

Ce qui… ce que… ce dont…
Approuvez comme dans l'exemple.

N° 41

• – Le cinéma t'intéresse ?
– Oui, c'est **ce qui** m'intéresse.
• – …

10. Jeu de rôles. Vous voulez travailler en France dans un domaine de vos compétences. Vous avez un entretien avec un recruteur. Vous lui posez des questions sur les conditions de travail.

Gérer les conflits interculturels en entreprise

N° 40

Benjamin Pelletier, spécialiste de formation interculturelle, examine quelques causes de malentendus et quelquefois de conflits dans l'entreprise. Et tout d'abord la langue. Est-elle le problème principal ?

(i) Point infos

LES CONDITIONS DE TRAVAIL DES SALARIÉS EN FRANCE

Les salariés sont les personnes qui travaillent pour une entreprise privée ou qui sont fonctionnaires de l'État. Ils touchent à la fin du mois un salaire ou un traitement (fonctionnaires). Ils sont environ 26 millions.

Ceux qui ne font pas partie de ces deux catégories sont des travailleurs indépendants (3 millions). Leurs revenus dépendent de leur travail et de leur succès : commerçants, artisans ou agriculteurs indépendants, avocats, médecins, artistes, etc.

• **La durée du travail :** 35 heures par semaine pour beaucoup de salariés. Si on dépasse cette durée (ce qui peut arriver quand l'entreprise reçoit une grosse commande), les heures supplémentaires sont payées en plus ou elles sont converties en congés.

• **Les congés :** Un salarié a droit à 2,5 jours de congé par mois de travail, ce qui fait environ 5 semaines dans l'année.

• **La retraite :** On peut prendre sa retraite à 60 ans. Mais, pour avoir une bonne retraite, il faut travailler plus longtemps. Comparés aux salariés du privé, les fonctionnaires ont des conditions de départ à la retraite plus avantageuses.

• **Le salaire :** en 2016, le salaire minimum (SMIC) est 1 150 € net ; le salaire moyen 2 200 €. On indique souvent le salaire brut (avant déduction pour assurance maladie, vieillesse, etc.). Un salaire net de 2 200 € correspond à un salaire brut de 2 870 €.

• **Les contrats de travail.** Avec un CDI (contrat à durée indéterminée), un employé ne peut être licencié que pour faute grave ou problème dans l'entreprise. Le CDD (contrat à durée déterminée) est un contrat de travail limité dans le temps. Les chefs d'entreprise demandent aujourd'hui plus de flexibilité et un aménagement du CDI.

Se former

Le reportage vidéo

En apprentissage

Notre journaliste a interrogé Clémence et Maylis qui travaillent dans une maison d'édition.

n° 6

Clémence Forget
Étudiante, en apprentissage

Maylis Olphe-Galliard
Étudiante, en apprentissage

0:18 / 7:03 HD

1. Regardez le reportage avec le son. Choisissez la bonne réponse.

Les deux jeunes filles sont :
1. en CDD dans l'entreprise
2. en CDI à temps partiel
3. en stage
4. en cursus d'apprentissage (études + travail en entreprise)

2. Répondez.
a. Quel est le projet de Clémence et de Maylis ?
b. Quelle formule ont-elles choisi pour réaliser ce projet ?
c. Pourquoi ont-elles choisi cette formule ?
d. Quel est le rôle :
– de la directrice éditoriale ?
– du référent ?

3. Voici des aspects du travail en entreprise. Sont-ils abordés dans le reportage ? Pour les sujets abordés, dites si Clémence et Maylis sont satisfaites ou si elles rencontrent des difficultés.

a. la charge de travail
b. la responsabilisation
c. l'autonomie
d. le salaire
e. les relations avec les collègues
f. les relations avec la hiérarchie
g. la formation
h. les horaires

4. Trouvez dans l'encadré ci-dessous la définition des mots suivants :

a. rémunérer
b. à part entière
c. propre (à quelqu'un)
d. déranger
e. un délai
f. une récompense

1. interrompre l'activité de quelqu'un
2. personnel
3. Payer
4. totalement
5. temps supplémentaire
6. prix (médaille, coupe, etc.) offert à quelqu'un pour ce qu'il a fait de bien

---

(i) Point infos

L'APPRENTISSAGE : UNE VOIE ENCORE TROP PEU SUIVIE

Le chômage est la préoccupation principale des Français et il atteint des proportions importantes chez les jeunes (24 % chez les 18-25 ans). Le problème devrait pourtant pouvoir être résolu car beaucoup d'offres d'emplois ne sont pas pourvues faute de candidats qualifiés.

Les dirigeants essaient donc de développer les formations en apprentissage qui permettent à des pays comme l'Allemagne d'avoir trois fois moins de jeunes chômeurs qu'en France. Le jeune en apprentissage travaille « en alternance » dans son école où il poursuit une formation générale et dans une entreprise où il s'initie à un métier.

Malgré les efforts financiers accrus depuis une dizaine d'année, la France comptait moins de 500 000 apprentis en 2016 (contre 1,5 million en Allemagne). Seuls, les diplômés de l'enseignement supérieur et les jeunes qui ont décroché du système éducatif privilégient cette voie.

Il semble que les réticences à l'égard de l'apprentissage soient avant tout culturelles. Pour les Français, l'apprentissage convient surtout aux métiers de l'artisanat (maçon, boulanger, etc.). Or ces métiers n'ont pas une bonne image.

D'autre part, dans leur esprit, la vocation de l'école consiste avant tout à apporter des connaissances générales et pas de préparer à un métier. Enfin, beaucoup se méfient encore des entreprises qui auraient tendance à exploiter les jeunes plutôt qu'à leur donner une véritable formation. Résultat, quand un jeune a de bonnes notes au collège, on le dissuade de choisir une filière d'apprentissage.

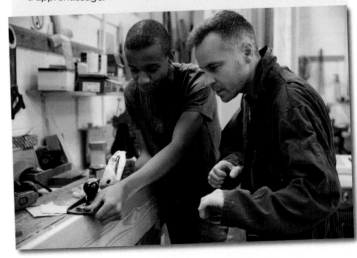

Se reconvertir

Le chômage en France

C'était une promesse du nouveau président Hollande : fin 2013, la courbe du chômage allait s'inverser. Pourtant, elle a grimpé de 3,9 % depuis un an. La France compte aujourd'hui plus de 3,5 millions de demandeurs d'emploi, et ce chiffre monte à 5,4 millions si l'on ajoute ceux qui ont exercé une petite activité dans le mois.

Les mesures du gouvernement n'y ont pas changé grand-chose : allègement des charges des entreprises, création des contrats d'avenir, assouplissement du CDD, renforcement de la formation des demandeurs d'emploi… L'absence de croissance plombe tout. Certes, les derniers chiffres apportent une note d'espoir : il y a eu 1 900 chômeurs de moins en juillet, soit une baisse de 0,1 %. Mais le changement des méthodes de calcul de Pôle emploi et la faiblesse de cette amélioration empêche tout enthousiasme. En outre, le chômage des femmes et des séniors continue d'augmenter, tout comme le nombre de chômeurs de longue durée.

Introduction du dossier coordonné par Julien Solonel et Christine Monin, *Le Parisien*, 04/09/2015.

---

1. François Hollande a été élu président de la République en 2012.

Retrouver un emploi

• **Être mobile**
Un fonctionnaire est rarement nommé dans sa ville d'origine. Il ne pourra s'en rapprocher qu'au fur et à mesure de l'évolution de sa carrière. Dans le privé, après un licenciement, il faut souvent accepter un emploi dans une autre région.

• **Se reconvertir**
51 % des personnes actives ont changé d'orientation professionnelle. Témoin : Élisabeth, journaliste franco-autrichienne qui, à 41 ans, décide de préparer le concours de professeur d'allemand.

• **Créer son entreprise**
En 2015, Nicolas, Olivier et son épouse Coralie sont licenciés de leur entreprise de maçonnerie. Ils décident alors de créer leur propre boîte spécialisée dans la pose de cloisons. Leurs atouts : l'adaptation au client et la qualité du travail. Un an après, l'entreprise se porte bien.

(source : *Sud-Ouest*, 05/04/2016.)

• **Émigrer**
Selon un sondage IFOP, 10 % des jeunes Français envisagent sérieusement de quitter la France. Ainsi, Pierre qui travaille à la Chambre de commerce franco-indienne. Avec deux amis, ils montent une crêperie à Bombay. Cinq ans plus tard, ils emploient 70 personnes.

---

5. Lisez l'article « Le chômage en France ».
Approuvez ou corrigez les phrases suivantes :

a. En 2013, le président Hollande a promis qu'il y aurait bientôt moins de chômeurs.
b. Il avait raison.
c. Le gouvernement a pris des mesures qui ont été très efficaces.
d. Il n'y a pas eu assez de croissance en France.
e. La façon de calculer le nombre de chômeurs ne montre pas la situation réelle.
f. L'augmentation du chômage touche certaines catégories.

6. À quelle mesure prise par le gouvernement correspond chacune de ces phrases ?

a. Une entreprise peut se séparer d'un employé plus facilement.
b. L'État aide les entreprises qui engagent des jeunes sans formation.
c. Les entreprises paient moins d'assurances et d'impôts.
d. On prépare les chômeurs à un autre métier.

7. Travaillez par trois. Répartissez-vous les différentes solutions proposées dans l'article « Retrouver un emploi ». Recherchez les difficultés liées à cette solution.

Mieux s'exprimer

Pour parler d'adaptation
• s'adapter – s'habituer – abandonner – recommencer – accepter – étudier – financer – réussir à…
• avoir du courage, de la volonté, avoir un esprit d'entreprise, le sens des contacts

Vous allez présenter votre lieu de travail ou d'études. Ce lieu peut être une entreprise, une administration, une association, une école, une université ou votre école de langues.
Vous parlerez de sa création et de son développement, des produits ou des services qu'il propose, de son organisation et de sa spécificité.
Vous pourrez illustrer votre présentation avec un diaporama.

1 Présentez l'origine et le développement de votre lieu de travail.

1. Lisez l'article « Le succès de "eDevice" ».
a. Notez les étapes du développement de cette société.
1999 : création.....
b. Pour quelles raisons « eDevice » a-t-elle réussi ?

2. Présentez les étapes du développement de votre lieu de travail. Selon le cas, abordez les points suivants :

- L'entreprise (le bureau, la société, la boutique, l'école…) a été créée en… par… pour…
- Son objectif premier (sa vocation) était…
- Au début, elle/il comptait … employés…
- Elle/Il était situé(e)…
- Puis, elle/il s'est développé(e) afin de… (grâce à…)
- Il y a eu des reconversions… des transformations… des orientations nouvelles…
- Aujourd'hui, …

2 Présentez les produits ou les services.

3. Lisez l'article ci-dessous. Dites comment le *Selfie Coffee* a transformé un produit banal en produit original.

Le succès de « eDevice »

En 1999, Stéphane Schinazi, ingénieur, et Marc Berrebi (école de commerce) se lancent sur un marché qui n'existait pas encore : les objets connectés. Ils créent leur entreprise « eDevice » à Mérignac, près de Bordeaux. Ils développent les premiers prototypes pour appareils ménagers (réfrigérateurs, machines à café). Mais cette nouvelle technologie peine à s'implanter en France.
En 2008, ils répondent à un appel d'offre d'une société américaine du domaine de la santé qui souhaite installer des équipements sur des patients afin de récupérer des données. Ils gagnent l'appel d'offre en présentant non pas un dossier mais un prototype.
Aujourd'hui, ils comptent sur le marché des objets connectés de la santé, réalisent la totalité de leur chiffre d'affaire à l'étranger, dont 68 % aux États-Unis et s'intéressent au marché chinois.

Source : *L'Expansion*, juillet août 2016.

4. Présentez les produits ou les services proposés dans le lieu que vous avez choisi. Selon le cas, abordez les points suivants.

> **Pour un produit**
- L'entreprise produit (réalise, fabrique, conçoit, construit)…
- Ce produit est original parce que…
- Comparé aux autres produits du même type, il est plus … moins…

> **Pour un service**
- L'université propose… à l'intention de…
- La spécificité de ce service est…
- Il permet… Il a pour avantage…

NOUVEAU PRODUIT, NOUVEAUX CLIENTS

Au *Selfie Coffee* de Singapour, vous pouvez commander une boisson avec votre portrait imprimé sur la mousse grâce à une encre comestible dérivée de plantes. Vous pouvez aussi choisir votre saveur.
Les photos imprimées sur les cafés chauds disparaissent rapidement mais se conservent davantage sur les boissons fraîches.
L'idée a très vite connu le succès puisqu'une centaine de clients viennent tous les jours dépenser 5 à 8 dollars pour une boisson personnalisée.

Source : *Courrier international*, 23/07/2015.

3 Décrivez son organisation.

5. Lisez l'article ci-contre.
a. On vous interroge sur la Cité des sciences. Faites une réponse développée.
1. Quelle est la vocation de la Cité des sciences et de l'industrie ?
2. Elle est située où ?
3. On peut y faire des recherches ?
4. On peut y venir en famille ?

b. Relevez les verbes qui permettent de décrire les parties d'un ensemble.

6. Décrivez l'organisation de votre lieu de travail.

- Le service où je travaille fait partie de....
  Il appartient à.....
- L'université comporte plusieurs départements.
- Elle comprend...
- Le service documentation se divise en....
- Ce service a pour fonction... . Il est destiné à... .

4 Exposez sa spécificité.

7. Lisez l'article ci-contre. Répondez.
a. Que fait l'entreprise Decathlon ?
b. Quelle est l'originalité des relations entre les employés et leurs chefs ?
c. Que signifie « une culture d'entreprise » ?

8. Présentez la spécificité de votre lieu de travail.
Comparez-le aux établissements du même type.

5 Présentez ses avantages et ses inconvénients.

9. Donnez votre point de vue personnel.
Quels sont les avantages à travailler ou à étudier dans ce lieu ?
Quels sont les inconvénients ?

6 Présentez votre lieu de travail ou d'études à la classe.

La Cité des sciences et de l'industrie

La Cité des sciences et de l'industrie, située au nord de Paris, fait partie des établissements créés par l'État pour diffuser les connaissances. Elle est spécialisée dans la culture scientifique et technique.

Le site comprend plusieurs espaces : salles d'expositions et de conférences, bibliothèque, espaces dédiés aux enfants, etc. Il inclut aussi des boutiques, des restaurants et des aires de pique-nique.

La bibliothèque s'étend sur trois étages. Elle compte des milliers de documents et comporte trois services : grand public, enfance et histoire des sciences.

La culture d'entreprise chez Decathlon

Ne vous étonnez pas si, une fois en poste chez Decathlon, les entretiens avec votre manager se concluent avec des coups droits liftés[1] ou par 40 minutes de « running ». En effet, le slogan de la société « À fond la forme » n'est pas uniquement un concept marketing. La culture de la vitalité est l'une des deux valeurs de l'entreprise. Un moyen de créer de la cohésion et un sentiment d'appartenance à la marque bleu et blanc.

La culture de la responsabilité est dans l'ADN du géant de la conception et de la distribution d'articles de sport. « *Quelque soit leur niveau d'embauche, les salariés ont rapidement des responsabilités* » explique Nicolas Cabaret, DRH de Decathlon France [...]

Sylvie Laidet, *Le Figaro*, 23/03/2016.

_____
1. Façon de renvoyer la balle au tennis.

CARACTÉRISER PAR UNE PROPOSITION RELATIVE

• **La proposition relative**

La proposition relative permet d'ajouter une information à un nom ou à un pronom. Elle sert à définir, caractériser, expliquer, décrire.

*Manon fait **un travail**. **Ce travail** lui plaît. Elle a mis longtemps à trouver **ce travail**.*
→ *Manon fait un travail **qui** lui plaît et **qu'**elle a mis longtemps à trouver.*

La proposition relative est reliée au mot qu'elle caractérise par un pronom relatif. Ce pronom relatif remplace donc le mot caractérisé.

• **Les pronoms relatifs**

Le choix du pronom relatif dépend de la fonction grammaticale du mot qu'il remplace.
Certains pronoms sont spécifiques aux personnes ou aux choses.

Fonctions du pronom relatif	Pronoms relatifs	Exemples
Sujet	**qui**	La SPEN est une entreprise **qui** fait des bénéfices.
Complément d'objet direct	**que – qu'**	Decathlon distribue des produits **que** j'apprécie.
Complément indirect introduit par « à »	**à qui** (*uniquement pour les personnes*)	Caroline est une collègue **à qui** je me confie.
	auquel – à laquelle auxquels – auxquelles à quoi (chose indéterminée)	L'économie est un sujet **auquel** je m'intéresse beaucoup. Je sais **à quoi** tu penses.
Complément indirect introduit par « de »	**dont**	Selim est le collègue **dont** je t'ai parlé. Le Larousse est un dictionnaire **dont** je me sers souvent.
Complément introduit par un groupe propositionnel terminé par « de » (*à cause de, auprès de, à côté de,* etc.)	**de qui** (*uniquement pour les personnes*) **duquel – de laquelle desquels – desquelles**	Caroline et Mounir sont des collègues **auprès de qui** je me sens bien. Comment s'appelle le parc **à côté duquel** vous travaillez ?
Complément indirect introduit par une préposition autre que « à » et « de »	**avec (pour...) qui** (*pour les personnes*) **avec (pour ...) lequel (laquelle lesquels – lesquelles)**	Pierre est le collègue **avec qui** je m'entends le mieux. Voici la société **pour laquelle** je travaille.
Complément d'un nom ou d'un adjectif	**dont**	Nous allons déjeuner dans un restaurant **dont** le chef est marseillais comme moi. Varilux est une entreprise **dont** on apprécie les produits.
Complément de lieu	**où** (pour les choses)	Lyon est une ville **où** il y a beaucoup de start-up.

• **Cas où le pronom relatif remplace une chose indéfinie ou une idée**

*Éviter les licenciements, c'est **ce qui** préoccupe le directeur de mon entreprise. C'est **ce à quoi** il pense tout le temps. Avec mon nouveau bureau j'ai **ce qu'**il me faut pour travailler.*

COMMUNIQUER DE MANIÈRE FORMELLE

• **Demander :** *Je souhaiterais... Je vous serais reconnaissant de bien vouloir m'accorder un jour de congé. Je sollicite un congé exceptionnel.*
• **Informer :** *Je vous informe que vos dates de congés doivent être transmises... Je souhaite vous faire part d'un problème... Je vous communique les informations que vous m'avez demandées... J'ai le plaisir de vous annoncer votre nomination au poste de...*
• **S'excuser :** *Je vous prie de m'excuser de ce retard... Veuillez m'excuser pour...*
• **Joindre un document :** *Veuillez trouver ci-joint... (en pièce jointe)*

NOMMER LES PROFESSIONS ET LES FONCTIONS

• **Noms seulement masculins**

un auteur – un chercheur – un professeur – un médecin

Pour exprimer le féminin, on dit « une femme médecin ». Au Québec, ces noms ont été féminisés : « une auteure – une professeure ». En France, une loi fixe les règles de cette féminisation mais elle est loin d'être entrée dans l'usage.

• **Noms masculins ou féminins grâce à l'article**

un(e) agent (immobilier, artistique, d'entretien, etc.) – un(e) architecte – un(e) juge – un(e) chef (de produit, de rayon) – un(e) ingénieur – un(e) interprète – un(e) responsable (des achats, d'études, etc.)

Tous les noms terminés par **–logue** : un(e) archéologue – un(e) psychologue – un(e) cardiologue

–iste : un(e) biologiste – un(e) journaliste – un(e) dentiste – un(e) artiste – un(e) fleuriste

• **Masculin distingué du féminin grâce à la terminaison (suffixe)**

+ e (sans changement à l'oral) : un/une attaché(e) (de presse, d'ambassade…)

+ e (prononciation de la consonne finale) : un(e) avocat(e) – un(e) consultant(e)

-eur/euse : un coiffeur/une coiffeuse – un vendeur/une vendeuse – un serveur/une serveuse

-teur/trice : un acteur/une actrice – un directeur/une directrice – un présentateur/une présentatrice – un agriculteur/une agricultrice

NB : à la place du suffixe « trice », on préfère quelquefois un suffixe en « eure » (la directeure) ou le masculin (Madame le directeur).

-(i)er/ière : un boucher/une bouchère – un boulanger/une boulangère – un conseiller/une conseillère – un cuisinier/une cuisinière – un pâtissier/une pâtissière – un infirmier/une infirmière

-ien/ienne : un pharmacien/une pharmacienne – un musicien/une musicienne – un technicien/une technicienne

PRÉSENTER UNE ENTREPRISE OU UNE ADMINISTRATION

• **Une entreprise** – une société – une filiale – un établissement public – une exploitation agricole

• **Les services de l'entreprise** – un service – un département – la direction – le secrétariat – les services administratif, marketing, commercial, juridique, technique – les ressources humaines

un président – un directeur – un directeur adjoint – un chef de service (un chef de produit) – un responsable – un assistant – un chargé de communication – un attaché de presse

• **L'activité** : chercher (la recherche) – faire un projet (une maquette, un prototype) – concevoir (la conception) – planifier (un plan) – produire (la production) – élaborer (une élaboration) – fabriquer (la fabrication) – commercialiser (la commercialisation) – conditionner (le conditionnement) – lancer un produit (le lancement)

• **Le travail à l'ordinateur** : ouvrir sa boîte de réception – répondre à un courriel – insérer une pièce jointe – demander une confirmation de lecture

produire un document, un diaporama – créer un fichier, un dossier – sélectionner – couper – coller – sauvegarder télécharger un logiciel, un dossier – faire une mise à jour

RACONTER UN PARCOURS PROFESSIONNEL

• **L'embauche** : chercher du travail – être en recherche d'emploi (un demandeur d'emploi – un chômeur) – répondre à des offres d'emploi – envoyer un curriculum vitae (CV), une lettre de motivation – passer un entretien – être recruté (être embauché) – obtenir un stage – une formation – un CDD (contrat à durée déterminée) – un CDI (contrat à durée indéterminée)

• **La carrière** : s'adapter (une adaptation) – obtenir une promotion – changer d'affectation, de service – évoluer dans le poste – passer un entretien d'évaluation

être licencié (un licenciement) – être renvoyé – démissionner (une démission) – partir à la retraite

1. ÉVITER UNE RÉPÉTITION

Combinez les deux phrases en utilisant un pronom relatif.

Un grand couturier présente sa collaboratrice.

a. Je vous présente Anna, ma collaboratrice. Sans ma collaboratrice, notre maison ne serait pas aussi célèbre.

b. C'est elle qui a créé la collection printemps-été. Les vêtements de cette collection sont portés dans le monde entier.

c. En ce moment, elle prépare la prochaine collection. La présentation de cette collection aura lieu en mai.

d. Anna est passionnée par le XVIIIᵉ siècle. Ce siècle l'inspire beaucoup.

e. Elle aime le style Pompadour. Elle emprunte les broderies à ce style.

2. DÉFINIR, PRÉCISER

Complétez avec un pronom relatif.

Héloïse vient d'ouvrir une librairie

a. J'ai enfin ouvert la librairie ... je rêvais depuis longtemps.

b. Je propose tout ce ... me passionne.

c. Je peux ainsi parler des livres ... les clients s'intéressent.

d. J'invite des auteurs ... mes clients souhaitent rencontrer et ... ils ont envie de parler.

e. Les sites d'achat en ligne et les grandes surfaces sont une concurrence ... je dois faire face.

3. PRÉSENTER UN PARCOURS PROFESSIONNEL

Remettez dans l'ordre le parcours de Malika dans l'entreprise Duval à partir de sa recherche d'emploi.

a. Malika cherche du travail.

b. Elle a une promotion.

c. Elle est appelée par l'entreprise Duval pour un entretien d'embauche.

d. Elle est licenciée pour cause économique.

e. Elle est recrutée.

f. Elle est affectée au service juridique.

g. Elle envoie des CV et des lettres de motivation.

h. Le chiffre d'affaire de l'entreprise baisse.

4. PRÉSENTER UNE ENTREPRISE

Nº 42 **Écoutez : une habitante de Clermont-Ferrand parle de l'entreprise Michelin. Complétez la fiche d'information. Écrivez une légende pour les photos.**

L'entreprise Michelin

a. Création ...

b. Production principale ...

c. Autres productions

  – dans l'histoire ...

  – aujourd'hui ...

d. Rang dans le monde

e. Importance de l'entreprise

  – personnel ...

  – filiales ...

f. Rôle local ...

5. COMMUNIQUER DANS L'ENTREPRISE

Écrivez la phrase principale du courriel que vous feriez dans les situations suivantes.

a. Vous devez rendre aujourd'hui un travail à votre directeur. Vous avez pris du retard à cause de deux membres de votre équipe qui ont été malades.

b. Un de vos amis est décédé. Vous voulez aller à ses obsèques qui ont lieu après-demain dans une ville éloignée.

c. Vous partagez votre bureau avec un(e) collègue qui vous empêche de travailler. Il (elle) téléphone à ses amis ou à sa famille, vous demande votre avis à tout propos, etc.

d. Vous avez présenté les produits de votre entreprise au salon de Hong Kong. Tout s'est bien passé. Vous transmettez le rapport de votre mission à votre directeur.

PROFITER
DE SES LOISIRS

1 **LIRE**
- S'orienter dans une librairie
- Comprendre une présentation de livre
- Raconter une fiction

3 **JOUER**
- Nommer les jeux
- Donner son avis sur les jeux
- Comprendre une règle de jeu

2 **SE PASSIONNER POUR LE PASSÉ**
- Exprimer son intérêt pour l'Histoire
- Présenter un moment de l'Histoire

4 **CRÉER**
- Présenter une activité créative
- Faire soi-même et faire faire

PROJET

PRÉSENTER DES LIEUX DE LOISIRS ORIGINAUX DE VOTRE VILLE OU DE VOTRE RÉGION

Tous nos rayons

• BD ET JEUNESSE
BD et Humour
Manga
Livres jeunesse

• LITTÉRATURE & FICTION
Romans et Nouvelles
Romans en Poche
Poésie, Théâtre, Lettres
Roman Policier et Thriller
Fantasy et Science-Fiction

• ART, CULTURE & SOCIÉTÉ
Actualité, Politique,
Économie, Société
Art, Cinéma, Musique
Biographie, Autobiographie
Ésotérisme et Paranormal
Histoire
Religion et Spiritualité

• VIE PRATIQUE
Cuisine et Vins
Santé, Bien-être, Puériculture
Loisirs créatifs, Décoration
Bricolage

• NATURE & LOISIRS
Nature, Animaux, Jardins
Sports, Loisirs, Transports
Tourisme, Voyages

• SAVOIRS
Dictionnaires et Langues
Droit
Entreprises, Management
Livres Informatique
Sciences et Médecine

NOUVEAUTÉS

Petit Pays
Gaël Faye (Auteur) ★★★★★ (46 Avis)

Avant que la folie meurtrière des hommes se soit déchaînée, Bujumbura, capitale du Burundi, était une ville où Gabriel et sa bande de copains vivaient heureux. Mais dès que les peurs et les haines ancestrales se sont réveillées, il a fallu choisir son camp. Une chronique émouvante, à travers les yeux d'un enfant, des tragiques évènements qui ont eu lieu au Burundi et au Rwanda après le coup d'État de 1993.

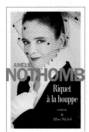

Riquet à la Houppe
Amélie Nothomb (Auteur) ★★★★★ (42 Avis)

Un jour, à Paris, un cuisinier de l'Opéra et son épouse ont eu un fils extraordinairement laid qu'ils ont appelé Déodat.
Au moment où Déodat naissait, de l'autre côté de la Seine, quartier de la gare d'Austerlitz, une directrice de galerie d'art a mis au monde une fille extraordinairement belle qu'elle a appelée Trémière.
Au fur et à mesure que Déodat grandissait, il enlaidissait mais devenait plus intelligent et vif. Trémière, elle, embellissait mais, trop contemplative, elle passait pour stupide.
Aussitôt qu'ils sont allés à l'école, l'un comme l'autre ont été la cible des moqueries de leurs camarades de classe. Mais après avoir pris conscience que leur handicap pouvait être une force, ils ont décidé d'entrer dans la vie sans se soucier du jugement des autres. De sa plume inimitable, Amélie Nothomb revisite le conte de Perrault avec fantaisie et érudition.

Temps glaciaires
Fred Vargas (Auteur) ★★★★★ (29 Avis)

Plusieurs assassinats déguisés en suicides se produisent à Paris. Le commissaire Adamsberg et son adjoint Danglard sont chargés de l'enquête. Après avoir suivi une piste en Islande où certaines victimes s'étaient rencontrées, ils découvrent qu'elles appartenaient à une mystérieuse société d'études des œuvres de Robespierre, le chef de la Terreur pendant la Révolution.

Valérian et Laureline
★★★★★ (10 Avis)

À l'occasion de la sortie du film de Luc Besson, réédition de la série des aventures des deux agents du SST (le service spatio-temporel) qui, au 26e siècle, voyagent dans le temps et l'espace pour défendre l'empire Galactique.

S'orienter dans une librairie

1. Lisez le document. Dans quel rayon peut-on trouver les ouvrages suivants ?

a. Une méthode pour apprendre l'anglais ?
b. Un ouvrage sur la vie de Marie-Antoinette ?
c. Une carte de la région Normandie ?
d. Un livre de conseils pour élever un enfant ?
e. Le livre écrit par un ancien Premier ministre ?
f. Un roman pas cher ?
g. Un roman pour votre neveu qui a dix ans ?
h. Un livre sur le mystère de l'église Saint-Sulpice ?

 2. Tour de table. Quand vous entrez dans une librairie ou une bibliothèque ou que vous visitez leur site, dans quel rayon vous arrêtez-vous ? Pourquoi ?

Comprendre
une présentation de livre

3. Lisez les présentations des nouveautés.

a. Classez-les dans les rayons de la FNAC.

 b. Travaillez par deux. Dans quel livre peut-on trouver les évènements suivants ?

1. une autopsie
2. un massacre
3. un mariage
4. l'arrivée d'un extra-terrestre
5. des jeux d'enfants
6. une naissance

c. Imaginez la suite des romans d'Amélie Nothomb et de Fred Vargas.

4. Faites le travail de l'encadré « Réfléchissons ».

 5. Écoutez. Elle parle du roman de Fred Vargas. Complétez le résumé du début de l'histoire.

N° 43

a. Dans ce roman de Fred Vargas, on retrouve le commissaire Adamsberg, un homme...
b. Son adjoint Danglard est...
c. Le livre commence avec la découverte de...
d. La deuxième victime est...
e. Adamsberg découvre alors que les deux victimes ont participé...
f. Au cours de ce voyage, des évènements tragiques se sont produits...
g. Mais la police n'est pas au courant car ...
h. Adamsberg pense que...

Raconter une fiction

 6. Travaillez par deux. Imaginez la suite de la phrase.

Cambriolage
a. Le cambrioleur a observé les lieux avant d(e)...
b. Il est entré dans la maison après que...
c. Au moment où il arrivait dans le salon, ...
d. Il a pris les bijoux après...
e. Il a effacé ses empreintes avant de...
f. Mais les propriétaires sont arrivés avant qu(e)...
g. Comme il a entendu la voiture des propriétaires, le cambrioleur ...
h. La police a retrouvé le cambrioleur avant qu(e)...

Prononcez... Automatisez

N° 44

1. Distinguez [k] et [g].
Perquisition
À **q**ui est cette **g**uitare ?... À **q**ui, ce **g**uide de **Q**uito ?
Depuis **q**uand ces **g**ants sont ici ?...
Qu'on contrôle tout... Avant **q**u'il nous **q**uitte.

2. La construction avec « avant que » et « avant de ».
Confirmez comme dans l'exemple.
L'auberge espagnole
• – Pierre est sorti. Puis, Marie est rentrée.
– Pierre est sorti avant que Marie rentre.
• – ...

Réfléchissons... Antériorité, postériorité, simultanéité

• **Dans la présentation des nouveautés, observez les phrases où deux évènements se succèdent ou se passent en même temps. Classez dans le tableau les mots qui relient les deux évènements.**

le mot introduit...	
une action qui se passe avant l'autre	...
une action qui se passe après une autre	...
une action qui se passe en même temps qu'une autre	...

• **Complétez le tableau avec les mots suivants :**
préalablement – pendant que – comme – auparavant – ensuite – pendant ce temps – ultérieurement – antérieurement – postérieurement

• **Reliez ces deux évènements en utilisant :**
avant que... (+ verbe au subjonctif) – avant (+ nom) –
après que... (+ verbe à l'indicatif) – après (+ nom)
Je fais un jogging. Il pleut.
→ *Je fais un jogging avant qu'il.....*

• **Reliez ces deux évènements en utilisant :**
avant de... (+ infinitif) – après (+ infinitif passé)
Je fais un jogging. Je vais travailler
→ *Je fais un jogging avant d'...*

---

7. Lisez et commentez le « Point infos ». Votre classe décerne un prix littéraire. Présentez un livre récent qui vous a plu.

ⓘ Point infos

LES PRIX LITTÉRAIRES

On décerne en France plus de 2 000 prix littéraires chaque année sans compter ceux qui sont attribués par de petites associations ou entreprises locales.

Les plus importants sont le prix Goncourt (380 000 exemplaires vendus en moyenne), Renaudot (220 000), Femina (155 000) et Goncourt des lycéens (115 000). Le prix Goncourt est décerné chaque année, en octobre, à la fin d'un repas que les jurés font traditionnellement au restaurant Drouant. Avec le prix Senghor, la francophonie récompense le premier roman d'un écrivain francophone.

Les romans primés sont une référence de qualité littéraire mais ils ne rencontrent pas toujours le succès auprès du grand public. Des romanciers comme Guillaume Musso, Katherine Pancol ou Marc Levy sont en revanche très appréciés.

Les Français achètent 500 millions de livres chaque année dont 14 % de livres de poche et 6,5 % de livres numériques.

SONDAGE

Les Français et l'histoire

▶**Vous, personnellement, vous intéressez-vous à l'histoire ?**
• oui : 85 %   • non : 15 %

▶**De quelle manière vous intéressez-vous à l'histoire ?**
• En regardant des documentaires : 80 %.
• En visitant des musées ou des lieux historiques : 65 %.
• En lisant des livres ou des magazines : 61 %.
• En regardant des films ou des séries télévisées : 45 %.
• En effectuant des recherches sur Internet : 41 %.

▶**Parmi les personnalités historiques les plus souvent citées par les Français, lesquelles ont, pour vous, le plus marqué l'histoire de France ?**

	Hommes		Femmes	
1	De Gaulle	59,3 %	Marie Curie	59,8 %
2	Napoléon Iᵉʳ	45,2 %	Simone Veil	59,2 %
3	Louis XIV	30,3 %	Jeanne d'Arc	48,6 %
4	Louis Pasteur	23,3 %	Lucie Aubrac	14,5 %
5	Abbé Pierre	16,1 %	Catherine de Médicis	13,6 %

Source : *Midi Libre*, sondage BVA, 25/02/2016.

Le commentaire d'un professeur d'histoire

Midi Libre : De Gaulle se détache largement parmi les personnalités masculines. On pouvait s'y attendre, non ?

Pierre Mentec : C'est une perception de l'Histoire : ce sont les grands hommes qui la font. Quand on est historien, on peut en douter, et quand on est prof, on peut essayer de faire comprendre que l'histoire ne se limite pas aux grands hommes. Mais, c'est ce qui reste dans les têtes. Le choix du Général de Gaulle, cependant, n'est pas étonnant, tant la deuxième partie du XXᵉ siècle est liée à sa personnalité. On ne peut que constater l'importance de son rôle de la Seconde Guerre mondiale à la Vᵉ République. C'est aussi quelque part une réaction au fait que les grands hommes font peut-être aujourd'hui défaut aux yeux des Français. Ceux capables de transformer le destin économique et social de la France.

Pierre Mentec, propos recueillis par Richard Boudes,
Midi Libre, 5/09/2016.

Qui sont-ils ?

a Grand roi du XVIIᵉ siècle qui a fait construire Versailles.

b Héroïne de la guerre de Cent Ans (1337-1453) entre les Français et les Anglais.

c Pendant l'hiver 1954, il crée Emmaüs, une association d'aide aux personnes démunies sans domicile.

d Cette scientifique d'origine polonaise a découvert la radioactivité.

e Ancien héros de la Seconde Guerre mondiale, il devient président de la République en 1959.

f Reine de France d'origine italienne qui, au XVIᵉ siècle, tente de concilier Catholiques et Protestants en guerre.

g Savant qui a découvert des vaccins et la stérilisation.

h Ancienne ministre de la Santé qui a légalisé l'avortement.

i Général sous la Révolution, il conquiert un empire en Europe.

j Célèbre résistante pendant la Seconde Guerre mondiale.

Exprimer son intérêt pour l'Histoire

1. **Répondez aux deux premières questions du sondage. Présentez vos réponses à la classe en donnant une explication.**

 2. Travaillez par groupe de quatre. Associez les personnalités choisies par les Français à une photo et à la définition de l'encadré « Qui sont-ils ? ».

3. Élisez cinq personnalités qui, selon vous, ont marqué l'Histoire. Justifiez votre choix.

Présentez vos choix à la classe.

4. Lisez le commentaire du professeur d'histoire.

a. D'après lui, pour quelles raisons Charles de Gaulle est-il en tête des choix des Français ?
b. Qu'est-ce qui fait avancer l'Histoire :
– selon le grand public ?
– selon les historiens ?

Présenter un moment de l'Histoire

5. Faites le travail de l'encadré « Réfléchissons ».

6. Lisez ci-contre « Les évènements de l'Histoire les plus importants ». Reformulez les phrases en commençant par la cause de l'évènement

Exemple : Un attentat a détruit…

7. Dans l'encadré ci-dessous, recherchez les mots que vous utiliseriez pour raconter des évènements suivants :

a. une guerre entre états ;   **c.** une révolution ;
b. une guerre civile ;   **d.** une crise politique.

> une absence de majorité – un accord de paix –
> un acte de terrorisme – une armée – une bataille –
> une cohabitation – un coup d'état – une défaite –
> une démission – une dénonciation – une élection –
> une guérilla – une manifestation violente – une pénurie –
> une prise de pouvoir – une répression – une victoire

8. Dans l'encadré ci-dessous, recherchez les mots que vous utiliseriez pour :

a. annoncer un évènement : *Cet évènement s'est passé…*
b. situer cet évènement ;
c. indiquer son commencement ;
d. décrire son déroulement ;
e. décrire la fin de l'évènement.

> arriver – avoir lieu – débuter – prendre naissance –
> décliner – s'achever – s'amplifier – s'étendre –
> se dérouler – se développer – se passer – se poursuivre –
> se produire – se situer – se terminer – trouver son origine

---

Réfléchissons... La construction passive

• **Reformulez les phrases ci-dessous en commençant par les mots en gras.**

Exemple : a. Nous avons été intéressées par ce film.
***Deux filles parlent du film** Marie-Antoinette*
a Ce film **nous** a intéressées.
b. On a accusé **Marie-Antoinette** de trahison.
c. Un tribunal révolutionnaire a condamné à mort **cette reine** en 1793.
d. Les historiens discutent **son rôle politique**.
e. On appréciera toujours **sa modernité**. Elle a élevé elle-même **ses enfants**.

• **Observez les modifications selon le temps des verbes et les accords des participes passés.**

Les évènements de l'Histoire les plus importants selon l'enquête

1. Les deux tours du World Trade Center ont été détruites par un attentat.
2. Le mur de Berlin est ouvert par les manifestants. Les deux Allemagnes seront bientôt réunies.
3. Cette année-là, plus de 150 personnes ont été tuées dans des attentats à Paris.
4. La centrale nucléaire de Tchernobyl a été détruite par une explosion.
5. Barack Obama est élu président des États-Unis.
6. La Coupe du Monde de football est gagnée par la France.

9. En petit groupe, choisissez cinq évènements de l'Histoire de votre pays ou de l'Histoire du monde qui vous paraissent importants. Racontez brièvement ces évènements.

En 1780, le marquis de La Fayette part avec des troupes pour participer à la guerre d'indépendance des Américains à bord du bateau *L'Hermione*. Son bateau a été récemment reconstruit à l'identique.

Nommer les jeux

1. Travaillez par petit groupe. Lisez le sondage ci-contre. Au cours de quel jeu peut-on entendre les phrases suivantes ?

a. Je coupe !
b. Je demande le père.
c. J'ai la combinaison gagnante.
d. J'achète la rue de la Paix !
e. Je mise 10 € sur le 26.
f. Rien ne va plus !
g. J'ai l'as de trèfle.
h. Je joue l'atout.
i. Je te souffle ton pion.
j. Tu tires ou tu pointes ?

2. Répondez aux questions du sondage.

3. Utilisez le vocabulaire des jeux dans d'autres contextes. Remplacez les mots en gras par les expressions du tableau ci-dessous.

a. Dans son entreprise, Antoine est **le meilleur**.
b. Son meilleur **avantage** : il sait anticiper.
c. Il a très bien **manœuvré** pour **prendre** la place de directeur des projets à son collègue François.
d. Devenu directeur, il **a investi dans** la cigarette électronique. C'était **très risqué**.
e. Mais l'entreprise **a fait des bénéfices importants**.

> un atout – un as – un coup de poker – miser sur – toucher le jackpot – jouer – souffler

Donner son avis sur les jeux

4. Dans l'article du *Midi Libre* (page suivante), recherchez les informations qui permettent de répondre aux questions suivantes.

a. Qu'est-ce que le e-sport ?
b. Beaucoup de personnes s'intéressent-elles à ce sport ?
c. Les organisateurs font-ils des bénéfices ?
d. Le e-sport a-t-il de l'avenir ?
e. Est-ce qu'il intéresse d'autres secteurs de l'économie ?

5. Dans le titre et le premier paragraphe de l'article, recherchez les mots qui peuvent remplacer les mots en gras.

Projet pour la ville

a. Les habitants ont **largement approuvé** le projet de construction d'un musée d'art contemporain.
b. Le maire pense que ce musée favorisera le **développement** du tourisme.
c. Mais le projet **excite** l'hostilité des partis d'opposition et **l'appétit** des architectes locaux.

Sondage : Les Français et les jeux
Réalisé le 25/07/2015 par BVA

• Vous arrive-t-il de jouer
– à des jeux de société ? 87 %
– à des jeux de cartes ? 87 %
– aux dames ? 64 %
– à la pétanque ? 63 %
– à des jeux de hasard de la Française des jeux ? 62 %
– à des jeux vidéo ? 57 %
– aux échecs ? 36 %
– aux paris sportifs ? 26 %
– à des jeux de casino (roulette, etc.) ? 24 %
– à des jeux de rôles ? 22 %

• Quel jeu de société préférez-vous ?
– le Monopoly 39 %
– le Scrabble 39 %
– le Trivial Pursuit 34 %
– le Uno 20 %
– les dames 17 %
– les échecs 15 %
– les dominos

• Quel jeu de cartes préférez-vous ?
– la belote 52 %
– la bataille 36 %
– les 7 familles 34 %
– la réussite 31 %
– le rami 27 %
– le poker 25 %

PUBLIC, MÉDIAS, SPONSORS : L'E-SPORT EST PLÉBISCITÉ

50 millions de fans en trois ans et des revenus qui doublent, voire triplent à l'horizon 2017. Secteur en plein essor, la pratique compétitive du jeu vidéo – ou e-sport – se prépare un avenir doré et attise les convoitises […]
« Dans les cinq prochaines années, regarder ses joueurs favoris disputer une partie de son jeu vidéo préféré est quelque chose que les gens feront comme regarder le Super Ball ou les finales NBA. », prédit l'Américain Michael Morhaime, patron d'un des principaux éditeurs de jeux vidéos engagés dans l'e-sport, Blizzard Intertaiment. […]
Les sponsors ne s'y trompent pas. Ce ne sont plus seulement les fabricants de matériel informatique et de consoles de jeux qui financent l'e-sport, mais des géants comme Coca Cola, Red Bull, Nike ou New Balance. […]
L'e-sport devient digne d'intérêt pour les grands médias. Certains journaux sportifs comme l'Espagnol *Marca* ou l'Allemand *Kicker* en ont fait une rubrique sur leur site Internet. La BBC a diffusé en direct, en octobre 2015, les quarts de finale des Mondiaux de League of Legends, organisés à Wembley.

Midi Libre, 04/04/2016.

 La séquence radio — **La régulation des jeux en ligne**

N° 45 **Notre journaliste interroge Clément Martin-Saint-Léon, directeur de l'ARJEL (Autorité de régulation des jeux en ligne).**

6. Écoutez le reportage. Approuvez ou corrigez les phrases suivantes.
a. Les jeux d'argent sur Internet sont autorisés depuis 2010.
b. En France, un million de personnes jouent en ligne.
c. On risque de devenir accro quand on joue sur Internet.
d. Mais on ne peut pas savoir quand on devient dépendant.
e. L'ARJEL est un organisme qui surveille et règlemente les jeux en ligne.
f. L'ARJEL ne mène que des actions répressives.
g. Cet organisme a beaucoup de pouvoirs pour interdire à certaines personnes de jouer.
h. L'ARJEL veut responsabiliser les joueurs.
i. Un joueur dépendant peut demander qu'on lui interdise de jouer.

 7. Jeu de rôle à faire à deux. Un ami ou un parent proche est devenu accro aux jeux d'argent en ligne. Vous essayez de le convaincre d'arrêter. Il essaie de vous rassurer.

Comprendre une règle de jeu

 8. Par trois ou quatre, lisez la règle du jeu du Petit Bac et commencez une partie.

Le jeu du Petit Bac

Jeu de connaissance qui peut se jouer à partir de deux personnes et nécessite seulement pour chaque participant du papier et un crayon.

- Chaque participant trace six colonnes sur une feuille de papier. Dans la première colonne, il écrit les lettres de l'alphabet. À l'entrée des autres colonnes, il écrit : pays – villes – personnages – objets – activités

- Écrivez les 26 lettres de l'alphabet sur des petits papiers. Mettez-les dans une boîte

- Un joueur tire une lettre de la boîte. Par exemple le « b » Chacun doit remplir les cinq colonnes correspondant au « b » avec des mots commençant par cette lettre : un pays (Belgique), une ville (Bangkok), un personnage (Balzac), un objet (brosse), une activité (basket)

- Tout le monde s'arrête au bout d'une minute (on peut décider une durée plus longue) et on tire au sort une autre lettre.

- Le gagnant est celui qui a écrit le plus de mots. Les mots mal orthographiés ou ne figurant pas dans un dictionnaire sont éliminés.

Bienvenue à *Creativa* Montpellier

Creativa Montpellier, le rendez-vous « Do It Yourself » incontournable du sud de la France ! 300 ateliers, 150 stands boutiques, des jeux concours et de multiples surprises, dans un décor tendance renouvelé chaque année, ne manquez pas de venir découvrir cette boîte à idées 100 % créatives.

- -

Creativa se présente en 4 zones d'ateliers différentes

Couture et Art du Fil

Secteur incontournable dans le « Do It Yourself », rencontrez créateurs et exposants passionnés pour vous conseiller autour de la couture, le patchwork, le tricot, le crochet et autres travaux d'aiguilles.

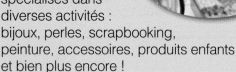

La cuisine créative

Laissez-vous tenter par nos ateliers Creativa Cook, conseiller par des mains expertes ! Apprenez comment créer et cuisiner en même temps. Dénichez les trucs et astuces auprès des exposants pour concocter des instants gourmands.

Les Loisirs Créatifs

Plongez dans la caverne d'Ali Baba et découvrez les trésors cachés de nos exposants spécialisés dans diverses activités : bijoux, perles, scrapbooking, peinture, accessoires, produits enfants et bien plus encore !

Brico-déco

De l'or au bout de vos mains ! Nos exposants vous dévoilent leurs secrets pour vous permettre de customiser, rénover et transformer votre intérieur en un lieu qui vous ressemble.

Présenter une activité créative

1. Lisez la présentation ci-dessus. Une amie vous pose ces questions. Répondez-lui.

a. J'ai entendu parler de « Creativa ». C'est quoi ?
b. C'est destiné à qui ?   **c.** Ça se passe où ?
d. C'est une manifestation importante ?

2. Quelle zone du salon Creativa pourrait intéresser ces personnes ?

a. Je rêve de savoir faire des pâtisseries.
b. Je cherche une idée pour rendre ma cuisine plus fonctionnelle.
c. Je voudrais faire moi-même un bracelet que j'offrirai à Lucie pour Noël.
d. Il paraît qu'il existe des machines à coudre automatiques qui font tout.
e. Finis les produits surgelés et les plats préparés. Je prépare mes repas moi-même.
f. Je voudrais recouvrir mes fauteuils Empire avec un tissu contemporain.

g. J'aimerais faire quelque chose d'original avec nos photos de vacances.
h. J'aimerais savoir faire moi-même les pulls de mon fils.

3. a. À quelles activités présentées au salon Creativa correspondent les actions suivantes ?

1. peindre
2. coudre
3. préparer un plat
4. coller
5. tricoter
6. broder
7. fixer
8. assembler
9. fabriquer
10. bricoler

b. Trouvez le nom de l'activité correspondant à chaque action.
Exemple : *peindre → la peinture*

 4. Dialoguez par deux. Parlez de votre intérêt pour les activités créatives.

Tu fais des activités créatives ?... Qu'est-ce que tu fais ?... Depuis quand ?...
Tu fais partie d'un club ?... Tu t'informes comment ?...

Le reportage vidéo

Créateur de mode : pour raconter son époque

Le styliste Mossi Traoré présente son travail.

N° 7

5. Travaillez par deux. Regardez le reportage sans le son ni les sous-titres. Dites ce que vous avez vu.

1. une robe
2. un haut
3. un tailleur
4. un pantalon
5. une jupe
6. un collier
7. un chemisier
8. une broche

6. Regardez le reportage avec le son. Notez les sujets abordés par Mossi Traoré. Mossi Traoré parle :

a. de ce qui l'inspire.
b. de ses voyages en Asie.
c. de l'émotion qu'il ressent en voyant quelqu'un porter un vêtement.
d. de l'utilité d'un vêtement.
e. des stylistes qui comptent aujourd'hui.
f. de l'aspect pénible de la création.

7. Répondez.

a. Qu'est-ce qui a donné à Mossi Traoré l'envie de devenir styliste ?
b. Quelles sont ses sources d'inspiration ?
c. Qui sont : Yohji Yamamoto, Issey Miyake et Martin Margiela ?
d. Pour Mossi Traoré, qu'est-ce qu'un vêtement ?
e. Quels sont les moments qui lui plaisent le plus dans son métier ?

8. Donnez votre avis sur les créations de Mossi Traoré. Quels autres styles aimez-vous ?

Faire soi-même et faire faire

9. Faites le travail de l'encadré « Réfléchissons ».

10. Imaginez la suite. Utilisez la forme « (se) faire + infinitif » et les verbes entre parenthèses.

a. Léa et Alexis ont acheté une vieille maison qu'ils veulent rénover. Mais, ils ne sont pas très bricoleurs... (*réparer la toiture – construire une chambre d'amis – refaire le parquet – repeindre – etc.*)
b. Anaïs n'a pas de bonnes notes à l'école. Ses parents l'aident... (*apprendre ses leçons – réciter ses poésies – faire ses devoirs de math – réviser son histoire – etc.*)
c. Fanny a complètement changé de look... (*couper les cheveux – teindre – refaire le nez – conseiller par un coach – etc.*)

Prononcez... Automatisez

N° 46

1. Distinguez [y] et [ɥi]. Répétez.
Bricolage
La notice du produit... Je l'ai lue avec lui...
Je l'ai suivie mais je n'ai pas su.
Quand la nuit est venue... Quelle tuile !
C'était foutu !

2. La forme « faire + infinitif ». Répondez par la négative.
Il n'est pas bricoleur
• – Tu as peint toi-même ton salon ?
– Non, je l'ai fait repeindre...

3. La forme « (se) faire + infinitif ». Approuvez comme dans l'exemple.
Nouveau look
• – Tes cheveux sont teints ?
– Oui, je me suis fait teindre les cheveux.

Réfléchissons... La forme (se) faire + infinitif

• **Observez les phrases suivantes et classez-les dans le tableau.**
a. Louis se fait construire une maison par un architecte.
b. Agnès fait rire ses amis en racontant des blagues.
c. Paul fait repeindre son salon par un copain.
d. Ségolène s'est fait voler ses bijoux.
e. Le voleur s'est fait arrêter.
f. Le film fait pleurer Marion.
g. Lise et Luc font garder leurs jeunes enfants quand ils vont au cinéma.

Dans les phrases ci-dessus, la personne ou la chose en gras...	
... est passive. Elle demande à quelqu'un de faire quelque chose pour elle.	a
... est passive. Elle est victime d'une action faite par quelqu'un.	
... est active. Elle aide ou elle est à l'origine d'une action faite par quelqu'un d'autre.	

• **Trouvez un autre exemple pour chaque cas d'utilisation de la forme « (se) faire + infinitif ».**

11. Dialoguez avec votre partenaire.
Bricolage, couture, cuisine, jardinage... Aujourd'hui la tendance est au « faire soi-même ». Votre partenaire suit-il cette tendance ? Fait-il des choses lui-même ?

Au niveau A1 de cette méthode, vous avez brièvement présenté à un(e) ami(e) francophone les aspects touristiques de votre ville ou de votre région. Dans cette leçon, vous lui ferez découvrir quelques lieux originaux ou mystérieux, peu connus des touristes.

1 Présentez un lieu sympa pour prendre un verre.

1. Lisez la présentation du *Bleu Lézard*. Cet article d'un guide touristique donne-t-il des informations sur :
a. le type d'établissement ;
b. sa situation ;
c. l'organisation du lieu (salle, terrasse, cour, jardin) ;
d. la décoration ;
e. la clientèle ;
f. le personnel ;
g. l'ambiance.

2. Trouvez les phrases qui montrent que le *Bleu Lézard* est un lieu :
a. tranquille.   **d.** qui convient à tous.
b. intime.   **e.** imprévisible.
c. changeant.   **f.** convivial.

3. Associez les mots suivants selon leur sens (synonymes ou contraires).
Exemple : *animé/tranquille, calme*

animé – bruyant – calme – confidentiel – discret – intime – paisible – surpeuplé – tranquille

4. En suivant le plan de l'exercice 1, écrivez une brève présentation d'un lieu sympathique où vous aimez prendre un verre.

Le *Bleu Lézard* à Lausanne

Bar ? Café ? Restaurant ou club, le *Bleu Lézard* ? C'est à vous d'en décider. Surtout un mélange de bistrot de quartier et de café-détente … Avec sa terrasse sur une des rues piétonnes de Lausanne, entre cathédrale et parc Mon-Repos, il change subtilement d'ambiance selon l'heure de la journée. Lumière tamisée, décor décontracté, soigné sans en avoir l'air, l'intérieur du *Bleu Lézard* vous accueille comme vous êtes. Et pour accompagner conversation, confidences, jeu d'écriture solitaire, au choix, un cocktail, un verre de vin ou la boisson accordée à votre humeur et qui fait le reste. Avec ça, les hôtes du lieu sont maîtres dans l'art de créer un fond musical qui s'adapte comme par miracle à vos humeurs et souligne le climat ambiant du moment. Et en admettant qu'une chanson vaut mille mots, le *Bleu Lézard* a de quoi alimenter pas mal de conversations et susciter aussi des rencontres de hasard…

Bleu Lézard, Rue Enning 10, Lausanne.

2 Décrivez un lieu original pour se reposer.

N° 47

5. Écoutez. Une étudiante de la ville de Caen (Normandie) commente cette photo. Notez les informations suivantes :
a. Où est situé ce lieu ?
b. De quel type de lieu s'agit-il ? Quelle est son originalité comparée aux lieux du même type ?
c. Qui le fréquente ?
d. Qu'est-ce qu'on y voit ?
e. En quoi l'atmosphère est-elle particulière ?

6. En répondant aux mêmes questions, présentez un lieu idéal pour se reposer.

Les Salines d'Arc-et-Senans en Bourgogne

En 1775, l'architecte Claude-Nicolas Ledoux est chargé de la construction d'une saline : usine destinée à extraire le sel du sous-sol.

Ledoux conçoit alors un projet extraordinaire inspiré des idées des Lumières. Ce n'est pas seulement une usine qu'il veut construire mais un ensemble de bâtiments luxueux où seront regroupés tous ceux qui travaillent pour la saline et leurs familles. Les ouvriers seront bien logés. Ils disposeront d'un jardin pour cultiver leurs légumes, d'une boulangerie, d'une chapelle, etc. Tout sera organisé selon un plan géométrique et harmonieux car pour Ledoux l'architecture peut contribuer à rendre la société meilleure.

Le roi Louis XV demandera à Ledoux de réduire le côté luxueux de certains bâtiments comme les entrepôts, les écuries et les logements des ouvriers mais la réalisation reste grandiose. Arc-et-Senans est inscrit au patrimoine mondial de l'UNESCO comme la mise en œuvre d'une utopie sociale, égalitaire et généreuse.

3 Racontez une histoire liée à un lieu.

7. Lisez l'article sur Arc-et-Senans. Répondez.
a. De quand date ce lieu ?
b. Dans quel but a-t-il été construit ?
c. Qu'apprend-on sur l'auteur de cette construction ?
d. Quelles idées Claude-Nicolas Ledoux veut-il mettre en pratique ?
e. Comment ces idées sont-elles mises en pratique ?
f. Pourquoi peut-on dire qu'Arc-et-Senans est un témoin de l'Histoire ?

8. Présentez un lieu lié à un moment historique ou à une légende.

4 Présentez un endroit insolite et secret.

9. Lisez l'article sur l'église Saint-Séraphin.
a. Faites le plan du lieu.
b. Comment s'explique la présence de cette église à Paris ?

10. Trouvez les phrases qui montrent que le lieu est :
a. secret ; **c.** étrange ;
b. mystérieux ; **d.** curieux ou insolite.

11. Présentez un endroit insolite de votre ville.

L'église orthodoxe Saint Séraphin de Sarrow, rue Lecourbe à Paris

Il suffit de pousser une porte pour découvrir un endroit extraordinairement paisible, hors du temps. Au numéro 91 s'élève un immeuble du XIXe siècle assez banal. La porte cochère s'ouvre sur un passage conduisant à deux courettes qui desservent de jolies maisons du siècle dernier. Au fond de la seconde cour, un chalet de bois abrite une minuscule église surmontée d'un bulbe bleu-ciel. C'est l'église Saint-Séraphin. En 1933, se trouvait là un édifice encore plus petit construit autour d'un arbre. L'église actuelle date de 1974.

La partie inférieure de l'arbre a été conservé et est encore visible au cœur de cette chapelle de rite orthodoxe où se retrouve la communauté russe du XVe, constituée des descendants de « l'immigration blanche ».

Rodolphe Troullieux, *Paris secret et insolite*, édition Parigramme/CPL, 1996.

EXPRIMER DES RELATIONS DE TEMPS

Quand, à l'intérieur d'une phrase, on veut présenter deux actions se déroulant à des moments différents.

• Relation d'antériorité

– **après + nom** : *Après le repas*, madame Dumas regarde la télévision.
– **après + infinitif passé** : *Après avoir éteint* la télé, elle va se coucher.
– **après que + verbe à l'indicatif** : *Après qu'elle a lu* quelques pages de son livre de chevet, elle s'endort.
NB : On utilise souvent le subjonctif à la place de l'indicatif par ressemblance avec la construction de « avant que ».
On peut donc entendre : « Après qu'elle ait lu... » En revanche, on respecte à l'écrit l'indicatif avec « après que ».
– **une fois que** : *Une fois que* j'aurai lu le roman, je te donnerai mon avis.

• Relation de postériorité

– **avant + nom** : *Avant le concert*, le chanteur a préparé sa voix.
– **avant + infinitif** : *Avant de monter* sur scène, il a bu un verre d'eau.
– **avant que + verbe au subjonctif** : *Avant qu'il soit entré* en scène, les spectateurs ont applaudi.
NB : Dans cette construction, on fait quelquefois précéder le verbe d'un « ne » qui n'a pas de valeur négative mais simplement expressive (*Avant qu'il ne soit rentré...*). La forme sans « ne » est courante.
– **en attendant de (que) – le temps de (que)** : *J'ai lu un magazine en attendant que* le médecin me reçoive.

• Relation de simultanéité

– deux actions ponctuelles : **quand – lorsque – au moment où** :
Quand (au moment où, lorsque) Renaud a chanté « Mistral gagnant », le public a applaudi.
– une action ponctuelle/une action qui dure : **pendant que – comme – alors que** :
Pendant que (comme, alors que) Johnny chantait « Que je t'aime », une jeune fille s'est évanouie.
– deux actions qui durent : **quand – pendant que – lorsque – comme** :
Pendant que Manu Chao chantait, le public dansait.
– deux actions progressives : **au fur et à mesure que – tant que – aussi longtemps que** :
Au fur et à mesure que j'avance dans ma lecture, je me passionne pour ce roman.
Tant que Modiano publiera des romans, il aura des lecteurs.
– la forme « **en + participe présent** » peut exprimer la simultanéité :
Elle écrit tout en écoutant de la musique.

METTRE EN VALEUR PAR LES FORMES PASSIVES

• La construction passive

Principe
Victor Hugo a écrit Les Misérables. → Les Misérables **ont été écrits** par Victor Hugo.
L'objet de l'action devient sujet grammatical. Il est donc placé en début de phrase et mis en valeur.
Le verbe se met à la forme passive (auxiliaire « être au temps du verbe » + participe passé).
Tous les temps verbaux ont leur forme passive
– présent : *Le rôle de Cyrano est joué par Gérard Depardieu.*
– passé : *Le film a été tourné en 1990.*
– futur : *Il sera programmé à la télé la semaine prochaine.*
– présent du conditionnel : *Le sujet aurait été tourné par un réalisateur américain.*
L'auteur de l'action est introduit par « par ». Il peut être introduit par « de » s'il n'est pas vraiment actif.
L'exposition a été inaugurée par la ministre de la Culture. Elle était accompagnée du maire.
Dans certains cas, l'auteur de l'action n'est pas nommé : *Les bijoux de Marie ont été volés.*

• La forme pronominale

Elle peut avoir un sens passif.
Le DVD de Gad Elmaleh s'est très bien vendu.
La belote se joue à quatre.
La pièce s'est jouée à guichet fermé.

UTILISER LES CONSTRUCTIONS « (SE) FAIRE + VERBE » ET « (SE) LAISSER + VERBE »

• **Le sujet grammatical ne fait pas l'action mais il la commande.** Dans ce cas, l'auteur de l'action peut être indiqué et introduit par « par ».
– **faire + verbe à l'infinitif :** *Elle **a fait réparer** sa moto (par un mécanicien).*
– **(se) faire + verbe à l'infinitif :** *Ce couple **s'est fait construire** une magnifique villa.*
– **(se) laisser + verbe à l'infinitif :** *Élisa **s'est laissé conseiller** par un coach.*

• **Le sujet grammatical est la cause volontaire ou involontaire de l'action.** Dans ce cas, l'auteur de l'action n'est pas introduit par « par ».
– **faire + verbe à l'infinitif :** *Elle **fait rire** ses amis.* (Notons qu'elle peut faire rire ses amis volontairement parce qu'elle plaisante ou involontairement parce que sa tenue est ridicule.)
– **(se) faire + verbe à l'infinitif :** *Il **s'est fait couler** un bain.*
– **laisser + verbe à l'infinitif :** *Il **a laissé sortir** sa fille de 16 ans jusqu'à 2 heures du matin.*
– **(se) laisser + verbe à l'infinitif :** *Il **s'est laissé** pousser la barbe.*

PARLER D'UN LIVRE

• **Un livre** (un ouvrage – un bouquin) : un roman (d'aventure, d'amour, policier, historique, de science-fiction, de politique-fiction...) – une nouvelle – une biographie – une autobiographie – un livre scolaire (un manuel : un livre d'histoire) – un livre sur l'archéologie (qui traite d'archéologie) – un livre électronique une bibliothèque – une librairie – un bouquiniste –

un éditeur (éditer, publier un livre, un best-seller)
• **La lecture** – lire – feuilleter – survoler un livre (lire en diagonale)
Ce livre parle (traite) de... L'histoire se passe (se déroule) à..., à l'époque de... Le personnage principal (le héros) est... Il y a une intrigue..., du suspense..., des rebondissements...

PARLER DE L'HISTOIRE

• **L'époque :** Cet évènement se passe (a lieu..., se déroule...) au xixe siècle.
la Préhistoire – l'Antiquité – le Moyen Âge – la Renaissance – l'époque classique (xviie et xviiie siècles) – l'époque contemporaine
• **Les évènements :** les élections et les évènements de la vie démocratique (voir unité 1, pages « Outils ») – un coup d'État (un putsch) – une révolution – une abdication

• **La guerre :** déclarer la guerre – envahir (une invasion) – conquérir (une conquête) – se rendre – assiéger une ville (un siège) – prendre une ville – occuper une ville – délivrer une ville – signer la paix
• **Les acteurs :** un roi – une reine – un seigneur – un empereur – une impératrice – un dictateur – un rebelle – un opposant – un révolutionnaire – un réformateur

JOUER

• **Les jeux :** les jeux de cartes (la bataille, la belote, le bridge, le rami, le poker, les tarots, une réussite) – les jeux de société (les dames, les échecs, les dominos, le jeu de l'oie, le Monopoly, etc.) – les jeux d'adresse (la pétanque, le billard, les fléchettes, le bowling, etc.) – les jeux de casino (la roulette) – les jeux intellectuels (les mots croisés, le Sudoku, le Scrabble, le Trivial Pursuit, etc.) – les paris (le tiercé, le loto)

un dé – un pion – une pièce
• **Jouer :** miser sur le 26 – parier sur un cheval de course – gagner (un gagnant)/perdre (un perdant) – prendre sa revanche – être bon/mauvais joueur – tricher (un tricheur) – passer son tour
• **Le hasard et la chance :** tirer au sort – jouer quelque chose à pile ou face – avoir de la chance

CRÉER

• **Du projet à la réalisation :** concevoir – imaginer – faire un projet – (un plan, une ébauche, une maquette, un prototype) – réaliser (une réalisation) – fabriquer (une fabrication) – construire (une construction) – élaborer (une élaboration) – retoucher (une retouche) – réparer (une réparation)

• **Les activités créatives :** le dessin (dessiner) – la peinture (peindre) – la sculpture (sculpter) – le découpage (découper) – le collage (coller) – le pliage (plier) – la couture (coudre) – le tricot (tricoter) – la broderie (broder)
• **Le bricolage et le jardinage**

1. EXPRIMER DES RELATIONS DE TEMPS

Combinez les deux phrases en commençant par :
après que – au fur et à mesure que – avant que –
dès que – quand.

Les débuts de la Révolution française (1789)
a. Les idées des Lumières se développent.
Les Français demandent des réformes.
b. La crise politique et économique s'aggrave.
Le roi convoque les représentants du peuple.
c. Les députés comprennent que le roi refuse leurs
revendications. Ils décident de gouverner seuls.
d. Le peuple prend le pouvoir. La noblesse émigre.
e. La monarchie va disparaître. Le roi s'enfuit.

2. METTRE EN VALEUR PAR LA FORME PASSIVE

**Reformulez les phrases en commençant par les mots
en gras.**

L'écrivain Patrick Modiano
a. L'éditeur Gallimard publie **un nouveau roman
de Modiano**.
b. Comme d'habitude, beaucoup d'admirateurs
achèteront **ce livre**.
c. Il **les** plongera dans un passé mystérieux.
d. Moi, ce roman **m'**a passionné.
e. En 2015, on a attribué **le prix Nobel de littérature**
à Patrick Modiano

3. UTILISER LES CONSTRUCTIONS « (SE) FAIRE + VERBE » ET « (SE) LAISSER + VERBE »

**Transformez les phrases suivantes en commençant
par le mot en gras et en utilisant les expressions
entre parenthèses.**

Rénovation
a. Une décoratrice a aménagé le salon de **Juliette**.
(faire + infinitif)
b. C'est la décoratrice qui a choisi les couleurs
pour **Juliette**. *(laisser + infinitif)*

c. Un magnifique téléviseur a tenté **Juliette**.
(se laisser + verbe)
d. Un technicien a installé la fibre chez **elle**.
(se faire+ verbe)
e. Cet aménagement a fait plaisir à **Juliette**.
(se faire + verbe)

4. JOUER

**Complétez ces phrases avec des verbes au participe
passé ou à l'infinitif.**

Propos d'un joueur
a. Au casino de Deauville, j'ai joué à la roulette.
J'ai... 100 € sur le 8. Malheureusement, c'est le 16
qui est... J'ai donc...
b. J'ai mélangé les cartes. À toi de... . Je vais... 5 cartes
par joueur.
c. Ils ont 120 points. Nous, seulement 80. Ils ont...
Mais ils se sont montré leur jeu. Ils ont ...

5. CRÉER

**Décrivez au moins quatre étapes de chacune des
créations suivantes. Utilisez le vocabulaire de
l'encadré.**
a. la création d'une robe par un couturier
« Il dessine un modèle. Puis, il fait un patron... »
b. l'écriture d'un roman par un romancier
c. la construction d'un théâtre

> construire – coudre – couper – décorer – essayer –
> faire un dessin (un patron, une maquette, un
> brouillon) – faire les finitions – inaugurer – installer –
> mettre au point – monter – présenter le modèle –
> produire – publier – raturer – retoucher – reprendre

6. PARLER DE SES LOISIRS

 N° 48 **Écoutez. Trois personnes parlent de leur intérêt
pour une activité de loisir. Complétez le tableau.**

Personne	1	...
Loisir préféré	la couture	...
Origine	l'exemple de sa mère	...
Temps consacré à ce loisir	.....	...
Satisfaction intellectuelle ou esthétique		...
Satisfaction physique		...
Satisfaction sociale		...

UNITÉ 8

CONSOMMER

1 **APPRÉCIER UN PRODUIT OU UN SERVICE**
- Évaluer un produit acheté en ligne
- Se laisser guider par un répondeur
- Discuter la valeur d'une appréciation

3 **GÉRER SON BUDGET**
- Acheter moins cher
- Négocier
- Demander une aide

2 **SE DÉBROUILLER AVEC L'ARGENT**
- Payer
- Faire des opérations bancaires
- Connaître les risques

4 **PARLER DES MODES DE CONSOMMATION**
- Acheter au producteur
- Partager des services
- Juger un mode de consommation

PROJET

ORGANISER UN DÉBAT SUR UN PROJET D'ÉCONOMIE

Achats Bon Plan

Le PAD 421

Excellent pour la fac. J'ai une tablette mais je l'ai trouvée tellement peu pratique pour prendre des notes que je me suis acheté ce petit portable. Son autonomie est si grande qu'il peut tenir une journée de cours sans être rechargé. Sa mémoire est assez faible (32 Go) et son écran plutôt petit mais pour prendre des cours ou lire des documents courts, c'est suffisant. Gros avantage : il est beaucoup plus léger que tous les autres de sa catégorie.

L'Absorber

En randonnée, on transpire tellement que ce tee-shirt est le bienvenu. Finies les auréoles sous les bras et les odeurs désagréables en fin de journée. De plus, après lavage, il sèche en 10 minutes, même sous la tente. Appréciable quand on a si peu de temps pour faire la lessive à l'étape. Un seul problème : le colis est arrivé avec tellement de retard que j'étais déjà parti en vacances.

Le forfait voyageur

Il y a tant d'offres de forfait sur le marché que j'ai mis du temps à trouver celui-ci. Je le recommande à tous ceux qui ne veulent pas de mauvaises surprises quand ils voyagent à l'étranger.
Appels et SMS illimités en France, 5 Go d'Internet : c'est un peu moins que ce que proposent les concurrents. Mais 40 jours d'utilisation à l'étranger aux mêmes conditions qu'en France c'est bien davantage. Et avec cela, un prix tellement plus intéressant !

> **Forfait voyageur**
>
> Appels – SMS illimités en France
> 5 Go d'Internet
> 40 jours d'utilisation à l'étranger.
>
> **Je m'abonne**

Évaluer un produit acheté en ligne

1. Lisez les trois commentaires postés sur un site d'achat en ligne. Pour chaque commentaire, précisez :

a. à qui convient le produit ou le service.
b. quelles sont ses qualités.
c. quels sont ses défauts.

2. Faites le travail de l'encadré « Réfléchissons ».

3. Reformulez les affirmations suivantes en utilisant :
si... que – tant... que – tellement... que.

Exemple : a. Ce roman est si long que...

Commentaires de clients sur un site d'achat
a. Ce roman est très long. Je n'ai pas pu le terminer.
b. Ce fer à repasser consomme beaucoup. Je ne l'utilise plus.
c. Cette valise est très légère. On peut y mettre beaucoup de choses.
d. Ce meuble en kit comporte beaucoup de pièces. J'ai mis une journée à le monter.
e. Ce sac a trop de poches. On passe son temps à chercher ce qu'on y a rangé.
f. Ce jeu se vend très bien. Il est déjà épuisé.

Réfléchissons... Exprimer l'intensité d'une appréciation

• Les expressions : « si... que... », « tant... que... », « tellement... que... ». Observez et classez dans le tableau les phrases du document ci-dessus qui comportent ces expressions.

L'expression d'intensité porte sur	Expression de l'intensité (début de la phrase)	Conséquence de l'intensité
une qualité (adjectif ou adverbe)	*Je l'ai trouvée* **tellement** *peu pratique....*	*... que je me suis acheté ce petit portable.*
une chose ou une idée (nom)		
une action (verbe)		

• Observez la dernière phrase. Comment l'intensité est-elle exprimée ?

• Nuancer l'intensité. Relevez et classez selon leur sens les adverbes placés avant certains adjectifs.

Faible intensité ——————————► Forte intensité
.... assez ....

4. Dans l'encadré ci-contre, trouvez les expressions qui correspondent aux commentaires suivants :

a. C'est exactement ce que je veux.
b. C'est acceptable.
c. C'est utile.
d. Ça fonctionne bien.

5. Écrivez. Vous avez acheté un produit sur un site Internet. Vous écrivez un commentaire pour exprimer vos satisfactions et vos déceptions.

• un vêtement ou des chaussures : la taille (la pointure) – la couleur – la matière
• un téléphone mobile : le poids – les dimensions – la qualité du son – la qualité des photos
• ...

---

1. Ça me rend service.
2. Ça marche bien.
3. Ça me suffit.
4. Ça me convient.
5. Ça correspond.
6. Ça n'est pas tombé en panne.
7. Ça me sert beaucoup.
8. Je m'en contente.

Se laisser guider par un répondeur

6. Écoutez. Sur quelle touche du téléphone tapez-vous dans les cas suivants ?

N° 49

• **Extrait 1 :** Vous souhaitez avoir des renseignements sur le coût d'une assurance auto chez Alpha Assurance.
• **Extrait 2 :** Votre opérateur de téléphone vous réclame une somme injustifiée. Vous voulez savoir quels sont vos droits.
• **Extrait 3 :** Un violent orage a causé des dégâts dans votre appartement.
• **Extrait 4 :** Vous ne pouvez plus vous connecter à Internet.
• **Extrait 5 :** Vous voulez changer d'opérateur téléphonique.

Discuter la valeur d'une appréciation

7. Lisez l'article ci-contre. Répondez.

a. L'auteur de l'article parle plutôt :
• des avantages des sites de partage de services.
• des appréciations données par les utilisateurs de ces services.

b. Quels sont les conséquences du système de notation ?
– Conséquences positives...
– Conséquences négatives...

c. Olivier est-il satisfait ? Est-il mécontent ? Pourquoi ?

8. Travaillez en petit groupe. Partagez-vous les secteurs d'activité où on utilise un système de notation (l'entreprise, les sites d'achat, les sites de réservation, les sites de partages de services, etc.). Trouvez des arguments pour ou contre ces notes. Mettez en commun vos réflexions.

Horreur, on m'a mal noté !

Airbnb, Blablacar, Drivy, eBay,...Autant de sites de partage sur lesquels utilisateurs et prestataires sont évalués. Un système censé pousser chacun à donner le meilleur de lui-même, mais qui crée frustration et obsession.

D'après son évaluation sur Blablacar, Olivier, conducteur occasionnel qui a souhaité garder l'anonymat, est un médecin « *vraiment sympa, aux conversations super intéressantes* ». Tous ses passagers en ont fait un chauffeur cinq étoiles, sauf un. Et ça ne passe pas. « *Je reste très vexé par ce trois étoiles* ». La preuve que même à l'âge adulte les mauvaises notes sont difficiles à vivre. [...]

Évaluation annuelle dans l'entreprise, appréciation du service client, sites de particulier à particulier... on peut désormais passer la moitié de ses journées à noter et l'autre à être noté.

Guillemette Faure, *Le Monde*, 06/02/2016.

Payer

1. Écoutez.

N° 51 **a. Que veulent-ils régler ? Retrouvez la situation.**

1. Le vendeur n'a pas la monnaie.
2. Il y a une erreur sur la monnaie rendue.
3. Il n'est pas possible de payer avec une carte bancaire.
4. La carte est refusée.
5. Il y a une erreur sur la note.

b. Avec votre partenaire jouez les situations que vous venez d'entendre en choisissant un autre contexte.

2. Voici des mots qu'on entend souvent quand on parle d'argent. Associez les mots des deux colonnes. Dites s'il s'agit d'une dépense ou d'une recette.

a. une allocation	... de chômage
b. une assurance	... d'habitation
c. une cotisation	... familiale
d. une facture	... de gaz ou d'électricité
e. un impôt	... sur le revenu
f. une indemnité	... de sécurité sociale
g. une note	... pour la voiture
h. une pension	... de restaurant
i. un salaire	... d'un employé
j. une taxe	... d'un retraité

Faire des opérations bancaires

3. Vous avez ouvert un compte bancaire en France. Trouvez, dans l'encadré ci-contre, ce que vous faites dans les situations suivantes :

a. Votre compte est à découvert.
b. Vous n'avez plus d'argent liquide (d'espèces).
c. Vous n'avez que des devises de votre pays.
d. Vous avez perdu votre carte bancaire.
e. Vous avez perdu votre carte bancaire et vous n'avez plus d'argent liquide.
f. On vous a donné un chèque.
g. Vous voulez envoyer de l'argent dans votre pays.
h. Vous repartez dans votre pays et vous n'avez plus besoin d'un compte en France.

ⓘ **Point infos**

LES BANQUES EN FRANCE

Les principales banques françaises sont : la **BNP Paribas** (Banque nationale de Paris), le **Crédit agricole**, **LCL** (Le crédit lyonnais), la **Société Générale**, le **Crédit Mutuel** et le **CIC** (Crédit industriel et commercial). Beaucoup de ces banques ont des agences à l'étranger.

La Poste, en plus de sa vocation de distribution du courrier a une fonction bancaire importante. Les **Caisses d'Épargne**, dont la fonction était jusque dans les années 1980 de recueillir l'épargne des classes moyennes, fonctionnent aujourd'hui comme des banques normales.

D'une manière générale, les Français investissent d'abord leurs économies dans l'achat d'une résidence principale ou secondaire. Ils privilégient ensuite les placements sûrs comme **l'assurance-vie** distribuée par les banques et les compagnies d'assurance. Ils placent aussi leur argent sur des **livrets d'épargne** ou des **plans d'épargne logement** (destinés à obtenir un prêt immobilier). Ils se méfient des placements boursiers en actions surtout depuis la crise financière de 2008. Selon un sondage du *Figaro* de 2015, un Français sur cinq fait confiance à la **Bourse**.

1. Je vais au bureau de change.	
2. Je fais une déclaration au numéro 0 892 705 705.	
3. Je fais un virement depuis le compte que j'ai dans mon pays.	
4. Je le dépose sur mon compte.	
5. Je fais un retrait dans un distributeur.	
6. Je fais un mandat ou un virement international.	
7. Je clôture mon compte.	
8. Je retire de l'argent à ma banque avec mon chéquier.	

4. Écoutez. Ils font une demande à leur conseiller bancaire. Pour chaque situation, complétez
N° 52 **le tableau.**

	1	2	3
Objet de la demande	ouverture d'un compte	...	...
Réponse du conseiller	.....	...	...
Conditions posées	.....	...	...

TROIS FAITS DIVERS

TIPHAINE, 26 ans, a été confrontée à une première fraude l'an dernier. « Je regardais mes comptes et j'ai remarqué un mouvement un peu étrange, qui provenait d'un site Internet au nom un peu bizarre. J'ai dû faire un achat sur un site qui n'était pas sécurisé. Enfin, c'est ce qu'on m'a dit… », confie-t-elle. La jeune femme a ensuite eu le bon réflexe rapidement : « J'ai contacté ma banque immédiatement. J'ai fait opposition à ma carte ainsi qu'une déclaration de prélèvements illégaux sur mon compte. » Ce qui ne l'a pas empêchée d'être escroquée une seconde fois. Au mois de juillet dernier, Tiphaine reçoit un mail qui semble provenir du Trésor public... « Il fallait que je clique sur un lien pour me retrouver sur le site des impôts. Et comme une imbécile, j'ai rentré mes coordonnées bancaires et j'ai alors vu un message d'alerte. C'est là que je me suis rendu compte que j'avais fait une grosse bêtise. »

Anaïs Bouitcha avec Maxime Ricard, www.BFMTV.com, 01/09/2015.

77 686,20 EUROS. Tel est le montant de la facture de téléphonie mobile que Vincent Lahouse, un habitant d'Avignon (Vaucluse) a reçu en janvier dernier après un séjour passé en République Dominicaine.
Le détail des consommations montre que dans les Caraïbes, la famille Lahouse partie pour les fêtes de fin d'année a consommé plus de 24 giga-octets de données auprès de l'opérateur local. Un volume

Arsène Lupin, héros des romans de Maurice Leblanc, est un cambrioleur élégant et généreux.

de data que l'Avignonnais n'explique pas. « Qu'est-ce qu'on a bien pu faire pour 24 gigas ? [...] On a juste envoyé des textos de bonne année », a expliqué l'agent immobilier, au *Dauphiné Libéré*, tout en précisant que sa fille a également posté quelques photos sur les réseaux sociaux.
Immédiatement contacté par son client dont le montant du forfait mensuel s'élève habituellement à 50 euros, Bouygues Telecom a proposé de réduire la facture à 20 000 euros, le montant que l'opérateur français explique devoir à son homologue en République Dominicaine.

20 Minutes avec agence, le 06/04/2016.

LA VEILLE DE NOËL, Mukul Asaduzzaman, un chauffeur new-yorkais, a pris dans son taxi, Felicia Lettieri, une touriste italienne de 72 ans. Celle-ci y oublie son portefeuille. À l'intérieur, l'homme découvre qu'il y a 21 000 dollars. Le plus honnête des chauffeurs de taxi n'a pas hésité à parcourir 80 kilomètres pour se rendre à une adresse indiquée dans le portefeuille. Arrivé à l'endroit indiqué, il frappe à la porte et, n'obtenant aucune réponse, laisse un mot ainsi que son numéro de téléphone. Plus tard, la fille de la touriste le contacte.
Mukul Asaduzzaman a rendu les 21 000 dollars sans réclamer de récompense.

www.faitsdivers.org, 14/01/2010.

Connaître les risques

5. Partagez-vous les trois faits divers ci-dessus. Recherchez les informations suivantes :

a. Où se passe le fait divers ?
b. Quand ?
c. Qui est la victime ?
d. Quel est le problème ?
e. Quelle est la cause du problème ?
f. Le problème est-il résolu ? Comment ?

6. Choisissez un titre pour votre fait divers.

• Une étourderie sans conséquence
• Victime d'une escroquerie
• Un voyage qui coûte cher

7. Trouvez une morale pour votre fait divers.

« Ce fait divers montre bien qu'il faut... Il est nécessaire de... Il est impératif que... »

8. Racontez. Vous avez été victime ou témoin d'une escroquerie, d'un vol, d'un piratage informatique.

(Voir pages « Outils » : « Raconter un délit ou une escroquerie », p. 137)

VISITE À LA « RESSOURCERIE »

N° 53

Aujourd'hui, on ne garde pas les objets que l'on possède aussi longtemps que par le passé. On les donne ou on les revend. Les ressourceries, les friperies, les vide-greniers et les sites d'échanges ou de ventes d'objets d'occasion se multiplient. Visite à la « Ressourcerie » dans le 13e arrondissement de Paris.

Aide à l'écoute
– **La caverne d'Ali Baba :** allusion à un conte oriental. Grotte où des voleurs entassaient tous les objets précieux qu'ils avaient volés.
– **Bouloché :** se dit d'un vêtement de laine usé.
– **Contrat d'insertion :** contrat de travail subventionné par l'État pour favoriser l'emploi.

ma Ressourcerie

Boutique associative de réemploi

Acheter moins cher

1. Écoutez et choisissez les bonnes réponses.
a. La Ressourcerie est un lieu où on peut :
1. acheter des objets.
2. vendre ses objets personnels.
3. donner des objets.

b. La Ressourcerie est :
1. un petit espace.
2. un lieu en plein air.
3. un espace sur plusieurs étages.

c. On y vend :
1. toutes sortes d'objets.
2. seulement des vêtements.
3. seulement des choses en bon état.
4. des objets pas chers.

d. Les personnes qui ont créé la Ressourcerie veulent :
1. faire des profits.
2. éviter qu'on jette des produits en bon état.
3. aider des personnes.
4. développer les échanges entre personnes.

e. Les dons qu'on fait à la Ressourcerie :
1. sont vendus en totalité.
2. sont vendus en partie.
3. sont recyclés.
4. servent à la fabrication de matériaux d'isolement.

f. La Ressourcerie :
1. ne vit que de la vente des objets donnés.
2. reçoit des aides financières.
3. fait appel à des bénévoles.

2. Une amie qui fréquente la Ressourcerie vous pose des questions. Répondez-lui.
a. On trouve quoi à cette Ressourcerie ?
b. Où elle est située cette Ressourcerie ? Elle ressemble à quoi ?
c. Ce sont des commerçants ou c'est pour une cause ? Quel est leur but ?

3. Complétez avec ces mots du texte : *abîmé – altruiste – encombré – le gaspillage.*
a. Elle a acheté trois baguettes de pain. Elle en a jeté deux. C'est du ...
b. On ne peut pas bouger dans son appartement qui est ... de meubles et d'objets.
c. Une voiture a heurté la mienne. Mon aile gauche est ...
d. Il pense toujours à aider les autres. Il est ...

4. Dans l'encadré ci-dessous, trouvez la suite des phrases suivantes. Dans quelles circonstances les prononce-t-on ?
a. Hier, j'ai fait les soldes.
b. J'ai acheté un aspirateur qui était en promotion.
c. Le vendeur m'a fait un rabais.
d. J'ai utilisé mes bons de réduction.
e. Je suis allé dans une friperie.

> **1.** J'ai eu 10 % de réduction.
> **2.** J'ai trouvé une robe sympa que je mettrai l'été prochain.
> **3.** J'ai trouvé un pull Lacoste en bon état pour 10 €.
> **4.** Du coup, je n'ai payé mes courses que 100 €.
> **5.** C'est un bon rapport qualité-prix.

5. Discutez. Fréquentez-vous les ressourceries, les friperies, les vide-greniers, les sites de vente d'objets d'occasion ? Y faites-vous de bonnes affaires ? Y trouvez-vous des choses intéressantes ?

NÉGOCIER

6. Lisez le courriel ci-contre. Répondez.
a. Qui écrit ? Dans quel but ?
b. L'interlocuteur accepte-t-il sans restriction ?
c. Quelles sont ses conditions ?

7. Écoutez cette conversation téléphonique entre Maéva et Jessica.
N° 54
a. Dans quel but Maéva appelle-t-elle ?
b. A-t-elle cherché d'autres solutions ?
c. Quelles sont les conditions posées par Jessica ?

8. Faites le travail de l'encadré « Réfléchissons ».

Nouveau message
Envoyer Discussion Joindre Adresses Polices Couleurs Enr. brouillon   Navigateur de photos Afficher les modèles

Cher neveu,
J'ai bien reçu ton courriel dans lequel tu me demandes si je peux te prêter ma maison de Saint-Tropez l'été prochain. Bien sûr, tu peux l'occuper à moins que tu la veuilles en juillet car, à cette période, je l'ai louée à des amis.
Toutefois, je te la prête à condition que tu ne l'envahisses pas avec une bande de copains. Donc, tu n'y vas qu'avec une ou deux personnes, sans quoi, j'en suis sûr, il y aurait des dégâts. Mais, tu es un garçon intelligent, tu comprendras que je pose des conditions.

Réfléchissons... L'expression de la condition ou de la restriction

• **Complétez le tableau avec les mots relevés dans le courriel et dans le document oral.**

	idée de condition	idée de restriction	idée de dépendance
noms	...	...	...
verbes	...	...	...
expressions grammaticales	...	à moins que	...

• **Ajoutez dans le tableau « sauf si... », « dans la mesure où... ».**

• **Reformulez ces phrases en utilisant d'autres mots ou expressions du tableau.**
a. Je te prête mon ordinateur aujourd'hui si tu me le rends demain.
b. Je vais m'acheter cette bague sauf si elle coûte plus de 500 €.

Prononcez... Automatisez

N° 55

Construction des expressions de condition et de restriction

Une personne demande des services à votre ami. **Confirmez la réponse de votre ami comme dans l'exemple. Utilisez l'expression indiquée.**
1. à moins que... – **2.** sauf si... – **3.** seulement si...
4. à condition que... – **5.** ça dépend de... –
6. à moins que...

Exemple : 1. – Je pars en vacances. Vous pouvez garder mon chien ?
– D'accord, s'il n'est pas méchant.
– Oui, d'accord, à moins qu'il soit méchant.

9. Jeu de rôle à faire à trois. Vous voulez acheter un appartement ou une maison.
Vous demandez une aide financière à vos parents, à vos grands-parents ou à d'autres membres de la famille. Ils hésitent et posent des conditions.

Demander une aide

10. Lisez la lettre ci-contre. Repérez :
a. l'objet de la lettre ;
b. les arguments ;
c. la façon de formuler la demande ;
d. la formule de politesse.

11. Faites une lettre de demande d'aide à une mairie, une région, une association, etc., pour un motif qui vous intéresse.

Monsieur le Maire,
La chorale Accroche-Chœur qui existe depuis trente ans et qui donne régulièrement des concerts dans notre ville et notre région prépare un concert exceptionnel à l'occasion de son trentième anniversaire. Nous montons le Requiem de Verdi, une œuvre qui exige des solistes et au moins une quinzaine de musiciens.
La subvention annuelle que la municipalité nous accorde chaque année et la vente des billets ne suffiront pas à couvrir les frais d'un tel spectacle. C'est pourquoi nous sollicitons une aide exceptionnelle de la municipalité.
Je vous remercie de l'attention que vous voudrez bien porter à notre demande et vous prie d'agréer, monsieur le Maire, mes salutations respectueuses.

Béatrice Rakovski, présidente de la chorale Accroche-Chœur

Le reportage vidéo

Du producteur au consommateur

N° 8

Visite d'une AMAP (association pour le maintien de l'agriculture paysanne) : la cueillette « Chapeau de paille » à Cergy. Le responsable d'une exploitation agricole présente un mode original de distribution de ses produits.

Acheter au producteur

1. Regardez la vidéo sans le son.

a. Qu'avez-vous vu ? Choisissez les bonnes réponses.

• une propriété agricole :

1. des champs	4. des serres	7. un tracteur
2. une brouette	5. un panier	8. une pelle
3. une barquette	6. un sac	

• des légumes :

1. des pommes de terre	5. des carottes
2. des tomates	6. des concombres
3. des radis	7. des pois
4. des oignons	8. des artichauts

• des fruits :

1. des abricots	3. des framboises	5. des mûres
2. des poires	4. des pommes	

b. D'après vous, de quoi parlent :

– l'homme en chemise ?

– la femme au pull rouge ?

2. Regardez la vidéo avec le son. Complétez cette présentation de l'exploitation la cueillette « Chapeau de paille ».

La cueillette « Chapeau de paille » est située...

C'est une exploitation agricole qui vend...

Le consommateur peut y trouver...

La cueillette est ouverte...

Elle pratique des prix...

Ce système est intéressant pour le producteur car...

Il est aussi intéressant pour le consommateur parce que...

Ce système de consommation est basé sur...

Pour le responsable de la cueillette, le secteur économique agricole...

3. Lisez le « Point infos ». Travaillez par groupe. Recherchez les avantages et les inconvénients des nouveaux modes de consommation.

ⓘ Point infos

LES NOUVEAUX MODES DE CONSOMMATION

Aujourd'hui, on s'approvisionne toujours dans les zones commerciales où se concentrent les hypermarchés et les magasins discount mais **de nouveaux modes de consommation se développent**. Les petits magasins d'alimentation de quartier qui, sauf à Paris, avaient presque tous disparu rouvrent et sont très fréquentés. Des agriculteurs proposent directement leurs produits aux consommateurs sur les marchés, sous forme de panier distribué chaque semaine ou d'invitation à venir cueillir soi-même ses fruits et ses légumes. Les « ressourceries », les vide-greniers, les magasins où on peut vendre ou acheter des objets d'occasion se multiplient. On fait de plus en plus appel aux sites Internet d'achat ou d'échange de services ou d'objets de seconde main.

Cette évolution est le reflet de plusieurs tendances de la société. En achetant directement au producteur ou à la personne qui a déjà utilisé l'objet, on supprime les intermédiaires. On obtient ainsi un prix plus intéressant et on a un contact personnel avec le vendeur. On a alors des chances d'être mieux informé sur le produit, de mieux connaître son origine et son utilisation. Le producteur de tomates qui connaît bien son produit peut ainsi donner des conseils de préparation à l'acheteur. Par ailleurs, on crée un contact humain qui peut être un gage de confiance.

Enfin, **en achetant local** on favorise le développement économique de sa région.

4. Utilisez le vocabulaire de l'agriculture. Remettez dans l'ordre les étapes de la production de tomates.

1. Ils fleurissent.
2. Le paysan récolte les tomates.
3. Le paysan laboure son champ.
4. Ils produisent des tomates.

5. Il sème des graines.
6. Les tomates mûrissent.
7. Les plants de tomates poussent.

Partager des services

5. L'expression de l'idée de moyen. Complétez les phrases avec les mots du tableau ci-contre.

Conseils aux utilisateurs d'ordinateurs

a. Vous pouvez sécuriser votre ordinateur ... un bon antivirus.
b. N'oubliez pas que la fréquentation de certains sites ... l'entrée de virus.
c. La suppression de logiciels ... un démarrage rapide de votre ordinateur.
d. Nettoyez votre écran ... un chiffon spécial.
e. En cas de problème, vous pouvez demander ... d'un technicien.

6. Lisez le document ci-contre.
a. Quelle est son origine ?
b. Que propose son auteur ?

7. Rédigez une annonce pour un site d'échange de services.

Juger un mode de consommation

8. Lisez le texte ci-dessous.
a. Formulez l'idée défendue par l'auteur.
b. Quels exemples l'auteur donne-t-il pour défendre son idée ?
– comportements des gens ;
– changement dans le vocabulaire ;
– objectifs personnels ;
– évolution des entreprises et des associations.

Pour s'exprimer

Exprimer l'idée de moyen
• l'aide – l'appui – l'assistance – le soutien
• aider (à) – contribuer (à) –faciliter - favoriser
• à l'aide de – grâce à

Marina

Je recherche : Je souhaiterais une aide pour l'entretien de mon jardin et les petits travaux domestiques.
Je propose : Grâce à moi, vos démarches administratives ne seront plus un casse-tête. Je propose également du soutien scolaire en français et en espagnol.

Département : **38 (Isère)** Ville : **Grenoble**

Quand l'entraide devient un business

La pure solidarité existe-t-elle encore ? On peut légitimement se poser la question car maintenant, on ne donne plus ses vieux vêtements mais on vide son dressing et on ne prête plus une perceuse mais on la loue.
Avant on parlait de solidarité, aujourd'hui plutôt de consommation collaborative. C'est-à-dire qu'on s'entraide, on échange volontiers, mais désormais c'est marchand. Le but est de gagner plus ou dépenser moins. Une nouvelle forme de collaboration qui s'explique notamment à cause de la crise. Un couple pourrait même gagner jusqu'à 24 000 euros par an en partageant par exemple à la fois son appartement, sa cave et sa voiture.

Un exemple frappant : Blablacar. Au début, le site proposait de mettre en relation gratuitement conducteurs et passagers. L'affaire ne décollait pas et à partir du moment où ils ont fait payer les utilisateurs, prenant au passage une commission, le site a multiplié ses visiteurs. Un système qui a fait des petits comme idvRoom, le site de covoiturage de la SNCF. En revanche, dans les associations caritatives, on n'a rien en échange c'est logique mais du coup les dons d'objets baissent. C'est le cas chez Emmaüs France. Attention, pas en quantité mais en qualité puisque les Français préfèrent gagner un peu d'argent en vendant dans les vide-greniers, vide-dressing et sur des sites comme « le bon coin.fr. ». Un système donnant-donnant qui permet des économies.

www.rtl2.fr par Jules Roy, le 06/10/2015.

9. Discutez l'idée de l'auteur. La situation qu'il décrit est-elle la même dans votre pays ?

Vous formerez deux ateliers. Chaque atelier travaillera sur un projet d'économie qui est en débat aujourd'hui en France et dans le monde.
Vous préparerez une présentation de ce projet ainsi que des arguments pour et contre.
Vous organiserez ensuite un débat avec le reste de la classe.

1 Lisez un document traitant du projet.

 La classe se partage les deux documents de la page 129. Faites le travail correspondant à votre document.

Document : « L'eau gratuite pour tous ? »

1. Préparez la compréhension des mots nouveaux. Associez les mots suivants aux définitions de l'encadré.

a. l'impôt foncier   **e.** vétuste
b. un effet pervers   **f.** quant à...
c. potable   **g.** émerger
d. une canalisation

> **1.** apparaître   **4.** en ce qui concerne...
> **2.** conséquence négative   **5.** tuyau
> **3.** qu'on peut boire   **6.** vieux, usé
> **7.** taxe payée par le propriétaire d'un logement

2. Lisez le texte et répondez.

a. Qui a écrit ce texte ?
b. Quelle particularité canadienne décrit son auteur ?
c. Comment cette particularité se justifie-t-elle ?
d. D'après l'auteur, quelles sont les conséquences positives et négatives de cette particularité ?

Document « Le revenu de base universel, débat »

1. Préparez la compréhension des mots nouveaux. Associez les mots suivants aux définitions de l'encadré.

a. un revenu   **d.** un paradigme   **g.** tabou
b. la précarité   **e.** bousculer   **h.** farfelu
c. une démarche   **f.** éradiquer   **i.** en coulisse

> **1.** argent gagné par le travail ou le capital
> **2.** état d'une personne qui a de petits revenus
> **3.** action, procédure   **4.** supprimer
> **5.** en secret   **6.** interdit   **7.** un peu fou
> **8.** système de pensée   **9.** déséquilibrer

2. Lisez le texte et répondez.

a. Quel est le projet développé par l'article ? Donnez des détails.
b. Quel sont les buts de ce projet ? Comment est-il justifié par l'évolution de la société ?
c. Ce projet est-il spécifique à un parti politique ?
d. Les politiques sont-ils tous d'accord sur ce projet ?

2 Préparez votre présentation du projet.

3. Utilisez les réponses aux questions 2 de l'activité précédente pour préparer une présentation détaillée du projet.

4. Préparez des arguments favorables au projet.

a. Complétez les arguments du texte avec vos propres arguments.
b. Organisez votre présentation d'arguments.
« Ce projet présente plusieurs avantages. *D'abord... Ensuite... Par ailleurs... Enfin...* »

5. Préparez des arguments contre le projet.

a. Complétez les arguments du texte avec vos propres arguments.
b. Organisez votre présentation d'arguments.

6. Préparez-vous au débat. Répartissez-vous les tâches : présentation du projet – arguments pour – arguments contre – lancement et conduite du débat.

3 Présentez le projet à la classe et menez le débat.

• *Nous allons vous présenter un projet qui concerne... Il s'agirait de... On pourrait...*
• *Voilà, le débat est ouvert. Qui veut intervenir ?... Franz, tu as la parole... Qui est d'accord avec ce que Franz vient de dire ?... Qu'en pensez-vous ?... Ne parlez pas tous à la fois... Écoutons l'opinion de Cecilia...*
• *Nous allons conclure. Qui voterait pour ce projet ? Contre ce projet ?...*

L'eau gratuite pour tous ?

Au Canada, l'eau est gratuite, il n'existe pas de compteurs d'eau et donc pas de facturation au mètre cube consommé, ce qui est très surprenant pour nous Européens. Cette gratuité n'est que partielle puisque une partie des impôts fonciers payés par les propriétaires est consacrée à l'entretien des réseaux de distribution. Mais le montant de la taxe d'eau est tellement dérisoire que pour les Québécois cette gratuité existe bien. Le Canada dispose en effet d'une réserve d'eau qui figure parmi les plus importantes du monde, en raison notamment des lacs qui occupent près de 16 % de la surface du Québec. Près de 10 % du territoire canadien est recouvert d'eau douce, soit trois fois la superficie de la France [...]

Cette abondance de l'eau a aussi des effets pervers : comme il n'y a pas de facturation à la consommation, les personnes font moins attention et il y a donc un effet direct sur le gaspillage. La consommation moyenne d'un Canadien varie entre 300 et 400 litres d'eau par jour, c'est l'une des consommations les plus élevées au monde contre en moyenne 150 litres d'eau par jour pour les Français. S'ajoute à ce gaspillage, une perte de l'eau potable via les canalisations souvent vétustes, l'eau ainsi traitée retourne sous terre. Face à ce gaspillage énorme, une prise de conscience émerge quant à la ressource précieuse que constitue l'eau. Ainsi pour mieux protéger celle-ci, l'installation de compteurs d'eau individuels avec une facturation à la consommation pourrait bientôt mettre fin à cette quasi-gratuité.

www.nrblog.fr/decouvertes-terres-inconnues-canada/2015/01/07/leau-gratuite
par Phanette, 7 janvier 2015.

Le revenu de base universel, débat

Verser sans condition une somme fixe à chaque citoyen de sa naissance à sa mort ? À l'heure où la troisième révolution industrielle bouscule le monde du travail et nos modèles sociaux, cette question encore taboue est mise sur la table par nombre de penseurs et quelques politiques. De droite comme de gauche. [...]

Concrètement, l'État verserait à chaque citoyen, de sa naissance à sa mort – cela de manière inconditionnelle –, une somme fixe dont le montant et le mode de versement restent à déterminer. Ainsi, riche ou pauvre, adulte ou enfant, salarié ou parent au foyer, entrepreneur ou retraité, nous recevrions tous chaque mois un revenu entre 500 et 1 200 euros, sans obligation en retour. Cela quels que soient nos choix d'activités ou de modes de vie. Une révolution !

Si les rares Français qui ont entendu parler de ce fameux revenu de base ont tendance, au premier abord, à trouver l'idée farfelue, cette proposition radicale agite en coulisses de plus en plus d'acteurs de la société mondiale. Avec ces objectifs affichés : éradiquer la pauvreté, lutter contre la précarité, mieux redistribuer les richesses, mais, surtout, repenser l'économie, la fiscalité, le travail.

La démarche part d'un constat simple : nous sommes en train de vivre l'une des plus importantes – sinon la plus importante – et la plus rapide des révolutions de l'histoire humaine. L'une des plus profondes, aussi. Celle que le fameux prospectiviste et conseiller de nombreux chefs d'État Jeremy Rifkin appelle la « troisième révolution industrielle ». Un nouveau monde qui oblige à changer de paradigme, puisque les vieilles recettes du XXe siècle ont prouvé leur inefficacité au XXIe.

Jeremy Rifkin

www.lexpansion.lexpress.fr, Olivier Le Naire, 15/02/2016.

APPRÉCIER ET COMPARER

• **Rappel des constructions comparatives**

– Comparaison des qualités (adjectifs ou adverbes) :
*Au supermarché, les raisins sont **plus (aussi... moins...)** chers **que** chez l'épicier du coin.*
*Elle fait **plus (aussi... moins...)** souvent ses courses au supermarché.*

– Comparaison des actions (verbes) :
*En été, il faut boire **plus.***

– Comparaison des quantités (noms) :
*Laurent achète **plus de (autant de... moins de...)** produits bio **que** Louise.*

• **Constructions superlatives**

– Avec un adjectif ou un adverbe : *J'achète toujours le produit **le moins** cher... **le plus** économique... **le meilleur**.*

– Avec un nom : *C'est dans ce supermarché qu'il y a **le plus de** choix... **le moins de** produits bio.*

– Avec un verbe : *C'est sa voiture qui consomme **le plus**.*

• **Nuancer les comparaisons avec « plus » ou « moins »**
*Le modèle avec 5 portes coûte **un peu... (bien... beaucoup... tellement...) plus / moins** cher que le modèle avec 3 portes.*

• **Idée de progression**

*Je trouve que les produits sont **de plus en plus** chers. On trouve **de moins en moins de** bons légumes. En revanche, ils présentent leurs produits **de mieux en mieux**.*

• **Idée d'évolution parallèle**

***Plus** il stresse, **plus** il dépense, **moins** il est efficace.*

• **Emploi de « davantage »** (exprime une idée de supériorité et se construit avec un verbe ou un nom)
*Depuis qu'il gagne 3000 € par mois, il va **davantage** au restaurant. Il s'offre **davantage de** bons petits plats.*

• **Mise en relation avec une conséquence**

– Avec un adjectif ou un adverbe :
*Ce bijou est **tellement (si)** beau que j'en ai envie.*
*Il coûte **tellement (si)** cher que j'hésite.*

– Avec un nom : *Il y a **tant de (tellement de)** choix que je vais réfléchir.*

– Avec un verbe : *Il mange **tellement (tant)** qu'il grossit.*

POSER DES CONDITIONS – FAIRE DES RESTRICTIONS

• **Exprimer des conditions**

Par un mot grammatical	Par un verbe ou un nom
• **à condition que + verbe au subjonctif** J'achète **à condition que** vous me fassiez un rabais. • **à condition de + verbe à l'infinitif** J'achète **à condition d'être** livré rapidement. • **si + verbe à l'indicatif** J'achète **si** vous me faites 10 %.	• Je suis d'accord pour acheter mais je pose **une condition** : une réduction de 10 %. J'ai aussi une **exigence** : être livré rapidement • Mon accord **dépend de** l'effort que vous ferez. Il **implique** un rabais.

• **Faire des restrictions**

– **ne... que... – seulement** :
*Dans ce petit marché, on **ne** trouve **que** des produits d'origine France. J'achète **seulement** des produits bio.*

– **à moins que** (+ verbe au subjonctif) – **à moins de** (+ verbe à l'infinitif) :
*Elle dîne toujours chez elle **à moins qu'elle** soit invitée ou **à moins de** n'avoir pas eu le temps de faire ses courses.*

– **sauf si** (+ verbe à l'indicatif) :
*Je voyage toujours avec des compagnies low cost **sauf si** la compagnie est sur liste noire.*

• **Expressions :**

formuler (émettre) des restrictions – faire des réserves –
*J'accepte votre proposition, **sous réserve que** mon chef soit d'accord.*

NB : Comme avec la construction « avant que + verbe au subjonctif » on peut ajouter un « ne » expressif qui n'a pas de valeur négative : « ... ***à moins qu'elle ne soit invitée*** ». Ce « ne » n'est pas obligatoire.

ACHETER – PAYER

• **Demander un prix** – demander une réduction (un rabais) – *Vous me faites un prix.*
acheter en promotion, en soldes – bénéficier d'une offre spéciale – acheter comptant/à crédit – demander/obtenir un crédit à 3 %

• **Payer (régler) en espèces (en liquide)** – un billet de 20 euros – une pièce de 2 euros – la monnaie –
faire de la monnaie – rendre la monnaie – faire l'appoint
payer par carte bancaire, par chèque, par virement bancaire
Mots familiers pour « argent » : le fric – la thune – le pognon

FAIRE UNE OPÉRATION BANCAIRE

• **Un compte** – ouvrir/clôturer un compte – *J'ai un compte à la BNP.*
un compte courant (de dépôt) – un compte d'épargne (logement, en action) – un compte sur livret – une assurance-vie
faire un dépôt – déposer des espèces, un chèque
recevoir son relevé de compte – le compte est à découvert – payer des agios

• **Un chèque** – un chéquier – faire un chèque à un commerçant – remplir et signer le chèque – endosser et encaisser
le chèque – un chèque en bois (chèque sans provision)

• **Une carte bancaire** – faire un retrait de (retirer) 100 euros à un distributeur automatique de billets (un DAB) – insérer
sa carte – taper son code – retirer sa carte – la carte est refusée (non valide) – la carte est avalée par le distributeur

• **Un prêt** – demander/obtenir un prêt – un prêt au taux de 3 % – *Pour payer ma maison, j'ai fait un emprunt de
(j'ai emprunté) 100 000 euros à la banque.* – rembourser un prêt – une traite

• **Un placement** – placer de l'argent sur un compte d'épargne – acheter des actions, des obligations – les valeurs
boursières – le cours de la Bourse – le CAC 40 est en hausse / stable / en baisse – vendre ses actions
toucher des intérêts – faire des plus-values

GÉRER UN BUDGET

• **Les recettes**
Les revenus du travail – un salaire – un traitement (fonctionnaires) – un honoraire (professions libérales) – les droits
(professions artistiques) – une rémunération – une retraite
Les aides financières – une allocation (familiale, chômage, logement) – une bourse (d'études)
Les autres revenus – les intérêts des placements – les revenus immobiliers – une rentrée d'argent – faire un héritage

• **Les dépenses**
Les dépenses de nourriture, d'habillement, etc. – les frais (faire des frais) – le loyer et les charges –
dépenser/économiser – épargner – gaspiller (le gaspillage)

EXPRIMER LE MOYEN

• *L'association fonctionne **grâce à** l'aide de la municipalité, **avec le concours de** bénévoles et **l'appui de** certaines
entreprises.*
• *L'association **aide** les personnes démunies. **Elle contribue à** leur donner une formation. Elle **favorise** leur réinsertion.*

PARLER D'ÉCONOMIE

• **L'économie de marché** – le marché – l'offre/la demande – la production/la consommation
les prix – l'augmentation (augmenter) – la baisse (baisser) – l'inflation/la récession
la croissance – la crise

• **L'économie collaborative** – un échange de service (échanger) – le troc (troquer) – le partage (partager, mettre
en commun des bureaux, des outils) – le développement durable – la consommation des productions locales –
une AMAP (association pour le maintien de l'agriculture paysanne) – la vente directe

RACONTER UN DÉLIT OU UNE ESCROQUERIE

• **un voleur** – voler (un vol) – cambrioler (un cambriolage – un cambrioleur) – dérober de l'argent
• **un escroc** – escroquer (une escroquerie – une arnaque) – Il s'est fait escroquer (arnaquer) en donnant de l'argent
à un site Internet malhonnête – un faussaire – Ce tableau est un faux.
• **un racketteur** – le racket – *Le lycéen s'est fait **racketter** par une bande de voyous.* – *La vieille dame s'est fait
extorquer de l'argent par un assureur malhonnête.*
• **un maître-chanteur** – faire chanter quelqu'un – exercer un chantage sur une personne

1. APPRÉCIER ET COMPARER

Reformulez librement les phrases ci-dessous en utilisant les expressions de l'encadré.

- plus... plus...
- de mieux en mieux
- tellement (de)... que...
- plus... moins...
- un peu plus...
- si... que...

Surveillez votre budget

a. Le prix du café est chaque jour plus cher.
b. L'aspirateur Astra coûte 80 €. L'aspirateur Micron coûte 82 € mais il est plus puissant.
c. Quand il fait plus chaud, la consommation de gaz diminue.
d. Votre voiture consomme beaucoup trop. Vous devez la changer.
e. Chaque année il améliore la gestion de son budget.
f. Elle fait beaucoup trop d'achats d'impulsion. Elle est à découvert à la fin du mois.

2. ACHETER

Écoutez. Charlotte est intéressée par une armoire qu'elle a vue sur le site « Le bon coin ». Elle téléphone au vendeur.
N° 56
Complétez les informations.

a. état du meuble...
b. dimensions....
c. couleur...
d. matière...
e. origine...
f. facilité de transport...
g. prix...
h. date d'enlèvement...

3. POSER DES CONDITIONS, FAIRE DES RESTRICTIONS

Imaginez des conditions et des restrictions. Utilisez les expressions de la page « Outils », p. 130.
a. Le directeur *(à un cadre de son entreprise)* : Je vous propose le poste de responsable de notre agence à Bangkok.
Le cadre : J'accepte à condition que ...

b. Le metteur en scène *(à une jeune femme rencontrée dans un cocktail)* : Vous êtes exactement la personne que je recherche pour le rôle principal de mon prochain film.
La jeune femme : ...

4. FAIRE UNE OPÉRATION BANCAIRE

Écoutez ces cinq scènes. Complétez le tableau.
N° 57

	scène 1
Où se passe la scène ?	dans la rue
Que demande-t-on ?	
Quelle est l'information donnée ?	

5. COMPRENDRE UN FAIT-DIVERS RELATIF À L'ARGENT

Deux hommes âgés d'une trentaine d'années, originaires de Marseille, sont suspectés d'être les auteurs de plusieurs vols de cartes de bleues, perpétrés entre Ain et Isère [...]
Après des plaintes déposées dans plusieurs brigades entre septembre 2015 et janvier 2016, les enquêteurs ont effectué des rapprochements sur le mode opératoire. S'appuyant sur les caméras de vidéoprotection, ils ont pu identifier les suspects.
À chaque fois, les malfaiteurs s'attaquaient à des personnes vulnérables, le plus souvent âgées, qui retiraient de l'argent au distributeur. Ils détournaient leur attention et en profitaient pour subtiliser leurs cartes bleues, leur faisant croire qu'elles avaient été avalées par la machine. Ils utilisaient ensuite ces cartes à leur profit.
Sur les 18 victimes recensées, le préjudice réel s'élève à 10 000 €, plus 7 000 € non débités.
Les auteurs présumés, dont l'un réside dans la région lyonnaise, sont poursuivis pour vols sur personnes vulnérables et escroquerie. Ils sont convoqués en décembre devant le tribunal de Vienne.

Bénédicte Dufour, www.leprogres.fr, 15/07/2016.

Lisez l'article de presse ci-dessus.

a. Complétez les informations suivantes :
1. type de fait divers...
2. lieu...
3. date...
4. auteur(s) ...
5. victime(s)...
6. conséquences...

b. Trouvez un titre pour cet article.

c. On interroge une victime du fait divers. Répondez pour elle.
1. Racontez-moi comment les malfaiteurs vous ont escroquée.
2. Est-ce qu'on les a retrouvés ?
3. Ils sont de la région ?
4. Est-ce qu'on les a jugés ?

d. Par deux, reconstituez une des escroqueries dont parle l'article. Imaginez le dialogue entre le malfaiteur et la victime.

PARTICIPER
À LA VIE CITOYENNE

1 **S'INTÉGRER DANS UNE VILLE**
- Parler de son intégration
- Présenter des idées opposées ou contradictoires

3 **JUGER UNE RÉALISATION LOCALE**
- Décrire un bâtiment culturel
- Donner son avis sur un projet architectural

2 **PARTICIPER À UNE CONSULTATION**
- Participer à un sondage
- Commenter les résultats d'un sondage

4 **CONNAÎTRE LES POUVOIRS POLITIQUES**
- Présenter une organisation politique et administrative
- Comprendre le travail d'une personnalité politique

PROJET

PARTICIPER À LA VIE POLITIQUE LOCALE

NOUVEAUX RÉSIDENTS

Le forum

Avez-vous eu des difficultés à vous intégrer quand vous êtes arrivés dans notre ville ?

■ Je suis arrivé dans cette ville il y a maintenant cinq ans. Bien que j'y sois né et que j'y aie vécu jusqu'à l'âge de 18 ans je ne connaissais plus beaucoup de monde. Beaucoup d'anciens amis de lycée étaient partis. Malgré les soirées sympas que j'ai passées avec des collègues de travail, les apéros proposés aux voisins, je ne me suis pas fait de véritables amis. J'ai eu beau m'inscrire à des clubs de gym ou de marche, je me retrouvais seul chez moi, le soir. Aujourd'hui, avec les associations, les sites Internet, etc., il est facile de rencontrer des tas de gens alors que trouver des personnes avec qui on a des affinités relève de l'exploit.
Mais je ne veux pas être totalement négatif. Il y a un an, j'ai quand même rencontré ma compagne et nous sommes très heureux ici.
Jean, 45 ans

L'AVF collabore étroitement avec la Municipalité de La Rochelle et l'Office de Tourisme pour favoriser l'accueil et l'intégration des nouveaux arrivants dans leur nouvelle ville et leur nouvelle vie.

Coucher de soleil sur Ré Photo A Belfodil (AVF)

Tour de l'horloge Photo Jérôme Goyallon (AVF)

Pen Duick prend le large... Photo A Belfodil (AVF)

ACCUEIL DES VILLES FRANÇAISES
AVF
SERVICE AU NOUVEL ARRIVANT
Nouveaux arrivants à La Rochelle et son agglomération
l'**AVF** est votre association

AVF-La Rochelle
Ecole Dor
24 rue Saint Jean du Pérot
17000 LA ROCHELLE

Tél. : 09 77 91 96 40
avf-larochelle17-3@wanadoo.fr
www.avf.asso.fr/fr/la-rochelle

■ Certes, Jean, ce n'est pas facile d'arriver dans une ville où on ne connaît personne mais on peut se faire des amis si on repère les gens qui ont un besoin d'ouverture. Dans les petites villes de province, il y en a beaucoup. Tu as l'impression que les gens te rejettent. Or, c'est souvent de la timidité. Il faut leur montrer ce que tu peux leur apporter. Il n'en reste pas moins que mon mari et moi nous avons mis deux ans à nous faire un petit cercle d'amis.
Céline, 40 ans

■ Tout à fait d'accord, Céline. Si on fait des efforts, ça paye. Nous, dès que nous sommes arrivés, nous avons parlé à tout le monde : les voisins, les parents d'élèves de l'école de nos enfants. Je fais partie d'une AMAP*, de plusieurs associations culturelles. Mon mari chante dans une chorale... Nous avons des loisirs beaucoup plus riches qu'à Paris. Certes, il faut du temps, mais beaucoup de nouveaux arrivants ont des préjugés sur les « provinciaux ». Or, si tu regardes autour de toi, tu trouveras des artistes, des passionnés d'histoire ou de sport, etc. Bref, tu trouveras des gens qui ont tes intérêts. Encore qu'il y a des gens coincés, comme partout.
Julie, 38 ans

* Association pour le maintien de l'agriculture paysanne.

Parler de son intégration

1. Observez les documents ci-dessus. Quelle est leur origine ? Par qui ont-ils été faits ? Dans quel but ?

 2. Travaillez en petit groupe. Partagez-vous les trois témoignages du forum. Pour chacun :
a. formulez l'idée principale développée par l'auteur du témoignage.
b. faites la liste de ses arguments.
c. que peut-on deviner de l'auteur du témoignage ? (vie familiale, personnalité)

3. Écoutez.
N° 58
François a travaillé à l'étranger. Puis, il est rentré en France avec sa famille et a été nommé à Clermont-Ferrand, une ville où il ne connaissait personne. Il retrouve Élodie, une ancienne collègue.
a. Répondez.
1. Depuis combien de temps François habite-t-il à Clermont-Ferrand ? Qu'a-t-il fait avant ?
2. Quelle a été son impression en arrivant à Clermont-Ferrand ?
b. Complétez le tableau.

Personnes rencontrées par François	Qualité de la rencontre et suites
les collègues	relations distantes et difficiles car...

4. Racontez une intégration.

Vous vous êtes, sans doute, un jour, retrouvé(e) dans une nouvelle ville, un nouveau pays, un nouveau quartier, une nouvelle école, etc. Comment s'est passée votre intégration ? Racontez.

Présenter des idées opposées ou contradictoires

5. Faites le travail de l'encadré « Réfléchissons ».

6. a. Combinez les deux phrases en utilisant l'expression entre parenthèses.

Propos d'une personne favorable à l'immigration en France
a. Il y a beaucoup de chômeurs en France. Les entreprises manquent de main d'œuvre (*bien que...*)
b. Il y a des différences culturelles entre les Français et les étrangers. Les étrangers arrivent à s'intégrer (*malgré...*)
c. La France a une politique familiale. La natalité n'est pas assez forte (*avoir beau...*)
d. L'Allemagne accueille volontiers les migrants. Les Français sont réticents (*alors que...*)
e. Les Français veulent moins de migrants. La France est un pays d'accueil (*bien que...*)

b. Réécrivez chaque phrase en utilisant une expression différente.

7. Complétez ces raisonnements en utilisant les mots entre parenthèses.

Propos d'une personne défavorable à l'immigration
a. (*c'est pourquoi – or – certes – donc*)
... les entreprises ont besoin de main d'œuvre.
... elles font venir des migrants.
... beaucoup de migrants sont sans formation.
... il faut une immigration sélective.
b. (*c'est pourquoi – or*)
Parler anglais est nécessaire aujourd'hui.
... beaucoup d'étrangers parlent mieux anglais que les Français.
... les entreprises préfèrent embaucher des étrangers.
c. (*toutefois – donc – certes*)
... dans le passé, les immigrés se sont bien intégrés.
... aujourd'hui, beaucoup ont des cultures très différentes de la nôtre.
... leur intégration sera difficile.

8. Par trois, recherchez des arguments favorables ou défavorables à l'installation d'immigrés dans un pays. Présentez-les en construisant un raisonnement.

Réfléchissons... Présenter des arguments contradictoires Raisonner par oppositions

• Dans le témoignage de Jean, remarquez les phrases dans lesquelles deux idées contradictoires sont exprimées.
a. Notez ces deux idées.
Phrase 2 : être né dans une ville et y avoir vécu 18 ans / ne connaître personne
b. Relevez et classez les expressions qui marquent ces contradictions.
• conjonction + verbe au subjonctif : ...
• préposition + nom : ...
• expression verbale : ...
NB : L'expression « quand même » (dernière phrase du témoignage de Jean) peut marquer une contradiction avec la phrase précédente. Elle peut aussi renforcer une opposition introduite par « mais » à l'intérieur d'une même phrase

• **Observez les témoignages de Céline et Julie. Trouvez les expressions qui introduisent :**
• un argument contraire à ce qui suit ;
• un argument nouveau qui va entraîner une conséquence non prévue ;
• une conclusion en opposition avec ce qui précède.

Prononcez... Automatisez

N° 59

1. a. voyelle + [r] en finale du mot. Répétez.
Il doit partir.
C'est un départ ... sans retour.
Or, il va pleuvoir. C'est sûr.
Quel enfer !
b. voyelle + [r] devant consonne. Répétez.
Il est parti. Quelle perte !
Pourtant, on l'a dorloté !
Certes, elle était insupportable
Mais on ne part pas de la sorte !

2. La construction avec « Bien que... ». Confirmez comme dans l'exemple.
Bien intégré
• – Il est étranger mais il s'est bien intégré.
– Bien qu'il soit étranger, il s'est bien intégré.
• – ...

sondage

Les femmes en politique : différentes des hommes ?

1. Personnellement seriez-vous prêt(e) à élire une femme présidente de la République ?
- oui, tout à fait : 71 %
- oui, plutôt : 23 %
- non, plutôt pas : 4 %
- non, pas du tout : 2 %

2. Selon vous, qui d'une femme ou d'un homme à la présidence de la République...

	une femme	un homme	autant une femme qu'un homme
mènerait une politique plus concrète.	32 %	3 %	65 %
mènerait une politique plus efficace.	25 %	4 %	71 %
représenterait mieux la France à l'étranger.	17 %	6 %	77 %

3. Selon vous, les qualités suivantes sont-elles plus répandues chez les femmes ou chez les hommes politiques ?

	une femme	un homme	autant une femme qu'un homme
Capacité d'écoute	55 %	2 %	43 %
Réflexion avant de prendre une décision	37 %	5 %	58 %
Courage	34 %	6 %	60 %
Franchise	36 %	4 %	60 %
Sympathie	36 %	4 %	60 %
Compréhension des préoccupations des Français	38 %	2 %	60 %
Honnêteté	37 %	2 %	61 %
Capacité à tenir ses engagements	33 %	3 %	64 %
Autorité	13 %	23 %	64 %
Capacité à réformer	23 %	8 %	69 %
Crédibilité	21 %	10 %	69 %
Capacité à rassembler les Français	17 %	12 %	71 %

4. Selon vous, qui d'une femme ou d'un homme serait le plus compétent pour mener des politiques publiques dans les domaines suivants :

	une femme	un homme	autant une femme qu'un homme
la famille	58 %	1 %	41 %
la santé	43 %	2 %	55 %
la sécurité	14 %	23 %	63 %
l'environnement	32 %	3 %	65 %
la communication et la culture	33 %	2 %	65 %
l'économie	17 %	12 %	71 %
la politique étrangère	9 %	18 %	73 %
l'emploi	21 %	6 %	73 %

Sondage Harris interactive, juillet 2015.

Valérie Pécresse

Christiane Taubira

Nathalie Kosciusko-Morizet

Anne Hidalgo

Participer à un sondage

1. Travaillez par 4 ou 5. Faites le sondage et comparez vos choix.

2. À quelle(s) qualité(s) de la question 3 du sondage correspondent les comportements suivants ?

a. Elle est aimée dans toutes les couches de la société.
b. Elle n'a jamais été inquiétée par la justice.
c. Elle sait prendre des décisions impopulaires.
d. Quand elle fait une promesse, on la croit.
e. Elle dit toujours la vérité.
f. Elle se fait conseiller et prend beaucoup d'avis.
g. Elle agit pour résoudre les problèmes des gens.
h. Elle a toujours tenu ses promesses.
i. Elle sait convaincre les gens de la nécessité de certaines réformes.
j. Quand elle voyage, elle interroge les gens qu'elle rencontre.

3. Discutez en petit groupe. D'après vous...

a. les femmes (politiques ou non) ont-elles des qualités que n'ont pas les hommes ?
b. y a-t-il des domaines où les femmes sont plus compétentes que les hommes ?

Commenter les résultats d'un sondage

Résultats du sondage sur la sécurité effectué par la municipalité de Villeneuve

800 personnes ont participé au sondage.
Toutes souhaitent plus de policiers.
Les caméras de surveillance sont approuvées par **la plupart** d'entre elles.
Beaucoup aimeraient que la justice soit plus rapide.
Des peines plus sévères pour les délinquants sont souhaitées par **plusieurs d'**entre elles.
Quelques-unes voudraient que la police municipale soit armée.
Un certain nombre approuverait les portiques de sécurité à l'entrée des collèges et des lycées.
La présence de vigiles dans les quartiers est souhaitée par très **peu d'**entre elles.
Aucune ne souhaite la création de prisons municipales et **pas une** ne veut que les armes soient en vente libre.

SONDAGE
Selon vous, dans le domaine de l'écologie, quelles seraient les mesures à prendre en priorité ?

• Supprimer les centrales nucléaires	5 %
• Développer les énergies renouvelables	100 %
• Interdire la chasse	20 %
• Améliorer le tri	90 %
• Interdire les piscines privées	2 %
• Taxer les vieux immeubles consommateurs d'énergie	0 %
• Créer de nouveaux parcs naturels	60 %

4. Lisez le « Point infos ». Pensez-vous que ces organisations puissent résoudre la question de l'inégalité entre les femmes et les hommes ?

(i) Point infos

LA PARITÉ HOMMES-FEMMES : UN ENGAGEMENT FRANCOPHONE

Depuis vingt ans, l'**Organisation Internationale de la Francophonie (OIF)** œuvre en faveur de l'égalité entre les femmes et les hommes pour que les bénéfices de ses projets de coopération et de développement aient les mêmes retombées pour les femmes et pour les hommes. Depuis la Conférence des femmes de la Francophonie en 2000 à Luxembourg, elle s'est résolument engagée pour la promotion et la protection des droits des femmes, leur accès à l'autonomie et la réduction des disparités entre les sexes.

D'autres organisations francophones travaillent dans le même sens : le **Réseau francophone pour l'égalité femme-homme (RF-EFH)** lancé le 25 octobre 2013 à l'initiative d'Abdou Diouf, Secrétaire général de la Francophonie, l'**Assemblée parlementaire de la Francophonie (APF)**, la **Déclaration des représentantes universitaires** en faveur de l'accès des femmes universitaires à des postes à responsabilité, le site **Terriennes** de TV5Monde, l'**Association internationale des maires francophones (AIMF)**.

5. Faites le travail de l'encadré « Réfléchissons » et discutez les résultats du sondage sur la sécurité.

Réfléchissons... L'emploi des pronoms indéfinis de quantité

• **Lisez les résultats du sondage ci-contre. Remplacez les mots en gras par les pourcentages suivants :**
0 % – 2 % – 5 % – 10 % – 65 % – 90 % – 100 %
Les mots en gras sont appelés « pronoms indéfinis ». Qu'indiquent-ils ?
• **Reformulez chaque phrase.**
a. Quand le pronom indéfini est sujet du verbe, placez-le en position complément.
b. Quand il est en complément, placez-le en position sujet.
Exemple : Phrase 1 : L'augmentation du nombre de policiers est souhaitée par toutes (les personnes interrogées).

6. Commentez le sondage sur l'écologie en utilisant les pronoms indéfinis.

Décrire un bâtiment culturel

La séquence radio — **Le MUCEM de Marseille**

N° 60

Le journaliste Benjamin Dehaut présente le MUCEM (Musée des Civilisations de l'Europe et de la Méditerranée) situé à Marseille. Il interroge l'architecte concepteur du bâtiment, l'auteur d'une des expositions et des visiteurs.

1. Lisez ci-dessus la présentation du reportage, observez la photo et écoutez le reportage. Repérez les différents intervenants.

2. Réécoutez la première moitié du reportage.
a. En vous aidant de la photo, dites à quoi correspondent les éléments suivants. Qu'apprenez-vous sur eux ?
1. le fort Saint-Jean
2. le bâtiment neuf
3. le centre de conservation de la mer
4. un toit terrasse
5. une ombrelle de dentelle bétonnée
6. une passerelle
7. Rudy Ricciotti
8. Thierry Fabre
b. Que peut-on voir au MUCEM ?

3. Réécoutez l'intervention de Thierry Fabre. Complétez cette présentation de l'exposition.
Dans cette exposition, Thierry Fabre a voulu retracer ...
Dans le passé, les gens craignaient la mer parce que ...
À partir du xixe siècle, ce regard change ...
Thierry Fabre expose un tableau du peintre Courbet intitulé ... . Il montre ...
Dans cette exposition, on peut voir aussi ...

4. Réécoutez la fin du reportage. Quel jugement les visiteurs portent-ils sur :
a. le bâtiment ?
b. les expositions ?
c. le patrimoine de Marseille ?

5. Lisez, ci-dessous, la présentation du Centre Pompidou de Metz. Faites le travail de l'encadré « Réfléchissons ».

Le Centre Pompidou-Metz

Construit par les architectes Shigeru Ban et Jean de Gastines, inauguré en 2010, le Centre Pompidou-Metz est situé au cœur de la ville de Metz, en Lorraine.
Présentant une partie des œuvres contemporaines du Centre Pompidou de Paris et visité la première année par 800 000 personnes, ce musée est un exemple de décentralisation culturelle.
En développant le tourisme, ce musée devait dynamiser l'économie de la région.
Malheureusement, le nombre de visiteurs ayant régulièrement baissé, le centre se trouve aujourd'hui dans une situation difficile.

Réfléchissons... Les propositions participes

• **Observez chaque phrase de la présentation du Centre Pompidou-Metz. Formulez les informations qu'elle regroupe pour décrire ou expliquer.**
Phrase 1 : le Centre Pompidou-Metz → Il a été construit...
Il a été inauguré en 2010.

• **Distinguez :**
a. les propositions participes passés. Elles apportent une information sur...
b. les propositions participes présent. Elles apportent une information sur...

• **Regroupez les informations en une seule phrase en utilisant les propositions participes.**
a. Le château de Versailles était la résidence de Louis XIV. Il a été construit au xviie siècle. Il est situé à 40 km de Paris.
b. On a installé des œuvres d'art contemporain dans les salles et le parc de Versailles. On a choqué certains visiteurs.
c. J'ai vu les installations de Jeff Koons à Versailles en 2008. Je suis revenu enthousiasmée.

6. En utilisant des propositions participes, rédigez une présentation du MUCEM de Marseille.

Chambre avec roue

C'est à la fois une idée de dingue et un projet follement séduisant: un hôtel ayant la forme d'une grande roue posée sur l'eau et dont les cabines tiendraient lieu de... chambres. Comme toute grande roue digne de ce nom, celle-ci tournerait, mais à vitesse lente, entraînée par le courant du fleuve. Et que les touristes sujets au mal de mer se rassurent : les cabines pivoteraient sur des roulements à billes de sorte que les « chambres » demeurent toujours à l'horizontale. Cet hôtel éphémère se poserait pendant quelques mois à Paris, face aux Invalides, par exemple. Avant d'être démonté (en quatre jours) puis remonté un peu plus loin - devant Notre-Dame ou la tour Eiffel. Le concept pourrait bien sûr être adapté dans n'importe quelle cité. La seule contrainte? La présence d'une rivière...

« Nous voulons offrir une nouvelle façon de voir la ville, résume Maxime Barbier, l'un des architectes à l'origine de cette utopie très sérieuse. Les occupants bénéficieraient de vues différentes sur la rive opposée, tantôt au ras de l'eau, tantôt en surplomb. » Spectacle garanti: de la basilique Saint-Marc de Venise à l'Opéra de Sydney, en passant par Big Ben, à Londres, c'est au bord de l'eau que sont bâtis la plupart des grands édifices [...]

Reste un « détail »: les autorisations. À Paris, la mairie se dit réservée. « J'ai des doutes sérieux sur ce projet que je trouve trop élevé et peu compatible avec le cœur historique de Paris, précise Jean-Louis Missika, adjoint (apparenté PS) chargé de l'urbanisme. Il me paraît notamment hors de question qu'il puisse s'installer face au Louvre ou à Notre-Dame. » [...]

Et si la capitale disait non? Qu'à cela ne tienne ! Des contacts plus encourageants ont été noués à Bordeaux. « C'est un projet à la fois intéressant et décoiffant, estime Stéphan de Faÿ, directeur général de Bordeaux Euratlantique, qui supervise l'aménagement de quelque 700 hectares autour de la gare Saint-Jean. Il me séduit d'autant plus qu'il s'agit d'une installation provisoire, qui ne modifie pas le paysage de manière permanente. Je verrais bien cet hôtel s'installer à côté du pont de Pierre, devant la caserne de pompiers de la Benauge, avec vue sur la rive noble de la ville. »

MF-P, *L'Express*, 17/02/2016.

© SCAU architectes. Perspecteur Luxignon.

Donner son avis sur un projet architectural

7. Lisez l'article « Chambre avec roue ». Repérez les passages :
a. où on décrit le projet ;
b. où on exprime des opinions.

8. Approuvez ou corrigez les phrases suivantes.
a. La grande roue qu'on voit sur la photo est un hôtel.
b. Des chambres de cet hôtel, on a une vue magnifique.
c. C'est une installation provisoire.
d. Si on dort dans ces chambres, on peut se sentir mal.
e. Cet hôtel a déjà été installé à Paris.
f. La mairie de Paris approuve cette installation.
g. La mairie de Bordeaux est aussi intéressée.

9. Discutez. Donnez votre avis sur ce projet. Présentez d'autres constructions originales si vous en connaissez.

Prononcez... Automatisez

N° 61

Distinguez les sons [s] et [ʃ], [z] et [ʒ]. Répétez.

Jolie ville

Le mu**s**ée est **g**énial,

Le **z**oo est **j**oli,

L'égli**s**e est ouvra**g**ée,

Et sa**ch**ez admirer les **s**alles du **ch**âteau

Aux **ch**armantes man**s**ardes !

>>TESTEZ VOS CONNAISSANCES EN POLITIQUE

■ Associez.

1. Caractérisez ces États :

a. la Belgique
b. la France
c. la Suisse

1. un état fédéral
2. une monarchie constitutionnelle fédérale
3. une république

2. Voici des présidents de la République française. Qu'ont-ils fait ?

a. Charles de Gaulle
b. Valéry Giscard d'Estaing
c. François Mitterrand
d. Jacques Chirac
e. Nicolas Sarkozy
f. François Hollande

1. abolition de la peine de mort
2. fondation de la Vᵉ République
3. suppression du service militaire
4. droit au mariage pour les couples du même sexe
5. instauration de la majorité à 18 ans
6. loi sur la protection de l'environnement (Grenelle-Environnement)

3. Ils ont compté pour leur pays. Quel est ce pays ?

a. Léopold Sédar Senghor
b. Hassan II
c. Pierre-Elliot Trudeau
d. Félix Houphouët-Boigny
e. Habib Bourguiba

1. le Canada
2. le Sénégal
3. la Tunisie
4. le Maroc
5. la Côte d'Ivoire

4. Quelles institutions représentent le peuple ?

a. en Belgique
b. en France
c. en Suisse

1. le Conseil national et le Conseil des États
2. l'Assemblée nationale et le Sénat
3. la Chambre des députés et le Sénat

5. Comment ces pays sont-ils organisés ?

a. la Belgique
b. la France
c. la Suisse

1. en 13 régions (et 5 outre-mer) regroupant 101 départements
2. en 3 communautés de langue et de culture et 3 régions (regroupant 10 provinces)
3. en 26 cantons

6. En France, les élections suivantes sont organisées pour élire qui ?

a. présidentielles
b. législatives
c. régionales
d. européennes
e. municipales

1. les conseillers municipaux qui élisent le maire
2. les députés européens
3. les conseillers régionaux
4. le président de la République
5. les députés de l'Assemblée nationale

7. Elles ont eu un rôle dans l'histoire de France. Lequel ?

a. Jeanne d'Arc
b. Marie-Antoinette
c. Germaine Tillion
d. Olympe de Gouges
e. Simone Veil

1. lutte pour les droits des minorités (femmes, noirs, esclaves)
2. redonne du courage à l'armée du roi de France
3. fait voter une loi sur l'interruption volontaire de grossesse
4. participe à la Résistance lors de la Seconde Guerre mondiale
5. défend la monarchie absolue bien qu'elle adhère à certaines idées de Rousseau

27 novembre 2016 : François Fillon a été désigné à 67 % comme candidat de droite pour l'élection présidentielle de mai 2017.

■ Notez les bonnes réponses

8. Quel est le statut du Québec ?
a. un État indépendant
b. une région dotée d'une grande autonomie
c. une province du Canada

9. Quels États...
... ne font pas partie de la communauté européenne ?
a. l'Allemagne   **c.** la Turquie   **e.** l'Irlande
b. la Norvège   **d.** L'Italie
... n'utilisent pas l'euro comme monnaie ?
a. La Belgique   **c.** la Pologne   **e.** le Portugal
b. la Grèce   **d.** le Danemark

10. En France, le président de la République....
a. dirige le gouvernement.
b. est le chef des armées.
c. nomme le Premier ministre.
d. est élu pour sept ans.
e. préside le Conseil des ministres.
f. ne peut pas être réélu.

L'Hôtel de Région, Montpellier

Présenter une organisation politique et administrative

1. Faites le test sous forme de concours par équipe.
a. Constituez des équipes de six étudiants et donnez-vous un temps précis pour faire le test (20 à 30 minutes).
b. Chaque équipe fait le test en mettant les connaissances en commun et en cherchant sur Internet les réponses qu'ils n'ont pas trouvées.
c. Confronter les résultats des équipes.

2. Présentez l'organisation politique de votre pays :
a. le type d'État (république, monarchie, etc.) ;
b. la personnalité la plus importante ;
c. le gouvernement et ses réalisations ;
d. les représentants du peuple ;
e. les divisions administratives et leurs représentants ;
f. les principaux partis.

Comprendre le travail d'une personnalité politique

Le reportage vidéo

Députée : au service de la communauté française

N° 9
Notre journaliste s'est entretenu avec Claudine Schmid, députée des Français de l'étranger.

4. Regardez le reportage avec le son. Trouvez les informations suivantes :
a. sur la vie de Claudine Schmid. Répondez.
1. Que faisait-elle avant d'être députée ?
2. Un député s'occupe d'une circonscription (ensemble de Français vivant sur une portion du territoire). Quelle est la circonscription de Claudine Schmid ?
3. À partir de quand est-elle entrée en politique ?
b. sur son emploi du temps. Quel est l'emploi du temps de Claudine Schmid
1. le lundi ?
2. du mardi au jeudi ?
3. le vendredi ?
c. sur son travail de députée. Complétez :
Dans sa circonscription, Claudine Schmid rencontre ...
À l'Assemblée nationale, lors du travail en commissions, elle vérifie ...

3. Regardez le reportage sans le son ni les sous-titres. Notez ce que vous avez vu.
a. une pendule suisse
b. un buste de Marianne
c. un drapeau français
d. un drapeau de l'Union européenne
e. une affiche du parti « Les Républicains »
f. la façade de l'Assemblée nationale
g. l'hémicycle de l'Assemblée nationale
h. le banc des ministres
i. une carte de la Suisse
j. une assiette du Liechtenstein
k. une proposition de loi

Lorsqu'elles souhaitent réaliser un projet, les municipalités et les régions organisent des réunions de concertation avec les associations, les comités de quartiers, les usagers. Tout le monde peut donner son avis lors des consultations et des enquêtes publiques.
Dans cette leçon, vous apprendrez à défendre une initiative locale, à vous opposer à un projet et à faire des suggestions.

La mairie de Paris a décidé de supprimer la circulation automobile sur la rive droite de la Seine et d'aménager la berge. Êtes-vous favorable à cette initiative ?

• J'approuve totalement cette décision de la municipalité. Elle limitera le nombre de voitures au cœur de Paris. Il y aura moins de pollution. – Lilou
• Je trouve que la maire de Paris a bien fait. Les berges de la Seine rendues aux piétons : c'est une excellente idée. D'autant qu'elles figurent au patrimoine mondial de l'UNESCO. – MC Alfred
• Je suis pour à 100 %. D'autant qu'elles seront aménagées pour les promeneurs et les cyclistes avec des arbres, des cafés, des aires de sports et de jeux. – Norman75
• Je désapprouve cette décision. La circulation sera reportée sur d'autres voies et cela va provoquer des embouteillages et donc, davantage de pollution. On n'aurait pas dû faire cela. – Roberto
• Je m'élève contre ce projet. D'ailleurs, plusieurs sondages ont montré que les Parisiens étaient contre. – Dina du 18ᵉ
• J'habite la banlieue ouest et je travaille gare de Lyon. Je vais mettre une heure de plus pour aller au bureau. Je ne suis pas favorable à ce projet. – Juju

1 Défendez une initiative.

1. Lisez les trois premiers commentaires du forum ci-dessus. Relevez :
a. les expressions qui expriment les opinions des participants ;
b. leurs arguments.

2. Lisez l'article ci-contre.
a. Quel est le projet du gouvernement ?
b. Quels sont les arguments de ceux qui y sont opposés ?

 3. Travaillez en petit groupe. Recherchez des arguments en faveur du droit de vote des étrangers résidant en France.

4. Rédigez une défense du droit de vote aux étrangers.

2 Opposez-vous à un projet.

5. Lisez les trois derniers commentaires du forum. Relevez :
a. les expressions qui expriment les opinions des « participants » ;
b. leurs arguments.

Le vote des étrangers aux élections locales encore repoussé

Le gouvernement craint de ne pas avoir la majorité des deux-tiers pour faire adopter la loi donnant le droit de vote aux élections locales aux étrangers résidant en France et n'appartenant pas à la Communauté européenne. Rappelons que les Européens ont ce droit depuis 1998. En effet, la moitié des Français n'y sont pas favorables. Ils ont peur que des groupes de pressions communautaires influencent les décisions locales et portent atteinte aux valeurs et à l'identité de la France (laïcité, égalité des sexes, etc.). Pour eux, seuls les membres de la Communauté européenne qui partagent ces valeurs peuvent participer aux décisions politiques.

PARIS VALIDE LES TOURS DUO DE JEAN NOUVEL

Le permis de construire pour le projet de deux immeubles prévu en 2020 dans le 13e a été délivré le 22 septembre.

Situées dans le 13e arrondissement de la capitale, en bordure de la Seine et des voies ferrées, la première tour offrira 39 étages sur 180 mètres et la seconde, 27 étages sur 122 mètres. La destination de ces immeubles de grande hauteur est mixte : d'une part 96 100 m² de bureaux, de l'autre, sur 12 000 m², un hôtel, un restaurant bar avec une vue panoramique sur Paris, un auditorium, des commerces, un jardin et des terrasses végétalisées. Ils devraient être en outre les premiers en France à bénéficier du label d'excellence WELL (WELL Building Standard).

Évoquant ces tours asymétriques, Jean Nouvel, qui a déjà réalisé à Paris l'Institut du monde arabe, la Fondation Cartier pour l'art contemporain, le musée du quai Branly et la Philharmonie, parle d'une « composition architecturale lisible ». Malgré les remarques majoritairement négatives formulées par les riverains du quartier Bruneseau, selon les responsables d'associations, la commissaire enquêtrice Marie-Claire Eustache a rendu un avis favorable à la demande de permis de construire. « Le projet de construction des tours Duo soumis à enquête m'apparaît complet et bien maîtrisé dans ses différents aspects et impacts », résume-t-elle.

Frédéric Edelmann , *Le Monde*, 23/09/2015.

6. Lisez l'article ci-dessus.
a. Résumez le projet en une phrase.
b. Présentez l'auteur du projet en une phrase.
c. Que pensez-vous de la décision de la commissaire enquêtrice ?

 7. En petit groupe, recherchez des arguments contre le projet.

8. Postez un commentaire sur le site du journal pour exprimer votre opposition.

3 Faites des suggestions.

9. Lisez l'article ci-dessous.
a. De quelle initiative s'agit-il ?
b. Comment est née cette initiative ?
c. Quel est son intérêt ?
Trouvez un titre pour cet article.

10. Travaillez en petit groupe. Recherchez une idée originale pour éviter un désagrément dans votre ville (voiture garée sur les trottoirs, piéton qui traverse en dehors des passages, chiens qui salissent les trottoirs, etc.).

Plus d'attentes dans les lieux publics passées à regarder en l'air ou sa page Facebook sur son smartphone. Place à la culture ! Depuis quelques jours, Grenoble expérimente des distributeurs publics d'histoires courtes, une première dans l'édition en France, selon son concepteur.

« L'idée nous est venue devant un distributeur de barres chocolatées et de boissons et on s'est dit qu'on pourrait faire la même chose avec de la littérature populaire de bonne qualité pour occuper de petits temps morts », a déclaré lundi à l'AFP Christophe Sibieude, cofondateur et président de Short Edition, une start-up d'édition communautaire iséroise.

Prototypes loués pendant un an par la municipalité grenobloise, « ces bornes délivrent gratuitement et à la demande un ticket papier sur lequel l'utilisateur peut lire des nouvelles, des BD courtes ou des poèmes que l'on retrouve aussi sur notre plateforme communautaire (ndlr : site internet, application pour smartphones...). Cette dernière met en avant 5 000 auteurs et compte déjà 140 000 abonnés », a-t-il ajouté.

AFP, 13/10/2015.

CONSTRUIRE UNE ARGUMENTATION

• Présenter des arguments contradictoires dans une même phrase

– **bien que + verbe au subjonctif** :

***Bien qu'**on **ait voté** des lois sur la parité, il y a des inégalités entre les hommes et les femmes.*

– **malgré + nom – en dépit de + nom** :

***Malgré certains progrès**, les tâches domestiques ne sont pas totalement partagées entre les hommes et les femmes.*

– **avoir beau + verbe à l'indicatif** :

*Les hommes **ont beau dire** qu'ils font la cuisine et la vaisselle, ce sont presque toujours les femmes qui font la lessive et le repassage.*

– **même si + verbe à l'indicatif** :

***Même si** les partis politiques **revendiquent** la parité, il y a trop peu de femmes élues.*

– **quoique + verbe au subjonctif** est utilisé comme « bien que » mais introduit une opposition plutôt en fin de phrase ou au début de la phrases suivante.

*Aucune femme n'a été élue présidente de la République en France **quoique** Ségolène Royal **ait failli** l'être en 2007.*

• Quand même peut introduire une contradiction dans une même phrase ou dans une phrase séparée.

*On sait que l'insecticide B2X est nocif **mais** il est **quand même** en vente.*

*On sait que l'insecticide B2X est nocif. On le vend **quand même**.*

• Introduire une objection dans un raisonnement

– **Certes (Il est vrai que… – Il est certain que…)** introduisent des arguments contraires à ce qui va suivre.

***Certes**, les immigrés ont des difficultés à s'intégrer mais ils sont accompagnés par des associations.*

– **Or** introduit un argument contraire à ce qui précède et qui va modifier la conclusion

*Cet étudiant étranger dit qu'il a des difficultés pour apprendre le français. **Or**, ses amis l'ont très bien appris. Il doit donc faire des efforts.*

NB : « Or » peut aussi introduire un événement qui modifie la suite attendue.

*Nous avions prévu de faire une randonnée hier. **Or**, il a plu toute la journée. Nous l'avons donc annulée.*

– **Il n'en reste pas moins que… – Encore que…** permettent de conclure en faisant une réserve.

*Les immigrés sont attirés par l'Europe. **Il n'en reste pas moins que** certains sont déçus en arrivant.*

*Beaucoup d'immigrés ne trouvent pas de travail. **Encore que** ceux qui ont une formation réussissent très bien.*

EXPRIMER DES QUANTITÉS INDÉFINIES

Emplois	Adjectifs indéfinis	Pronoms indéfinis
Indéfinis employés pour des quantités non comptables (indifférenciées)	Il prend **un peu de** repos. J'ai **peu de** temps. Elle a **beaucoup d'**argent. Il fait **tout** le travail.	Il en prend **un peu**. J'en ai **peu**. Elle en a **beaucoup**. Il a **tout** fait.
Indéfinis employés pour des quantités comptables (différenciées)	• Il invite **peu d'**amis… **certains** amis… **plusieurs** amis… **la plupart de** ses amis… **tous** ses amis. **Aucun(e)** collègue **n'**a été invité(e). • **Peu d'**amis, **certains** amis, **quelques** amis … sont venus. Il **n'**a invité **aucun(e)** collègue.	• Il en invite **peu, certain(e)s, quelques-uns, plusieurs, beaucoup, la plupart**. • Il invite **certains d'entre eux (elles), quelques-unes d'entre elles**, … • **Peu d'entre eux, certaines d'entre elles** … sont venu(e)s. • Il **n'**en a invité **aucun (e) – aucun(e) d'entre eux (elles)**. • **Aucun(e) n'**est venu(e).
Indéfinis qui n'expriment pas la quantité	• Il a envoyé une invitation à **chaque** ami(e). • Il a pris **n'importe quel** traiteur.	• Il a envoyé une invitation à **chacun (chacune) d'entre eux (elles)**. • Il a pris **n'importe lequel**.

CARACTÉRISER PAR UNE PROPOSITION PARTICIPE

• **La proposition participe passé**

Elle permet de caractériser un nom en rassemblant plusieurs informations en une seule phrase.

La tour Eiffel a été imaginée par l'ingénieur Gustave Eiffel. Elle a été construite pour l'exposition universelle de 1889. C'est un des monuments les plus visités de Paris.

→ ***Imaginée*** *par l'ingénieur Gustave Eiffel et* ***construite*** *pour l'exposition universelle de 1889, la tour Eiffel est un des monuments les plus visités de Paris.*

• **La proposition participe présent**

Elle apporte une information à propos d'un nom ou d'un verbe. Elle rassemble plusieurs informations en une seule phrase.

Le préfet du département ***représentant*** *le gouvernement a présidé la cérémonie du 11 novembre.*

Trois ministres ***ayant démissionnés****, le Premier ministre procède à un remaniement ministériel.*

Ayant pris *connaissance des derniers sondages, le Président a décidé de ne pas se représenter.*

NB : Le sujet du verbe de la proposition participe peut être différent de celui de la proposition principale.

APPROUVER - DÉSAPPROUVER - SUGGÉRER

• **Approuver** : *J'approuve cette décision. – Je suis pour. – C'est une excellente idée. – Je trouve que cette décision est bonne. – Le ministre a bien fait de prendre cette décision.*

• **Désapprouver** : *Je désapprouve ce projet. – Je suis contre. – Je m'élève contre ce projet. – Je ne suis pas favorable à ce projet. – Je ne suis pas en faveur de ce projet.*

Je ne trouve pas (je ne pense pas... Je ne crois pas...) que cette décision soit bonne. (subjonctif après les verbes d'opinion à la forme négative)

• **Suggérer** : *Je suggère une autre idée. – Je suggère que le projet soit modifié. – On pourrait... – On devrait... – Il faudrait...*

PARLER DE POLITIQUE

Le vocabulaire de la politique a été vu page 33.

• **La vie associative** : une association – un comité – un groupe – un club – une amicale – un cercle – une fédération le président de l'association, le bureau, les membres de l'association, adhérer à une association

• **Les syndicats** : se syndiquer – un syndicaliste (un militant) – une réunion syndicale – l'action syndicale – un mouvement social – un conflit social (contester, revendiquer) – une manifestation – faire grève – un blocage

• **l'action politique** :

→ instaurer un régime parlementaire – fonder un parti – mettre en place une nouvelle politique – s'attaquer au problème du chômage

→ mettre en œuvre une politique économique – prendre des mesures pour favoriser la création d'entreprises

→ supprimer des avantages – abolir la peine de mort – abroger une loi – faire table rase de la politique du précédent gouvernement – revenir sur certaines mesures

PARLER DE L'IMMIGRATION

• un immigré – immigrer – un migrant

émigrer vers un pays étranger (un émigré) – s'expatrier (un expatrié)

• s'intégrer – s'adapter à une nouvelle vie – s'habituer à de nouveaux horaires – se faire à (*Je n'arrive pas à me faire à la nourriture.*)

une habitude – un mode de vie – une façon (une manière) de vivre – une coutume – une tradition – se comporter de manière différente – *Ces étrangers ont une culture de l'accueil et du partage que j'apprécie.*

• accepter / rejeter un étranger – être xénophobe (la xénophobie) – être raciste (le racisme)

1. CONSTRUIRE UNE ARGUMENTATION

Regroupez les phrases en n'utilisant les expressions suivantes qu'une seule fois :
bien que – malgré – avoir beau – mais – quand même – cependant

Un populiste
a. Il n'a pas de programme. Il se présente.
b. Il n'a aucun soutien chez les députés. Il séduit les gens.
c. Il a un langage simple et direct. Il impressionne les électeurs.
d. Il n'est pas sympathique. Son dynamisme fascine.
e. Il n'a jamais été élu. On lui fait confiance.

2. UTILISER LES PROPOSITIONS PARTICIPES

Regroupez les informations en une seule phrase.

Charles de Gaulle
a. Charles de Gaulle est né en 1890 à Lille. Il a été élevé dans une famille qui cultivait la grandeur nationale et le service de l'État. Il choisit de faire une carrière militaire.
b. Il participe à la Première Guerre mondiale. Il est blessé et fait prisonnier.

c. L'Allemagne prépare une nouvelle guerre. De Gaulle tente de convaincre ses supérieurs de moderniser l'armée française.
d. En 1940, l'armée française a capitulé. De Gaulle quitte la France pour Londres.
e. La France est occupée. De Gaulle organise la résistance depuis Londres. Il s'impose comme le représentant de la France Libre.

3. EXPRIMER DES QUANTITÉS INDÉFINIES

Un député a organisé une réunion de campagne électorale. Faites le bilan de la réunion en remplaçant les nombres par des pronoms indéfinis.
« Le député avait invité 300 personnes. La plupart... »

Personnes invitées : 300
Participants : 260
Personnes excusées : 40
Personnes ayant apporté un soutien financier : 200
Personnes ayant posé des questions : 3
Personnes ayant critiqué le programme : 0

4. DÉCRIRE UNE RÉALISATION LOCALE

Mandelieu, les caméras de surveillance sermonnent les passants

Big Brother est partout, même à Mandelieu-la-Napoule, dans les Alpes-Maritimes. La municipalité a, en effet, équipé ses caméras de vidéosurveillance de haut-parleurs. Ainsi, la police municipale peut interpeller les Mandolociens qui ne respectent pas certaines règles de la ville, comme se garer correctement ou encore ramasser les déjections de son chien. « Madame, ici la police municipale. Vous ne pouvez pas rester garée à cette place, sinon nous allons vous verbaliser. » Après ce premier avertissement, si la personne refuse d'obtempérer, la police interviendra, avec une amende à la clé. Pour la mairie, il s'agit là de lutter contre la petite délinquance, qui a doublé en un an au sein de la commune. Au total, 10 caméras parlantes ont déjà été installées (sur les 123 qui quadrillent la ville) derrière lesquelles trois opératrices se relaient au sein du centre de supervision situé dans les locaux de l'hôtel de police.

www.lepoint.fr, 29/03/2016.

Lisez l'article ci-dessus et complétez la fiche d'informations.
a. Type d'installation : ...
b. Réalisée par : ...
c. Lieu : ...
d. But : ...
e. Nombre : ...
f. Personnel nécessaire : ...

5. COMPRENDRE DES AVIS

N° 62
Écoutez le micro trottoir. Des habitants de Mandelieu donnent leur avis sur les caméras parlantes. Complétez le tableau.

	L'intervenant est-il pour (P) ou contre (C)	Argument(s) de l'intervenant
1	P	

6. DONNER SON AVIS

Faites le compte-rendu du micro-trottoir et donnez votre opinion.
« Les habitants de Mandelieu ont été interrogés à propos des nouvelles caméras de vidéosurveillance. Certains y sont favorables... »

ANNEXES

Index des points de grammaire

On trouvera ci-dessous les points de grammaire développés dans les niveaux A1 et A2 de *Tendances* ainsi que des renvois aux points abordés dans *Tendances B1*.

NOMMER LES PERSONNES ET LES CHOSES

	masculin singulier	féminin singulier	pluriel
les articles indéfinis Pour nommer les personnes et les choses en général	**un** *Je voudrais **un** dictionnaire.*	**une** *Voici **une** banque.*	**des** *J'ai **des** amis.*
les articles définis • Pour nommer : – des personnes précises ou uniques ***la** voiture de Paul – **le** soleil* – des qualités ou des domaines ***le** courage – **les** sciences* • Pour généraliser ***Les** amis de mes amis sont mes amis.*	**le** *Je voudrais **le** dictionnaire français/anglais.*	**la** *Voici **la** banque BNP.*	**les** *J'ai invité **les** amis de Paul.*
	l' (devant voyelle ou « h ») *Nous arrivons à **l'**hôtel de la Gare*		
	Les articles définis « le » et « les » se combinent avec les prépositions « à » et « de ». **à + le → au** **à + les → aux** *Il va **au** cinéma.* **de + le → du** **de + les → des** *Il vient **des** États-Unis.*		
les articles partitifs Pour nommer : • une partie d'un ensemble *J'ai pris **du** gâteau.* • un ensemble indifférencié *Il fait **du** vent.*	**du** *Il boit **du** thé.*	**de la** *Il est tombé **de la** neige.*	

MONTRER

1. Les adjectifs démonstratifs

masculin singulier	féminin singulier	pluriel
ce *Je voudrais **ce** tee-shirt.* **cet** (devant voyelle et « h ») *Je loge dans **cet** hôtel.*	**cette** *J'ai choisi **cette** robe.*	**ces** *Je mets **ces** chaussures pour randonner.*

2. Les pronoms démonstratifs

le pronom représente un nom.....	... proche dans la réalité ou dans la pensée	... éloigné ou pour distinguer du précédent	... suivi d'un complément de nom ou d'une proposition relative
masculin singulier *Quel **foulard** tu préfères ?*	**celui-ci**	**celui-là**	**celui** de Marie **celui** qui est rouge
féminin singulier *Quelle **robe** tu mets ?*	**celle-ci**	**celle-là**	**celle** à rayures **celle** que j'ai achetée hier
masculin pluriel *Quels **pulls** tu prends ?*	**ceux-ci**	**ceux-là**	**ceux** en laine **ceux** qui tiennent chaud
féminin pluriel *Quelles **chemises** tu emportes ?*	**celles-ci**	**celles-là**	**celles** pour l'été **celles** qui sont à manches courtes
neutre *Qu'est-ce je mets pour le mariage de Paul ?*	**ceci**	**cela – ça**	Mets **ce** que tu veux, ce qui te plaît.

3. Les adjectifs et les pronoms interrogatifs

Tu aimes le cinéma ? **Quel est le dernier film que tu as vu ?** **Lequel** *tu as préféré ?*

Il y a de bonnes pièces de théâtre en ce moment. **Quelle** *pièce tu préfères ?* **Laquelle** *tu veux voir ?*

Tu as lu des livres ? **Lesquels ? Quels** *auteur tu aimes?*

Tu as écouté des chansons ? **Lesquelles ? Quel** *chanteur tu aimes ?*

Quelles *chansons tu aimes ?*

EXPRIMER L'APPARTENANCE

1. Le complément de nom
*C'est le manteau **de** Mélanie.*

2. La forme « être à + moi, toi, lui/elle, nous, vous, eux/elles » (uniquement pour l'appartenance à des personnes)
*Cette voiture **est à Pierre** ? – Oui, elle **est à lui**.*

3. Les adjectifs et les pronoms possessifs

la chose possédée est...	masculin singulier	féminin singulier [1]	masculin pluriel	féminin pluriel
à moi	**mon** livre **le mien**	**ma** voiture **la mienne**	**mes** stylos **les miens**	**mes** clés **les miennes**
à toi	**ton** frère **le tien**	**ta** sœur **la tienne**	**tes** cousins **les tiens**	**tes** cousines **les tiennes**
à lui / à elle	**son** ami **le sien**	**sa** copine **la sienne**	**ses** amis **les siens**	**ses** copines **les siennes**
à nous	**notre** appartement **le nôtre**	**notre** voiture **la nôtre**	**nos** amis **les nôtres**	**nos** copines **les nôtres**
à vous	**votre** jardin **le vôtre**	**votre** maison **la vôtre**	**vos** arbres **les vôtres**	**vos** fleurs **les vôtres**
à eux / à elles	**leur** appartement **le leur**	**leur** voiture **la leur**	**leurs** fils **les leurs**	**leurs** filles **les leurs**

1. Quand le nom féminin commence par une voyelle, on utilise l'adjectif masculin : **mon** *amie* – **son** *idée*.

4. Les verbes exprimant l'appartenance
posséder – appartenir – être propriétaire de
*Pierre **possède** un appartement. – L'appartement du 3ᵉ étage **appartient** à Pierre. – Pierre **est propriétaire d'**un appartement.*

EXPRIMER UNE QUANTITÉ INDÉFINIE

Voir les pages « Outils » de l'unité 9

REMPLACER UN NOM

1. Les pronoms qui représentent les personnes

	je	tu	il/elle	nous	vous	ils/elles
Le nom remplacé est un complément direct Le pronom se place avant le verbe.	me	te	le/la/l'	nous	vous	les
	*Tu as vu Valérie et François ? – Je **les** ai vus.*					
Le nom remplacé est un complément indirect introduit par « à » Le pronom se place avant le verbe.	me	te	lui	nous	vous	leur
	*Tu as parlé à Margot ? – Je **lui** ai parlé.*					
Le nom remplacé est un complément indirect introduit par une autre préposition Le pronom se place après le verbe.	moi	toi	lui/elle	nous	vous	eux/elles
	*Vous avez parlé de Louise ? – Nous avons parlé **d'elle**.* *Tu t'es promené avec Louis ? – Je me suis promené **avec lui**.*					

2. Les pronoms qui représentent les choses ou les idées

Le nom remplacé est un complément direct Le pronom se place avant le verbe.	le (l') – la (l') – les *Tu connais Lise ? – Je **la** connais.*
Le nom remplacé est un complément indirect introduit par « à » Le pronom se place avant le verbe.	y *Vous avez réfléchi au problème ? – J'**y** ai réfléchi.*
Le nom remplacé est un complément indirect introduit par « de » Le pronom se place avant le verbe.	en *Tu as besoin de mon aide ? – J'**en** ai besoin.*
Le nom remplacé est un complément indirect introduit par une autre préposition Le pronom se place après le verbe.	ceci – cela (ça) *Tu as oublié **ça**.*

CARACTÉRISER UNE PERSONNE OU UNE CHOSE

1. L'adjectif qualificatif
• Il se place en général, après le nom : un film *fantastique.*
• Quelques adjectifs courts et très fréquents se placent souvent avant le nom : *beau (belle) – bon – grand – petit – vieux – jeune – joli*
un *beau* bouquet – un *bon* repas – un *grand* restaurant – une *petite* maison

2. La construction avec préposition
Elle permet d'exprimer :
• l'origine, la propriété : *un tableau **de** Renoir – la maison **de** madame Dumas*
• la matière : *un pull **de (en)** laine*
• la fonction : *une cuillère **à** café – une machine **à** laver*

3. La proposition relative
Voir les pages « Outils » de l'unité 6

CARACTÉRISER UNE ACTION

1. Les adverbes de manière
• **Place de l'adverbe**
L'adverbe qui caractérise un adjectif ou un autre adverbe se place devant ce mot : *Il est **très** courageux.*
L'adverbe qui caractérise un verbe se place :
– après le verbe conjugué à un temps simple : *Elle travaille **énormément**.*
– entre l'auxiliaire et le participe passé si l'adverbe est cout : *Elle a **bien** travaillé.*
– après le participe passé si l'adverbe est long : *Elle a travaillé **courageusement**.*

• **Formation des adverbes en –(e)ment**
adjectif terminé par « e » : *simple → simplement*
adjectif terminé par une voyelle autre que « e » : *joli → joliment*
adjectif terminé par une consonne : *pur → purement*
adjectif terminé par « ent » ou « ant » : *prudent → prudemment ; suffisant → suffisamment*

2. La forme « en » + participe présent
Voir les pages « Outils » de l'unité 2

3. La proposition participe présent
Voir les pages « Outils » de l'unité 9

COMPARER ET APPRÉCIER

1. Comparer des qualités, des quantités ou des actions
• **Comparaison des qualités (adjectifs et adverbes)**

Pierre est { **plus** / **aussi** / **moins** } *grand que Paul.*

*Paul est **meilleur** que Pierre en maths.*
*Pierre est **le plus** grand. Paul est **le meilleur** en maths.*

• **Comparaison des quantités**

Élodie a { **plus** / **autant** / **moins** } **de** *vacances que Céline.*

*C'est Lucile qui a **le plus de** vacances.*

• **Comparaison de l'importance des actions**

Marie travaille { **plus** / **autant** / **moins** } *que Clara.*

*Clara travaille **mieux** que Marie.*
*C'est Martha qui travaille **le plus**.*

2. Apprécier

	ne... pas assez (de)...	assez (de...)	trop (de...)
Noms	Je n'ai **pas assez d'**argent (pour acheter cette voiture).	Il a **assez d'**argent (pour acheter cette voiture).	Elle a **trop de** travail.
Verbes	Je **n'**économise **pas assez**.	il travaille **assez**.	Elle travaille **trop**.
Adjectifs et adverbes	Je dépense mon argent **assez** vite.	Ce plat est **assez** salé.	C'est **trop** cher.

3. Voir d'autres moyens de comparer et d'apprécier dans les pages « Outils » de l'unité 8

DONNER UNE INFORMATION DE TEMPS

1. Préciser le moment
Voir les pages « Outils » de l'unité 4

2. Préciser le déroulement de l'action
• **Action qui se déroule au moment où on parle : être en train de + infinitif**
*Il est 10 h. Barbara **est en train de** travailler.*
• **Action proche dans le futur : aller + infinitif**
*Il est 11 h 55. Barbara **va** partir déjeuner.*
• **Action proche dans le passé : venir de + infinitif**
*Il est 12 h 05. Barbara **vient de** partir déjeuner.*
• **Action réalisée ou non réalisée : déjà/ne ... pas encore**
*Il est 8 h 05. Barbara est **déjà** partie travailler.*
*Il est 18 h. Barbara **n'**est **pas encore** rentrée chez elle.*
• **Action qui se continue ou qui s'est arrêtée**
*Il est 13 h 45. Barbara est **toujours (encore)** au restaurant.*
*Il est 14 h. Barbara **n'**est **plus** au restaurant.*

3. Préciser la durée
• **Exprimer une durée jusqu'au moment présent**
***Il y a combien de temps qu'**il court ? – **Cela fait combien de temps qu'**il court ? **Depuis combien de temps** il court ?*
***Il y a (cela fait)** une heure **qu'**il court.*
*Il court **depuis** une heure.*
• **Exprimer une durée sans référence à un moment**
***Pendant combien de temps** il a couru ? – Il a couru (**pendant**) deux heures.*

4. Indiquer la fréquence
***tous les** jours, **toutes les** semaines,...*
***une fois par** jour, deux fois, ...*
*Je fais **toujours** du sport le samedi matin.*
souvent – très souvent
de temps en temps – quelquefois
rarement
*Je **ne** fais **jamais** de sport.*

NIER

Cas général	Elle **ne** sort **pas**. Elle **n'**aime **pas** la pluie.
La négation porte sur un complément introduit par un article indéfini, par un article partitif ou par un mot de quantité	Il **n'**a **pas de** voiture. Il **ne** boit **pas de** vin. Il **ne** mange **pas** beaucoup **de** viande.
Comme dans le cas précédent, la négation porte sur un complément précédé d'un article indéfini, d'un article partitif ou d'un mot de quantité mais elle introduit une opposition	– Est-ce qu'il a une voiture ? – Il **n'**a **pas une** voiture il en a deux.
Cas des constructions « verbe + verbe » et « auxiliaire + verbe »	Elle **ne** veut **pas** sortir. Elle **n'**a **pas** vu le dernier film d'Anne Fontaine.
Cas des constructions avec un pronom complément placé avant le verbe	Il **ne** les connaît **pas**. Il **ne** lui a **pas** téléphoné.

INTERROGER

1. Interrogation générale
• Intonation : *Vous venez ?*
• Forme « Est-ce que » : ***Est-ce que*** *vous venez ?*
• Inversion du pronom sujet : *Venez-vous ?*
• Interrogation négative : *Ne venez-vous pas ?*

2. Interrogation sur le sujet de l'action
• Personnes : ***Qui*** *vient au restaurant avec moi ?*
• Choses : ***Qu'est-ce qui*** *vous fait plaisir ?*

3. Interrogation sur l'objet de l'action
• Personnes : ***Qui*** *invitez-vous ?* – *Vous invitez* ***qui*** *?* – ***À qui*** *parlez-vous ?* – ***Avec qui*** *sortez-vous ?*
• Choses : ***Que*** *faites-vous ?* – *Vous faites* ***quoi*** *?* – ***À quoi*** *pensez-vous ?* – ***De quoi*** *parlez-vous ?*

4. Interrogation sur un choix
Les adjectifs et pronoms interrogatifs : voir ci-dessus p. 149.

5. Interrogation sur le lieu
Où *allez-vous ?* – ***Où est-ce que*** *vous allez ?* – ***D'où*** *venez-vous ?* – ***Par où*** *passez-vous ?* – ***Chez qui*** *allez-vous ?*
Jusqu'où *va ce chemin ?*

6. Interrogation sur le moment et la durée
• sur le moment : ***Quand*** *venez-vous ?* – ***En quelle*** *année êtes-vous né ?* – ***Quel*** *jour vous ne travaillez pas ?*
• sur la durée : voir ci-dessus p. 152.

7. Cas de l'inversion du sujet
Voir les pages « Outils » de l'unité 2

EXPRIMER DES RELATIONS LOGIQUES

1. La cause
Voir les pages « Outils » de l'unité 5

2. La conséquence
Voir les pages « Outils » de l'unité 5

3. Le but
Voir les pages « Outils » de l'unité 5

4. La condition
Voir les pages « Outils » de l'unité 8

5. La restriction
Voir les pages « Outils » de l'unité 8

6. L'hypothèse
Voir les pages « Outils » de l'unité 1

7. La succession des arguments semblables
Voir les pages « Outils » de l'unité 5

8. La succession des arguments opposés
Voir les pages « Outils » des unités 5 et 9

RAPPORTER DES PAROLES

Voir les pages « Outils » de l'unité 4

LA CONJUGAISON D'UN VERBES RÉGULIER : « PARLER »

Le présent	Le passé			Le futur	
présent	passé composé	imparfait	plus-que-parfait	futur	futur antérieur
je parle tu parles il/elle parle nous parlons vous parlez ils/elles parlent	j'ai parlé tu as parlé il/elle a parlé nous avons parlé vous avez parlé ils/elles ont parlé	je parlais tu parlais il/elle parlait nous parlions vous parliez ils /elles parlaient	j'avais parlé tu avais parlé il/elle avait parlé nous avions parlé vous aviez parlé ils/elles avaient parlé	je parlerai tu parleras il/elle parlera nous parlerons vous parlerez ils/elles parleront	j'aurai parlé tu auras parlé il/elle aura parlé nous aurons parlé vous aurez parlé ils/elles auront parlé

L'hypothèse		La subjectivité	
conditionnel présent	conditionnel passé	subjonctif présent	subjonctif passé
je parlerais tu parlerais il/elle parlerait nous parlerions vous parleriez ils/elles parleraient	j'aurais parlé tu aurais parlé il/elle aurait parlé nous aurions parlé vous auriez parlé ils/elles auraient parlé	... que je parle ... que tu parles ... qu'il/elle parle ... que nous parlions ... que vous parliez ... qu'ils/elles parlent	... que j'aie parlé ... que tu aies parlé ... qu'il/elle ait parlé ... que nous ayons parlé ... que vous ayez parlé ...qu'ils/elles aient parlé

PRINCIPES DE CONJUGAISON

Emploi des modes et temps	Principes de conjugaison
Présent	• Les verbes en **-er** se conjuguent comme **parler** sauf : – le verbe *aller* ; – les verbes en **-yer**, **-ger**, **-eler**, **-eter**, qui présentent quelques différences. • Pour les autres verbes, la seule règle générale est la terminaison *-s, -s, -t, -ons, -ez, -ent*. Mais il y a des exceptions (*vouloir, pouvoir*, etc.). Il faut donc apprendre les conjugaisons de ces verbes.
Imparfait	• Il se forme à partir de la 1re personne du pluriel du présent : *nous faisons → **je faisais, tu faisais**, etc.* Ensuite, la conjugaison est la même pour tous les verbes : **-ais, -ais, -ait, -ions, -iez, -aient.**
Futur	• Les verbes en **-er** (sauf *aller*) se conjuguent comme **parler**. • Pour les autres verbes, il faut connaître la 1re personne. Ensuite, seule la terminaison change : *je fer**ai**, tu fer**as**, il/elle fera, nous fer**ons**, vous fer**ez**, ils/elles fer**ont***
Passé composé	• Il se forme avec les auxiliaires **avoir ou être + participe passé**. • Les verbes utilisant l'auxiliaire *être* sont : – les verbes pronominaux ; – les verbes suivants : **aller – arriver – décéder – descendre – devenir – entrer – monter – mourir – naître – partir – rentrer – retourner – rester – sortir – tomber – venir**, ainsi que leur composés en *-re* : **redescendre – redevenir –** etc.
Plus-que-parfait	**avoir** ou **être** à l'imparfait + participe passé
Futur antérieur	**avoir** ou **être** au futur + participe passé
Conditionnel présent	• Il se forme à partir de la 1re personne du singulier du futur : **je ferai → je ferais.** • Ensuite, la terminaison est la même pour tous les verbes : *je fer**ais**, tu fer**ais**, il/elle fer**ait**, nous fer**ions**, vous fer**iez**, ils/elles fer**aient***
Conditionnel passé	**avoir** ou **être** au conditionnel + participe passé
Subjonctif présent	• Pour beaucoup de verbes, partir de la 3e personne du pluriel du présent de l'indicatif. **Ils finissent → il faut que je finisse ; ils regardent → que je regarde ; ils prennent → que je prenne ; ils peignent → que je peigne.** Mais il y a des exceptions : **savoir → que je sache**, etc. • Ensuite, la terminaison est la même pour tous les verbes : *que je regard**e**, que tu regard**es**, qu'il/elle regard**e**, que nous regard**ions**, que vous regard**iez**, qu'ils/elles regard**ent***

Emploi des modes et temps	Principes de conjugaison
Subjonctif passé	***avoir* ou *être* au présent du subjonctif + participe passé**
Impératif présent	• Pour la plupart des verbes, on utilise les formes de l'indicatif. Le « s » de la deuxième personne du singulier à l'indicatif présent des verbes en **-er** et du verbe *aller* disparaît sauf quand une liaison est nécessaire : **Parle ! – Parles-en ! – Va ! – Vas-y !** • Les verbes *être*, *avoir* et *savoir* utilisent les formes du subjonctif : **Sois** gentil ! – **Aie** du courage ! – **Sache** que je t'observe !
Impératif passé	**Formes du subjonctif passé**
Participe présent et gérondif	• Ils se forment généralement à partir de la 1re personne du pluriel du présent de l'indicatif : **nous allons → allant – nous pouvons → pouvant**

ACCORD DES PARTICIPES PASSÉS

• **Accord du participe passé après l'auxiliaire *être* :** le participe passé s'accorde avec le sujet du verbe.
Pierre est parti. Marie est restée. Pierre et Louise sont sortis. Les amies de Pierre sont venues.

• **Cas du participe passé des verbes pronominaux :** le participe passé s'accorde avec le sujet quand l'action porte directement sur ce sujet.
Marie s'est lavée.
Marie s'est lavé les mains. (l'action porte sur « les mains »)
Marie et Pauline se sont parlé. (la construction de « parler » est indirecte)

• **Accord du participe passé après l'auxiliaire *avoir* :** le participe passé s'accorde avec le complément d'objet direct quand celui-ci est placé avant le verbe.
J'ai vu les amies de Pierre. (le complément est placé après le verbe)
Je les ai invitées au restaurant. (« les » remplace les amies)
Sabine, que j'ai invitée, est l'amie de Marie.

Conjugaison des verbes irréguliers

Les principes généraux que nous venons de présenter et les tableaux suivants vous permettront de trouver la conjugaison de la plupart des verbes.

Exemples : Verbe *donner* : c'est un verbe en *-er* régulier. Il suit les principes généraux et ne figure donc pas dans les listes suivantes. **Verbe *lire* :** si on trouve ci-dessous « je lis, ... nous lisons, ... » c'est que les autres formes correspondent aux principes généraux : « tu lis, il / elle lit, ... vous lisez, ils / elles lisent ».

Infinitif	Présent de l'indicatif	Passé composé	Futur	Subjonctif présent
Accueillir	j'accueille, ... nous accueillons, ...	j'ai accueilli	j'accueillerai	que j'accueille
Aller	je vais, tu vas, il / elle va, nous allons, ... ils / elles vont	je suis allé(e)	j'irai	que j'aille
Appartenir	j'appartiens, ... nous appartenons, ...	j'ai appartenu	j'appartiendrai	que j'appartienne
Applaudir	j'applaudis, ... nous applaudissons, ...	j'ai applaudi	j'applaudirai	que j'applaudisse
Apprendre	j'apprends, ... nous apprenons, ... ils / elles apprennent	j'ai appris	j'apprendrai	que j'apprenne
Asseoir (s')	je m'assieds, ... nous nous asseyons, ... ils / elles s'asseyent	je me suis assis(e)	je m'assiérai	que je m'assoie (que je m'asseye)
Attendre	j'attends, ... nous attendons, ...	j'ai attendu	j'attendrai	que j'attende
Atterrir	j'atterris, ... nous atterrissons, ...	j'ai atterri	j'atterrirai	que j'atterrisse
Avoir	j'ai, tu as, il / elle a, nous avons, ... ils / elles ont	j'ai eu	j'aurai	que j'aie... que nous ayons... qu'ils / elles aient
Battre	je bats, ... nous battons, ...	j'ai battu	je battrai	que je batte
Bénir	je bénis, ... nous bénissons, ...	j'ai béni	je bénirai	que je bénisse
Boire	je bois, ... nous buvons, ... ils / elles boivent	j'ai bu	je boirai	que je boive
Choisir	je choisis, ... nous choisissons, ...	j'ai choisi	je choisirai	que je choisisse
Comprendre	je comprends, ... nous comprenons, ... ils / elles comprennent	j'ai compris	je comprendrai	que je comprenne
Connaître	je connais, ... il / elle connaît nous connaissons, ...	j'ai connu	je connaîtrai	que je connaisse
Construire	je construis, ... nous construisons, ...	j'ai construit	je construirai	que je construise
Couvrir	je couvre, ... nous couvrons, ...	j'ai couvert	je couvrirai	que je couvre
Croire	je crois, ... nous croyons, ... ils / elles croient	j'ai cru	je croirai	que je croie
Découvrir	je découvre, ... nous découvrons, ...	j'ai découvert	je découvrirai	que je découvre
Défendre	je défends, ... nous défendons, ...	j'ai défendu	je défendrai	que je défende
Démolir	je démolis, ... nous démolissons, ...	j'ai démoli	je démolirai	que je démolisse
Dépendre	je dépends, ... nous dépendons, ...	j'ai dépendu	je dépendrai	que je dépende
Descendre	je descends, ... nous descendons, ...	j'ai descendu	je descendrai	que je descende
Devenir	je deviens, ... nous devenons, ... ils / elles deviennent	je suis devenu(e)	je deviendrai	que je devienne
Devoir	je dois, ... nous devons, ... ils / elles doivent	j'ai dû	je devrai	que je doive
Dire	je dis, ... nous disons, ... vous dites, ... ils / elles disent	j'ai dit	je dirai	que je dise
Disparaître	je disparais, ... nous disparaissons, ...	j'ai disparu	je disparaîtrai	que je disparaisse
Dormir	je dors, ... nous dormons, ...	j'ai dormi	je dormirai	que je dorme
Écrire	j'écris, ... nous écrivons, ...	j'ai écrit	j'écrirai	que j'écrive
Élire	j'élis, ... nous élisons, ...	j'ai élu	j'élirai	que j'élise
Entendre	j'entends, ... nous entendons, ...	j'ai entendu	j'entendrai	que j'entende
Envoyer	j'envoie, ... nous envoyons, ... ils / elles envoient	j'ai envoyé	j'enverrai	que j'envoie
Essayer	j'essaie, ... nous essayons, ... ils / elles essaient	j'ai essayé	j'essaierai	que j'essaie
Être	je suis, tu es, il / elle est, nous sommes, vous êtes, ils / elles sont	j'ai été	je serai	que je sois
Faire	je fais, ... nous faisons, vous faites, ils / elles font	j'ai fait	je ferai	que je fasse
Falloir	il faut	il a fallu	il faudra	qu'il faille

Infinitif	Présent de l'indicatif	Passé composé	Futur	Subjonctif présent
Finir	je finis, ... nous finissons, ...	j'ai fini	je finirai	que je finisse
Guérir	je guéris, ...nous guérissons, ...	j'ai guéri	je guérirai	que je guérisse
Inscrire (s')	je m'inscris, ... il / elle s'inscrit, nous nous inscrivons, ...	je me suis inscrit(e)	je m'inscrirai	que je m'inscrive
Interdire	j'interdis, ... nous interdisons, ...	j'ai interdit	j'interdirai	que j'interdise
Lire	je lis, ... nous lisons, ...	j'ai lu	je lirai	que je lise
Mettre	je mets, ... nous mettons, ...	j'ai mis	je mettrai	que je mette
Mourir	je meurs, ... nous mourons, ... ils / elles meurent	je suis mort(e)	je mourrai	que je meure
Offrir	j'offre, ... nous offrons, ...	j'ai offert	j'offrirai	que j'offre
Ouvrir	j'ouvre, ... nous ouvrons, ...	j'ai ouvert	j'ouvrirai	que j'ouvre
Partir	je pars, ... nous partons, ...	je suis parti(e)	je partirai	que je parte
Payer	je paie, ... il / elle paie, nous payons, ... ils / elles paient	j'ai payé	je paierai	que je paie
Peindre	je peins, ... nous peignons, ...	j'ai peint	je peindrai	que je peigne
Perdre	je perds, ... nous perdons, ...	j'ai perdu	je perdrai	que je perde
Permettre	je permets, ... nous permettons, ...	j'ai permis	je permettrai	que je permette
Plaindre	je plains, ... nous plaignons, ...	j'ai plaint	je plaindrai	que je plaigne
Plaire	je plais, ... il / elle plaît, nous plaisons, ...	j'ai plu	je plairai	que je plaise
Pleuvoir	il pleut	il a plu	il pleuvra	qu'il pleuve
Pouvoir	je peux, tu peux, il / elle peut, nous pouvons, vous pouvez, ils / elles peuvent	j'ai pu	je pourrai	que je puisse
Prendre	je prends, ... nous prenons, ... ils / elles prennent	j'ai pris	je prendrai	que je prenne
Produire	je produis, ... nous produisons, ...	j'ai produit	je produirai	que je produise
Promettre	je promets, ... nous promettons, ...	j'ai promis	je promettrai	que je promette
Punir	je punis, ... nous punissons, ...	j'ai puni	je punirai	que je punisse
Recevoir	je reçois, ... il / elle reçoit, nous recevons, ... ils / elles reçoivent	j'ai reçu	je recevrai	que je reçoive
Recueillir	je recueille, ... nous recueillons, ...	j'ai recueilli	je recueillerai	que je recueille
Réduire	je réduis, ... nous réduisons, ...	j'ai réduit	je réduirai	que je réduise
Réfléchir	je réfléchis, ... nous réfléchissons, ...	j'ai réfléchi	je réfléchirai	que je réfléchisse
Remplir	je remplis, ... nous remplissons, ...	j'ai rempli	je remplirai	que je remplisse
Rendre	je rends, ... nous rendons, ...	j'ai rendu	je rendrai	que je rende
Répondre	je réponds, ... nous répondons, ...	j'ai répondu	je répondrai	que je réponde
Résoudre	je résous, ... nous résolvons, ...	j'ai résolu	je résoudrai	que je résolve
Réussir	je réussis, ... nous réussissons, ...	j'ai réussi	je réussirai	que je réussisse
Rire	je ris, ... nous rions, ...	j'ai ri	je rirai	que je rie
Savoir	je sais, ... nous savons, ...	j'ai su	je saurai	que je sache
Sentir	je sens, ... nous sentons, ...	j'ai senti	je sentirai	que je sente
Servir	je sers, ... nous servons, ...	j'ai servi	je servirai	que je serve
Sortir	je sors, ... nous sortons, ...	je suis sorti(e)	je sortirai	que je sorte
Suivre	je suis, ... nous suivons, ...	j'ai suivi	je suivrai	que je suive
Tenir	je tiens, ... nous tenons, ... ils / elles tiennent	j'ai tenu	je tiendrai	que je tienne
Traduire	je traduis, ... nous traduisons, ...	j'ai traduit	je traduirai	que je traduise
Vendre	je vends, ...nous vendons, ...	j'ai vendu	je vendrai	que je vende
Venir	je viens, ... nous venons, ... ils / elles viennent	je suis venu(e)	je viendrai	que je vienne
Vivre	je vis, ... nous vivons, ...	j'ai vécu	je vivrai	que je vive
Voir	je vois, ... nous voyons, ... ils / elles voient	j'ai vu	je verrai	que je voie
Vouloir	je veux, ... il / elle veut nous voulons, ... ils / elles veulent	j'ai voulu	je voudrai	que je veuille

Transcriptions

Unité 0
Leçon 1

🔊 **p. 13, Exercice 8**
N° 1

La vendeuse : Bonjour, je peux vous renseigner ?
La cliente : Oui, je cherche un cadeau de mariage. Mais je voudrais quelque chose d'original... un objet, vous voyez, pas ordinaire... un objet ancien, mais qui serve dans une maison.
La vendeuse : Alors... Qu'est-ce que je peux vous proposer... pourquoi pas un drageoir ?
La cliente : De quoi il s'agit ?
La vendeuse : Un drageoir ?
La cliente : Oui, c'est quoi, ce truc-là ?
La vendeuse : Je vous explique : c'est une coupe pour mettre des bonbons. Pour être plus précise, c'était pour mettre des dragées ; dragées : drageoir... Ou alors, je peux vous proposer des pomponnettes.
La cliente : Encore un mot que je connais pas !
La vendeuse : Je vais vous les chercher, c'est dans mon arrière-boutique... Attendez.
Le client : Tu sais pas ce qu'est un drageoir. Tu sais pas ce qu'est une pomponnette. Tu es vraiment une béotienne.
La cliente : Qu'est ce que tu veux dire par là ? Tu peux me dire ce que tu sous-entends ? Que je suis une ignorante, c'est ça ?
Le client : C'est pas ce que j'ai voulu dire. Je plaisantais...
La cliente : Parce que toi tu sais ce qu'est une pomponnette.
Le client : Oui, c'est un verre.
La cliente : Un verre ! Tu peux préciser ?
Le client : Un verre sans pied pour boire du champagne.
La cliente : Et comment tu sais ça ?

Leçon 2

🔊 **p. 14, Exercice 5**
N° 2

Voici le journal.
– Aux États-Unis, la campagne électorale continue. Côté républicain, c'est le candidat Donald Trump qui semble prendre la tête. Alors que pour les Démocrates, Hillary Clinton devance son rival Bernie Sanders.
– Les agriculteurs de l'Ouest ont prévu une nouvelle journée de mobilisation à Rennes le 17 février. Ils bloqueront le boulevard périphérique de la ville avec des centaines d'engins agricoles. Ils demandent que le gouvernement prenne des mesures contre la baisse des prix agricoles.
– Après les événements tragiques dans la salle de spectacle du Bataclan, en novembre 2015, le groupe de rock va donner un nouveau concert à l'Olympia.
– Depuis le début de l'année, les avalanches ont fait 16 morts dans les Alpes françaises parmi les pratiquants de la randonnée à ski. Ces événements sont dus à des températures très douces qui ont suivi des chutes de neige abondantes.
– Nouveau film du cinéaste coréen Hong Sang-Soo : *Un Jour avec, un jour sans* est un film émouvant sur le mystère de la vie.

Leçon 3

🔊 **p. 16, Exercice 1**
N° 3

La Cantatrice chauve
Mary *(entrant)* : Je suis la bonne. J'ai passé un après-midi très agréable. J'ai été au cinéma avec un homme et j'ai vu un film avec des femmes. À la sortie du cinéma, nous sommes allés boire de l'eau-de-vie et du lait et puis on a lu le journal. [...] Mme et M. Martin, vos invités, sont à la porte. Ils m'attendaient. Ils n'osaient pas entrer tout seuls. Ils devaient dîner avec vous, ce soir.
Mme Smith : Ah oui. Nous les attendions. Et on avait faim. Comme on ne les voyait plus venir, on allait manger sans eux. On n'a rien mangé, de toute la journée.

🔊 **p. 16, Exercice 2**
N° 4

a. Je suis en terre inconnue.
   Je suis en terrain connu.
b. La faim détend.
   La fin des temps.
c. Cet homme est ténor mais m'embête.
   Cet homme est énormément bête.
d. Vois les fenêtres sur la mer
   Voiles et feux naître sur la mer
   Le bal qu'on donne sur la mer
   Le balcon donne sur la mer.

🔊 **p. 17, Exercice 3**
N° 5

1. – Vous n'êtes pas française ?
   – ...
2. – Vous n'êtes pas marocaine ?
   – ...
3. – Vous n'êtes pas algérienne ?
   – Non, je suis tunisienne.
4. – Où est-ce que vous habitez ? À Paris ?
   – ...
5. – Vous habitez à Paris !?
   – ...
6. – Vous travaillez où ?
   – ...
7. – Vous travaillez dans un restaurant !
   – ...
8. – Dans la pizzeria de la rue de l'Odéon !
   – Oui.

🔊 **p. 17, Exercice 4**
N° 6

a. Nicolas est parti au Portugal.
b. Morgane s'en va demain à Berlin.
c. Louis est déjà à Rome depuis trois jours.
d. Tarek part aujourd'hui en Colombie.
e. Leila prendra un vol pour la Corée du Sud.
f. Camille est arrivée à Varsovie avant-hier.

🔊 **p. 17, Exercice 5**
N° 7

a. les étudiants
   l'élève
   le professeur
   des amis
   l'économiste
   les écrivains
   l'étranger
   des enfants
b. l'ouvrière
   une secrétaire
   un médecin
   un architecte
   l'avocat
   la Portugaise
   l'Allemande
   l'amie de Pierre

🔊 **p. 17, Exercice 6**
N° 8

a. Je vais à Gand.
b. Je pars pour Pernay.
c. J'arrive à Mouzac.
d. Je vais à Ferrières.
e. Nous allons à Jâlons.
f. Ils partent pour Toulon.

🔊 **p. 17, Exercice 7**
N° 9

a. du veau
b. de la laitue
c. du chou
d. du pain
e. de la bière
f. des crudités

🔊 **p. 17, Exercice 8**
N° 10

• Dans la commune de Serviers, c'est maintenant Roland Dupuis, père de trois enfants, qui est maire.
• Monsieur Alex Terrieur, ancien élève de l'ENA, a été nommé ambassadeur à Tokyo.
• Caroline et Philippe Issier ont la joie de vous faire part de la naissance de leur fils Paul.
• Madame Perret, la directrice de notre école élémentaire a mis au monde, à 40 ans, une petite fille qu'elle a prénommé Inès.

Unité 1
Leçon 1

🔊 **p. 23, Prononcez... Automatisez**
N° 11

1. *Un vieil acteur rêve*
Si le téléphone sonnait, je décrocherais...
Un producteur me proposerait un rôle...
J'accepterais... Il me présenterait ma partenaire...
Nous répéterions nos scènes...Je retrouverais mon public.

2. • – Moi, si j'hérite de mon oncle, j'ai un million d'euros.
– Si tu héritais de ton oncle, tu aurais un million d'euros !
• – Si j'ai un million d'euros, j'achète un château.
– Si tu avais un million d'euros, tu achèterais un château !
• – Si j'ai un château, Arthur vient habiter avec moi.

– Si tu avais un château, Arthur viendrait habiter avec toi !
• – S'il vient, nous rénovons le château.
– S'il venait, vous rénoveriez le château !
• – Si le château est rénové, je fais une grande fête.
– Si le château était rénové, tu ferais une grande fête !
• – Si je fais une fête, tous mes amis viendront.
– Si tu faisais une fête, tous tes amis viendraient !

Leçon 2

p. 25, Exercice 6
N°12

• Hier, les Français ont voté pour élire leur président de la République. François Hollande a été élu avec 51,64 % des voix contre son adversaire Nicolas Sarkozy.
• À la demande du président du Mali, l'armée française est intervenue dans ce pays pour arrêter la progression des rebelles.
• 30 000 personnes ont manifesté en Bretagne pour protester contre la taxe sur les camions. Les manifestants étaient coiffés d'un bonnet rouge.
• Manuel Valls est nommé Premier ministre. Il est chargé de remanier le gouvernement.
• L'Assemblée nationale a adopté une loi pour l'égalité réelle entre les femmes et les hommes.
• Les Français ont élu leurs conseillers régionaux : 7 régions sur 12 passent à droite.
• Le gouvernement négocie avec les chauffeurs de taxi. Ceux-ci protestent contre la concurrence des VTC, voitures avec chauffeur sans licence.
• De nombreux salariés ont fait grève pour protester contre une loi qui veut modifier les conditions de travail. Ils étaient 100 000 dans les rues de Paris.

Leçon 3

p. 26, La séquence radio
N° 13

À l'occasion de la journée internationale sans téléphone portable, nos journalistes ont interrogé l'écrivain Phil Marso, un des initiateurs de cette journée.

Un journaliste : Peut-on vivre sans téléphone portable ?
Phil Marso : On peut encore mais je pense que dans deux, trois ans, ça sera foutu.
Une journaliste : Pourquoi ?
Phil Marso : Parce que si on regarde bien l'actualité au jour le jour, combien il y a d'info autour du Smartphone. Combien il y a de prestations de service, de bien-être, de santé, etc. il y a des applications pour tout maintenant et ça, je pense que ça va être de plus en plus dur même de maîtriser l'outil.
Une journaliste : Qu'est-ce que vous entendez par « maîtriser l'outil » ?
Phil Marso : Ben, maîtriser l'outil, c'est de savoir : est-ce qu'on a besoin d'une centaine d'applications ? Oui, logiquement sur Smartphone on peut limiter et surtout ne pas forcément se le trimballer 24 h sur 24. C'est ça, la première chose qu'il faudra faire pour

maîtriser l'outil, c'est pas forcément que ce soit un animal de compagnie.
Une journaliste : Est-ce que vous avez un téléphone portable, vous ?
Phil Marso : Alors, moi, j'en ai un. Je l'utilise plutôt comme une montre. Je vais l'utiliser plus quand je vais en province. Comme j'ai une petite entreprise, il est bon de savoir ce qui se passe quand même pendant mon absence mais pour l'instant je me refuse d'avoir un Smartphone.
Une journaliste : Phil Marso, quel serait le meilleur argument pour ne plus utiliser son téléphone portable ou son Smartphone ?
Phil Marso : Préserver sa vie privée donc son jardin secret. Pour les nouvelles générations, c'est très dur puisqu'ils utilisent les réseaux sociaux. Donc l'idéal c'est de se limiter au niveau des réseaux sociaux parce que, que ce soit sur Twitter ou sur Facebook, dès que vous postez quelque chose vous voulez absolument voir s'il y a des réactions et vous êtes alerté quand il y a une réaction. Donc systématiquement ça vous donne de l'addiction, donc il faudrait déjà limiter ça. Et surtout pas couper complètement mais plutôt essayer de gérer des espaces temps où on modère son Smartphone. En fait, il faut faire des trucs interactifs avec votre entourage qui va vous permettre de vous dire que, en fait, sans Smartphone la vie est quand même pas mal non plus.
Une journaliste : Beaucoup de gens disent « C'est angoissant de ne pas savoir si on cherche à me joindre. »
Phil Marso : Alors, c'est vrai que les gens pensent que quand on rate un email, un appel, on a l'impression qu'on rate sa vie. Non, je rassure. Comment les gens faisaient avant ? En fait, le Smartphone n'a plus de frontière entre la vie privée et la vie professionnelle donc le Smartphone harcèle l'usager donc justement pour cette raison, il faudrait se modérer.
Une journaliste : Phil Marso, est-ce socialement discriminant de ne pas posséder de téléphone portable ?
Phil Marso : Je pense que pour un ado, c'est vrai que ça peut l'exclure mais peut être aussi c'est une façon de marquer sa différence, de pas être dans le troupeau. Moi, ce que j'espère, dans les années à venir, c'est que peut-être il y aura 10% de gens qui résisteront à cette technologie. Alors, je ne sais pas comment mais peut-être qu'il y aura d'autres façons de communiquer pour échapper à la technologie mais ça, je ne peux pas vous dire quoi.

p. 27, Prononcez... Automatisez
N° 14

1. Ce portable me plaît
Il est propre. Il est simple. Il est brillant.
En bleu, c'est possible ? À quel prix ?
C'est peu probable.

2. • – Tu prendras tes vacances en juillet. Tu es sûre ?
– Oui, je suis sûre que je prendrai mes vacances en juillet.
• Tu iras en Italie. C'est probable ?

– Oui, il est probable que j'irai en Italie.
• – Est-ce que Paul viendra ? Ce n'est pas sûr ?
– Non, je ne suis pas sûr que Paul vienne.
• – Je peux venir ? C'est possible ?
– Oui, il est possible que tu puisses venir.
• – Nous irons en Sicile ? Tu n'en es pas sûre ?
– Non, je ne suis pas sûre que nous allions en Sicile.
• – Nous visiterons Rome ? Tu es certain ?
– Oui, je suis certain que nous visiterons Rome.

Leçon 4

p. 28, vidéo

N° 1

Journaliste francophone : si loin... si proche
Quand j'étais enfant j'écoutais la radio dans mon lit, et ça me faisait voyager, j'écoutais la radio avec mes grands-parents j'écoutais la radio avec mes parents, donc... on a toujours été des auditeurs assez assidus et c'est ce qui m'a donné envie de rentrer dans le poste.
... l'Allemagne et la Pologne, alors au-delà, évidemment, des passés...
J'ai été très longtemps correspondante en Amérique du Sud, j'ai aussi été correspondante pour le magazine *Le Point* pour le journal *Le Monde*, longtemps aussi pour le journal *La Croix*, mais je travaillais principalement pour RFI et aussi pour Radio France, France Inter et France Info en France, pour relayer l'info ou brésilienne ou sud-américaine.
Actuellement, je présente une émission sur RFI qui s'appelle Radio Foot International qui est un rendez-vous quotidien, en semaine, et qui est une émission où on ne parle que de football. Mais alors on parle du football non seulement les championnats de France, mais les championnats européens. C'est ce qui passionne les passionnés de football. Et puis, ensuite, on parle aussi beaucoup de football africain.
RFI est présent sur toutes les Coupes d'Afrique des Nations. Nous-mêmes on se déplace. Récemment on est allé animer une émission de radio dans un camp de réfugiés burundais, au sud du Congo. C'était dans le but d'occuper et d'offrir quelque chose aux réfugiés, parce que dans les camps, comme ce sont des réfugiés francophones, ils nous écoutent.
L'essentiel de nos auditeurs, actuellement, se trouve en Afrique francophone. Donc on nous écoute de très loin. Ça a un côté, alors là, on ne peut plus magique des ondes radio ! On a des codes envers nos auditeurs. On sait que les auditeurs francophones d'Afrique aiment beaucoup la langue française. Ils aiment bien quand il y a un certain respect, donc il n'y a pas d'invectives, on ne se tutoie pas, on ne garde pas l'auditeur à distance, déjà qu'il est loin... Donc c'est quelque chose d'assez convivial, on va dire.
Depuis le début, les petites équipes embêtent les grandes, et c'est vrai que, quand on était passé à 24...
On se réunit pour faire un petit peu un sommaire, en se disant « Qu'est-ce qu'on va mettre dans l'émission, aujourd'hui ? » On lit la presse, on écoute les infos... En général, on a trop

d'informations par rapport à ce qu'on doit traiter. Donc, il y a l'information qui s'impose, et puis après quand il se passe quelque chose d'actualité pendant l'émission, le service des sports est en face et ils arrivent avec l'information, avec la dépêche, et ils vont me prévenir.
À 17 h 10, ce sera l'heure de Radio Foot International. Et ce sera avec vous, Annie Gasnier, bonjour.
Bonjour Marine, bonjour à tous...
Ce qui plaît dans le direct, c'est l'adrénaline, un petit peu, que ça nous donne. C'est-à-dire que, on a un boulevard qui s'ouvre face à nous, et il faut pas qu'on se rate, quoi !

Projet

🔊➕ p. 30, Exercice 4
N° 15

1. Ses parents peuvent être fiers de lui.
2. Je trouve ce paysage admirable.
3. Il me fait honte.
4. Elle me surprendra toujours.
5. Cette conférence est sans intérêt.
6. Je suis très déçu par les résultats de ma fille.
7. Je suis très heureuse d'avoir rencontré Hugo.
8. Sans l'aide d'Anne-Sophie, je ne réussissais pas.

Bilan

🔊➕ p. 34, Exercice 3
N° 16

Dialogue 1
– Au fait, tu as vu Renaud récemment ?
– Justement. Je voulais t'en parler. Hier soir, il m'a appelé, c'était tard, vers 23 h... Il m'a parlé pendant une heure. Il a des problèmes d'argent. Et il m'a demandé de lui prêter 1 000 €.
– À ta place, je me méfierais.
– Tu penses qu'il ne me les rendra pas ?
– C'est peu probable. Renaud, je le connais. On a été tous les deux en colocation. Le 30 du mois, il était payé. Le 1er, il remboursait ses dettes et le 2, il recommençait à emprunter.

Dialogue 2
– Tu as des nouvelles de Céline ?
– Oui, pourquoi ?
– D'habitude, je la voyais tous les jours, à midi, à la brasserie de la gare. Elle déjeunait avec François, parce qu'ils travaillent tous les deux dans le coin. Et là, ça fait une semaine que je ne vois plus François. Elle est toujours avec une collègue. Alors, j'ai pas osé lui demander où était passé François. Tu crois qu'ils se sont séparés ?
– C'est possible. Je sais que François cherche un appartement.
– Tu en es sûre ?
– Sûre et certaine. C'est Céline qui me l'a dit... Mais bon, ça ne me surprend pas. Ça fait plusieurs mois qu'ils arrêtaient pas de se disputer.
– Tu veux que je te dise : à leur couple, j'y ai jamais cru. Ils sont trop différents.

Dialogue 3
– Tu connais la nouvelle ? Ils vont démolir le théâtre Jean Vilar.

– Le théâtre Jean Vilar ! C'est impossible !
– Je l'ai lu sur le site de la Gazette.
– Et tu fais confiance à ce site ! Il fait tout pour critiquer la municipalité... À mon avis, c'est une fausse information. Le théâtre Jean Vilar est un lieu historique. On va pas le démolir comme ça. Ce qui est probable, c'est qu'ils vont le rénover. C'est tout.

Unité 2

Leçon 1

🔊➕ p. 37, Exercice 7
N° 17

Le maire : Bonjour madame Laporte.
Marjolaine : Bonjour monsieur le Maire.
Le maire : Asseyez-vous... Alors, vous vouliez me voir pour me parler d'un projet ?
Marjolaine : Oui, vous savez que je viens d'acheter le château de Broussac et que je veux le rénover.
Le maire : Vous allez avoir du travail. Il est grand ce château !
Marjolaine : Ce n'est pas seulement pour moi et ma famille. Je voudrais créer un hôtel.
Le maire : Un hôtel ! Ici ! Nous sommes un village perdu dans la campagne, loin des circuits touristiques.
Marjolaine : Justement, c'est ça notre chance : être isolé. Nous ferons connaître l'hôtel par Internet. Je vous garantis que nous aurons des clients.
Le maire : Si vous le dites ! C'est votre affaire...
Marjolaine : Ce n'est pas tout. Ce qui fera l'intérêt de cet hôtel, ce sont les animations que nous organiserons. Nous ferons des stages de remise en forme, des activités sportives, des randonnées dans la forêt. C'est pour ça que je voulais vous voir. Il faudrait m'aider pour marquer les parcours de randonnée, faire une plage sur la rivière...
Le maire : Mais vous savez que nous sommes une petite commune. Nous avons un petit budget.
Marjolaine : De l'argent, on en trouve ! Si nous présentons le projet ensemble, nous aurons des aides du département et de la région. Et puis, je voudrais proposer aux touristes une activité originale : des sorties en montgolfière.
Le maire : Vous voulez que je vous dise, ça ne va pas plaire aux habitants, un ballon au-dessus de leur tête. Ils auront l'impression d'être surveillés, ils auront peur que ça explose et que ça mette le feu...
Marjolaine : Ne vous inquiétez pas. On leur fera un vol gratuit pour eux. Ils apprécieront.
Le maire : Et vous pensez accueillir combien de personnes ?
Marjolaine : Entre 30 et 40, en comptant les enfants.
Le maire : Mais ça va multiplier par deux la population du village !
Marjolaine : Mais ça va créer des emplois.
Le maire : Si vous le dites !

🔊➕ p. 37, Prononcez... Automatisez
N° 18

1. Rassurez-vous ! Tout est prévu.
Annie est prévenue.... Lucie l'aura su...
J'aurai vu Sylvie... Marie-Lou l'aura lu...
Je l'aurai dit à Amadou...

2. • – On regardera la télé. Puis, on préparera le repas.
– Non, on regardera la télé quand on aura préparé le repas.
• – Nous irons au cinéma puis nous ferons les courses ?
– Non, nous irons au cinéma quand nous aurons fait les courses.
• – Je prends un café puis je fais mon courriel ?
– Non, tu prendras un café quand tu auras fait ton courriel.
• – On prend des vacances puis on repeint l'appartement ?
– Non, on prendra des vacances quand on aura repeint l'appartement.
• – Je prends ma douche puis tu prends la tienne ?
– Non, tu prendras ta douche quand j'aurai pris la mienne.
• – Les enfants prennent une glace puis ils font leurs devoirs ?
– Non, ils prendront une glace quand ils auront fait leurs devoirs.

Leçon 3

🔊➕ p. 40, La séquence radio
N° 19

On sait que le sport est bénéfique pour la santé. Mais faire du sport dans l'atmosphère polluée des villes, n'est-ce pas dangereux ? Dans l'émission « Le conseil santé », la journaliste Claire Hédon interroge sur ce sujet le docteur Jean-Marc Sène, médecin du sport.
C. H. : Finalement, faire du sport dans la pollution urbaine, est-ce que ça vaut vraiment le coup ?
Dr J.-M. S. : Alors, plusieurs études nous renseignent là-dessus... et qui montrent que les bénéfices du vélo pour la santé sont largement supérieurs aux risques associés à l'inhalation de polluants dans l'air mais également à l'exposition accrue aux accidents de la route.
C. H. : Quand même certaines personnes se sentent gênées à l'effort quand il y a des pics de pollution, comment peut-on l'expliquer ?
Dr J.-M. S. : Alors, il faut savoir que le volume d'air ventilé lors d'une séance de sport est 7 à 10 fois supérieur qu'au repos. Ce qu'on pourra conseiller lors d'un pic de pollution c'est d'éviter les activités physiques et sportives intenses autant en plein air qu'à l'intérieur surtout pour les populations sensibles, de reporter les activités qui demandent le plus d'effort, d'éviter les déplacements sur les grands axes routiers et à leurs abords en période de pointe et puis d'éviter les sorties durant l'après-midi.
C. H. : Quels sont les conseils pour faire du sport en ville au quotidien ?

Dr J.-M. S. : Alors, toutes les personnes qui veulent faire du sport en ville... je leur conseille premièrement de ne pas utiliser de masque ça sert à rien, aucun n'est efficace pour empêcher les particules néfastes de pollution de rentrer dans nos organes... alors, trouver un environnement vert, au contraire, pour leur exercice quotidien, dans un parc, par exemple... Éviter de faire du sport pendant les heures de pointe et puis, se rappeler que souvent la pollution urbaine diminue quand il pleut ou lorsqu'il vente... Et puis, normalement en prenant toutes ces quelques précautions, vous pourrez faire du sport en ville, sans trop de gêne, et même avec une pollution urbaine vous en tirerez un bénéfice pour votre santé.

C. H. : Merci docteur Jean-Marc Sène.

 p. 41, Prononcez... Automatisez
N° 20

• – Vous faites du sport ?
– Oui, j'en fais.
– Non, je n'en fais pas.
• – Vos amis font du sport ?
– Oui, ils en font.
– Non, ils n'en font pas.
• – Vous regardez les matchs à la télé ?
– Oui, je les regarde.
– Non, je ne les regarde pas.
• – Vous aimez la boxe ?
– Oui, je l'aime.
– Non, je ne l'aime pas.
• – Vous avez un vélo ?
– Oui, j'en ai un.
– Non, je n'en ai pas.
• – Vous utilisez votre vélo ?
– Oui, je l'utilise.
– Non, je ne l'utilise pas.

Leçon 4

p. 42, vidéo
N° 2

Comédien : face au public

On est au théâtre Hébertot, à Paris dans le dix-septième. C'est un superbe théâtre fondé en 1838, boulevard des Batignolles, donc à Paris. Il s'appelait avant le théâtre des Batignolles Pour ensuite s'être appelé le théâtre des Arts, et finalement le théâtre Hébertot, Et nous y sommes.
Alors, en ce moment, la pièce que je joue c'est une pièce qui s'appelle *Antonin et Mélodie*. C'est une pièce d'un auteur belge qui s'appelle Serge Kribus. Je travaille ça avec une jeune compagnie qui s'appelle la compagnie Bewitched. Et donc je joue le personnage d'Antonin. Voilà, c'est une histoire d'amour, de deux enfants, jusqu'à l'âge adulte.
Alors, comment est-ce que je travaille un rôle ? La première des choses, c'est l'apprentissage du texte, au rasoir, au mot près, parce que, surtout au théâtre, c'est très important de pouvoir se libérer du texte. Ensuite, la recherche sur le personnage. Qu'est-ce qu'il a pu faire ? Ses secrets que le public ne voit pas mais que nous,

comédiens, on se raconte pour nourrir le personnage. Et ensuite, le travail au plateau avec les autres comédiens. Trouver des nouvelles choses. Revenir parfois sur ce qu'on a déjà fait. Mais c'est beaucoup un travail de répétition, de répétition, de répétition. J'ai le trac tout le temps avant de monter sur scène. Mais c'est un bon trac. C'est l'envie d'y aller, quoi ! C'est à dire que c'est pas un trac « J'ai peur, je ne veux pas y aller ! » C'est un tract « Quand est-ce que ça commence ? »
J'aime beaucoup Éric Ruf qui est aujourd'hui directeur de la Comédie Française, qui est un comédien de théâtre que je trouvais sur scène absolument génial. Comme acteur de cinéma...moi je reste un peu vieille école, J'aime beaucoup Gérard Depardieu. Je trouve que c'est un acteur profond, naturel et puissant. Le métier paraît facile avec des gens comme ça, donc... évidemment, ce sont des personnes qui m'ont influencé.
Je n'en ai pas encore l'âge ni la carrure, mais j'aimerai jouer un jour Don Juan, parce que j'adore Molière, au même titre que Shakespeare, et je pense que c'est un des personnages les plus vastes et avec lequel on peut faire des milliers et des milliers de choses. Pas seulement s'arrêter au côté Don Juan, dragueur...C'est beaucoup plus intéressant. Voilà ! Un jour j'aimerai jouer Don Juan.

Bilan

p. 48, Exercice 3
N° 21

– On entend dire qu'en faisant un peu de sport tous les jours, on perd du poids. Par exemple, en faisant une demi-heure de marche. –
– Malheureusement, ce n'est pas vrai. En une demi-heure on ne dépense pas assez de calories. Mais, si on fait une activité physique, une demi-heure par jour on peut éviter de grossir.
– Est-il vrai que l'activité physique fait perdre de l'eau, mais pas des graisses ?
– Vous vous pesez avant un match de foot. Vous jouez pendant une heure et demie et vous vous pesez après. Vous aurez perdu un kilo mais c'est parce que vous aurez beaucoup transpiré. Vous aurez peut-être perdu un peu de graisse mais elles seront vite rattrapées les jours suivants.
– Donc, faire du sport ne suffit pas. Il faut faire aussi un régime.
– C'est vrai en partie. En fait, ce n'est pas le sport qui fait maigrir mais le régime. Mais le sport associé à un régime est utile. Si on fait un régime sans faire de sport on perd du muscle. L'activité physique limite cette perte de muscle. On a fait des études : 90 % des personnes qui font un régime sans faire de sport regrossissent au bout de deux ans. Si elles font du sport en même temps, il y en a seulement 50 % qui regrossissent.
– On dit aussi que plus on se muscle, plus on prend du poids.
– Non, mais c'est vrai qu'au début, quand on commence à faire du sport, on ne perd pas de poids mais on mincit... parce que le muscle

occupe moins de volume que la graisse. Après, comme le muscle consomme plus de calories, on commence à perdre du poids.
– Est-ce que c'est vrai que quand on vieillit il faut faire plus d'exercice ?
– Oui, parce que quand on vieillit la masse musculaire diminue, on dépense moins d'énergie. Donc, si on continue à manger autant, on a tendance à grossir.

Unité 3

Leçon 1

p. 50, Exercice 5
N° 22

– Si vous aviez les moyens et le temps, quel voyage vous aimeriez faire ?
– Partir en Asie du Sud-Est, au Cambodge par exemple. Mais pas en voyage organisé, surtout pas. Non, seul avec un sac à dos, en prenant les moyens de transports locaux : les trains, les cars... C'est un bon moyen pour faire des rencontres, pour prendre son temps, pour discuter avec les gens. On dit qu'ils sont très gentils, là-bas...
– Moi, je partirais pendant un mois dans une grande ville. Il faudrait que je connaisse un peu la langue du pays. Une ville comme Berlin ou Madrid, ça, ça me plairait... J'irais avec ma meilleure copine. On louerait un petit appart dans le centre avec Airbnb. Voilà, on visiterait les lieux touristiques, bien sûr... mais aussi on irait au théâtre, au cinéma. Ce serait l'occasion de perfectionner la langue et de vivre vraiment une culture différente. Moi, c'est ça qui me plaît dans les voyages.
– Moi, je rêve de faire une croisière sur le Nil avec ma copine. Oui, je sais ça fait un peu beauf mais moi, ça me fait rêver depuis longtemps... Se couper de tous les problèmes, être tous les deux dans un cadre extraordinaire et puis, surtout, pas de soucis de chercher un hôtel, un restaurant... On se laisse vivre !
– Moi, j'aimerais bien avec des copains faire un raid en Guyane. Traverser la forêt amazonienne, descendre des rivières en pirogue, rencontrer des habitants, être en pleine nature. Une sorte de Koh Lanta mais pas pour la télé !
– Moi, les voyages dans des endroits où il y a plein de touristes ça ne m'intéresse vraiment pas ! Ces dernières années, pendant mes vacances je suis allé restaurer un château en Auvergne. Mais ce que je voudrais bien faire, c'est aller en Afrique comme bénévole, dans un parc naturel, pour m'occuper des animaux sauvages... J'ai fait une demande l'an dernier mais c'est pas facile à avoir ! Travailler avec les gardes forestiers locaux, approcher les animaux sauvages. Ça, ça serait génial !
– Moi, ce que je rêve de faire, mais il faut que ce soit avec de bons amis, c'est louer un voilier avec un skipper et naviguer dans la mer des Caraïbes. S'arrêter dans de petites îles, pêcher, se baigner, profiter de la mer et du soleil !

🔊 p. 51, Prononcez… Automatisez
N° 23

1.

1. un fa
2. un bas
3. je vais
4. je fais
5. la valise
6. la balise
7. j'ai bu
8. j'ai vu
9. c'est faux
10. c'est beau

2.

Des amis préparent un voyage au Québec.
• – Nous devons réfléchir à l'itinéraire avant
lundi.
– Oui, il faut que nous ayons réfléchi à l'itinéraire.
• Je dois prendre les billets avant janvier.
– Oui, il faut que tu aies pris les billets.
• – Noémie doit faire le programme avant mars ?
– Oui, il faut qu'elle ait fait le programme.
• – Tu dois prendre contact avec ton ami de
Montréal, avant avril ?
– Oui, il faut que j'aie pris contact avec lui.
• – Je dois réserver les hôtels avant mars.
– Oui, il faut que tu aies réservé les hôtels.
• – Tu dois acheter un guide avant le départ ?
– Oui, il faut que j'aie acheté un guide.

Leçon 3

🔊 p. 54, La séquence radio
N° 24

*La circulation est un problème essentiel dans
beaucoup de grandes villes du monde. Comment
supprimer les embouteillages ? Deux urbanistes,
interrogés par Clémence Demarit, se penchent
sur la question : Frédéric Héran et Liliane Pierre-
Louis, spécialiste des pays en développement.
Une des solutions serait-elle de construire
davantage de routes périphériques ?*
F. H. : C'est une partie de la solution tout de
même, c'est-à-dire qu'il faut quand même
que les routes accompagnent la croissance
démographique ça c'est tout de même
nécessaire mais il ne faut pas croire que c'est
la seule solution, encore une fois la solution
majeure comme je l'ai dit avant, c'est de favoriser
les modes qui prennent peu d'espace.
C. D. : Par modes qui prennent peu d'espace,
vous faites allusion à …
F. H. : D'abord la marche, dans l'ordre, la marche,
les cyclistes et les deux roues motorisés et enfin
les transports publics et la voiture.
C. D. : Mais là, il y a un problème peut-être de
sécurité pour ce qui est des cyclistes, de la
marche avec les voitures. On n'est pas à l'abri
de se faire renverser. On pense aux mamans qui
sont avec leur bébé sur leur dos, qui sont à vélo.
Hein, Liliane Pierre-Louis, qu'est-ce que… c'est
une préoccupation de chaque jour.
L. P.-L. : Ma grande préoccupation à
Ouagadougou, c'est de faire tomber une maman
avec son bébé au dos qu'elle soit à vélo ou qu'elle
soit à moto. Donc ça c'est une grande crainte
et j'ai une seule règle pouvoir s'arrêter… Donc,

oui, ces questions de sécurité, reliées au mode,
je pense que l'expérience est très différente
entre Paris, la région parisienne et les pays qu'on
appelle rapidement du nord et nos pays du sud.
Ici, on n'a pas l'idée de monter sur une moto sans
casque, sans être préparé à monter sur une moto.
Depuis qu'on est enfant, on sait comment est
fait un motard, on joue avec des « Playmobil »
motards. Si vous regardez le nombre de gens qui
sont en tenue spécifique pour être sur une moto
dans les villes d'Afrique sahélienne que je connais
bien et dans d'autres… sur d'autres continents
dans lesquels il m'arrive d'aller en touriste, c'est
un nombre très, très restreint. Donc, on monte
sur une moto en toute tenue y compris avec un
grand pagne qui va s'envoler avec l'enfant au dos,
avec la bassine sur la tête, ça c'est une première
catégorie de choses ou gens qui se déplacent.
Et puis, dans la même catégorie moto, vous allez
voir un jeune homme qui fait vrombir son moteur,
qui slalome entre… qui croit que les autres sont
immobiles comme des plots et qui va slalomer
le plus vite possible entre tout ce qui bouge tout
doucement parce qu'on n'est pas en situation de
bouger plus vite à ce moment-là…

🔊 p. 54, Prononcez… Automatisez
N° 25

On vous interroge sur votre ville.
• – Il y a trop de ronds-points dans votre ville ?
– Oui, il y en a trop.
– Non, il n'y en a pas trop.
• – Vous allez dans le centre-ville en voiture ?
– Oui, j'y vais.
– Non, je n'y vais pas.
• – La municipalité élargit la rue Mozart ?
– Oui, elle l'élargit.
– Non, elle ne l'élargit pas.
• – Elle met un feu devant le cinéma ?
– Oui, elle en met un.
– Non, elle n'en met pas.
• – La municipalité favorise les transports
en commun ?
– Oui, elle les favorise.
– Non, elle ne les favorise pas.
• – Il y a beaucoup de jardins publics ?
– Oui, il y en a beaucoup.
– Non, il n'y en a pas beaucoup.

🔊 p. 55, Exercice 4
N° 26

1. Votre attention s'il vous plaît, la station Kleber
est fermée au public. Cette rame ne marquera
pas l'arrêt. Prochain arrêt : Trocadéro.
2. Les passagers du vol 711 à destination de New
York sont priés de se présenter porte 41.
3. Le TVG n° 8519 en provenance de Paris-
Montparnasse et à destination de Toulouse-
Matabiau, départ 16 h 06 va entrer en gare,
voie 1. Il est sans arrêt de Montauban à Toulouse-
Matabiau. Assurez-vous que vous êtes en
possession de votre réservation TGV. Ce train
comporte un service de restauration. Nous
rappelons aux personnes accompagnant les
voyageurs qu'elles ne doivent pas monter dans
les voitures. Éloignez-vous de la bordure du quai,
s'il vous plaît.

4. Votre attention s'il vous plaît. Le TGV n° 4702,
en provenance de Paris, arrivée initialement
prévue quai F, entrera en gare quai B.
5. En raison d'une forte tempête sur Paris Charles-
de-Gaulle, l'aéroport a été momentanément
fermé. Notre atterrissage est maintenant prévu
à l'aéroport de Nantes. La compagnie Air France
vous prie de bien vouloir l'excuser pour ce
changement. Notre personnel au sol est à votre
disposition pour faciliter la suite de votre voyage
et votre acheminement vers Paris dans
les meilleures conditions.
6. Quai n° 2, voie 4, le train TER n° 71 624 à
destination de Brives va partir. Prenez garde
à la fermeture automatique des portes. Attention
au départ.
7. Madame, Monsieur, votre attention s'il vous
plaît. À la suite d'un accident grave de personne,
le train Corail Intercités n° 4805 en provenance
d'Orléans, arrivée initialement prévue à 20 h 45,
arrivera avec un retard de 2 h 15 environ. Merci
de votre compréhension.

Leçon 4

🎬 p. 56, vidéo
N° 3

Êtes-vous vélib' ?
Thierry : Vélib' c'est la contraction de « vélo » et
« liberté » et je trouve que le nom est plutôt bien
choisi. Je me suis mis au Vélib' parce que j'en
avais un peu assez de réparer les vélos d'avoir
des crevaisons sans arrêt, et donc j'ai trouvé
très pratique le fait d'avoir toujours des vélos à
disposition. Ce qui me plaît dans le Vélib' ? Déjà,
ça te maintient en forme, et puis, tu pollues pas
et ça te revient finalement très bon marché,
puisque l'abonnement à l'année est à 29 euros,
donc… il n'y a que des avantages à faire du
Vélib'.
Nagisa : C'est une très bonne initiative ! Déjà
d'un point de vue écologique et puis, ça
encourage les gens aussi à faire du sport, un peu.
Après, je trouve qu'à Paris c'est compliqué de
faire du vélo. Niveau sécurité, c'est ça qui me fait
un peu peur et qui fait aussi que je préfère faire
du Vélib' le soir.
J'ai vécu deux ans à Berlin, et là, à Berlin, les
rues sont très larges et il y a toujours des pistes
cyclables. Donc on peut vraiment faire du vélo
en toute sécurité et dans un confort optimal.
Alors qu'à Paris, il y a peu de pistes cyclables, et
il y a trop d'automobilistes qui ne font pas assez
attention aux cyclistes. Donc c'est dangereux.
Thierry : Paris est de mieux en mieux adapté à
l'utilisation du vélo et du Vélib'. Il y a eu quand
même de gros efforts sur les pistes cyclables
au fil des années. Moi, je suis quelqu'un d'assez
prudent à vélo, je pense que quand tu es attentif,
tu n'as aucun problème à circuler à Vélib' à Paris.
Nagisa : Moi, je vis en banlieue et il n'y a pas
de Vélib'. Et là, à la limite, en banlieue, ce serait
bien adapté, parce qu'il y a moins de voitures, il
y a moins de circulation. Donc c'est dommage
que ce soit que à Paris. Après, ce que je trouve
qu'il manque aussi, par mesure de sécurité, c'est
des casques. Il y a des gens, parfois, qui sont
débutants en vélo, et qui peuvent prendre le

Vélib' comme ça, parce qu'il n'y a pas besoin de permis. Et pour ces gens-là, quand même, avoir un casque, ce serait bien je trouve.

Thierry : Le meilleur moyen de découvrir une ville ? Je trouve qu'à pied, ça ne va pas assez vite, que le métro, on ne voit pas assez de choses, puisqu'on est sous terre, et puis, la voiture, on est souvent bloqué dans les embouteillages, donc… je ne vois pas ce qui pourrait rivaliser avec le vélo comme moyen de transport idéal, dans une ville !

Bilan

🔊 **p. 62, Exercice 6**
N° 27

Philippe : Alors, comment ça s'est passé ?
Juliette : Je crois que ça s'est bien passé. Ça a été assez court.
Philippe : Vous êtes partis d'où ?
Juliette : Du centre commercial Géant Casino qui est sur la route de Saint-Firmin et on est allés dans les rues de la zone industrielle… Pour sortir du centre commercial, j'ai bien marqué le stop puis j'ai conduit à 50 à l'heure jusqu'au panneau de fin d'agglomération… Et après, j'ai accéléré et j'ai passé mes vitesses jusqu'à la 5e puisqu'on peut rouler jusqu'à 90… Quand on est arrivés au rond-point de la zone industrielle, il m'a dit de tourner à gauche… Donc, j'ai fait le tour du rond-point et je suis entrée dans la rue à gauche… Là, il y a un feu. Il était au rouge donc je me suis arrêtée. Puis, il m'a dit de tourner à droite donc j'ai pris la première à droite… Un peu plus loin, j'ai bien marqué le stop. Puis, je suis repartie… et un peu plus loin, il m'a demandé de faire un créneau et je l'ai réussi !… Après le créneau, je suis repartie et il m'a demandé de tourner dans la première rue, à gauche… Et là, j'ai eu très peur parce que, comme j'entrai dans la rue, un chat a traversé en courant et j'ai donné un coup de frein…
Philippe : Tu l'as écrasé ?
Juliette : Non, non, j'ai pu l'éviter !… Après, j'ai tourné dans la première rue, à gauche… Au croisement suivant, j'ai laissé le passage à un camion qui arrivait à droite puis je suis allée jusqu'au bout de la rue qui rejoint la route et on est revenus chez Géant Casino.

Unité 4

Leçon 1

🔊 **p. 65, Exercice 6**
N° 28

Lambert : Tu as un tatouage ?! C'est pas ton genre. Depuis quand tu as ça ?
Amandine : Depuis… Attends… Depuis le 26 juin, c'est-à-dire le lendemain des résultats de mon concours pour être avocate. C'est un pari qu'on avait fait entre copines Malika, Cindy et moi…
Lambert : Un pari ?
Amandine : Je me rappelle. Une semaine avant les résultats on était parties faire une randonnée dans les Pyrénées… On était rentrées la veille des résultats. Moi, je n'avais pas dormi de la nuit…

Le 25, on avait eu le résultat vers 17 h. On était reçues toutes les trois. Alors, on a appelé des amis et on est allés fêter notre succès…
Lambert : Tout ça ne me dit pas pourquoi ce tatouage.
Amandine : Ben, le lendemain, on est allées à la plage, à La Baule, et c'est en passant devant une boutique de tatouage que Malika a dit : « Si on se faisait tatouer un papillon ? »
Lambert : Pourquoi un papillon ?
Amandine : Parce qu'après on allait s'envoler… Le lendemain, Malika est partie s'occuper d'enfants dans un centre de vacances. Le surlendemain, Cindy est partie aux États-Unis et moi, la semaine suivante, je suis allée chez mes cousins, dans le Jura.

🔊 **p. 65, Prononcez… Automatisez**
N° 29

1. Il y a du thé.
Il y en a beaucoup.
Elle en veut ?
Elle a pris un cookie ?
Elle n'en a pas pris.
Elle a un copain ?
Elle en a un.
Depuis trois ans.
Elle en parle beaucoup.

2. • – Vous vous souvenez de votre premier téléphone mobile ?
– Oui, je m'en souviens.
– Non, je ne m'en souviens pas.
• – Vous vous souvenez de votre meilleure note au lycée ?
– Oui, je m'en souviens.
– Non, je ne m'en souviens pas.
• – Vos copains de lycée se souviennent de vous ?
– Oui, ils se souviennent de moi.
– Non, ils ne se souviennent pas de moi.
• – Vos amis se rappellent votre date d'anniversaire ?
– Oui, ils se la rappellent.
– Non, ils ne se la rappellent pas.
• – Vous avez retenu les noms des étudiants de la classe ?
– Oui, je les ai retenus.
– Non, je ne les ai pas retenus.
• – Et ils ont retenu le vôtre ?
– Oui, ils l'ont retenu.
– Non, ils ne l'ont pas retenu.

Leçon 3

🔊 **p. 69, La séquence radio**
N° 30

Peut-on reconnaître un manipulateur ? La journaliste Emmanuelle Bastide interroge une sémiologue, scientifique qui étudie les signes dans les relations sociales.
Qui ne s'est pas fait avoir une fois dans sa vie ? Qui n'a pas été une fois la victime d'un manipulateur, ces personnes qui vous font faire ce que normalement vous n'auriez pas fait ? Acheter une nouvelle voiture, alors que la vôtre peut encore durer deux ou trois ans, adhérer à une association sans intérêt pour vous,

leur prêter de l'argent quand vous n'en avez pas envie.
E. B. : Comment peut-on déceler le corps du manipulateur ? Vous dites le sourire, que le regard, tout a de l'importance et qu'on peut se rendre compte si l'on est manipulé.
E. M. : Bien sûr, alors, ça demande d'avoir une acuité visuelle un petit peu travaillée. Néanmoins, il y a des choses qu'on peut tout à fait ressentir […]
Quand vous commencez à ressentir du malaise, un petit maux de ventre, un mal à la tête, de l'angoisse qui commence à monter, la transpiration qui arrive, c'est que la relation n'est pas optimisée, et en fait votre corps l'a déjà intégrée cette information-là que vous n'êtes pas à l'aise et que les choses ne se déroulent pas comme elles devraient l'être. Donc, effectivement, déjà se faire confiance à soi-même, observer son propre corps pour voir comment il réagit à la relation et ensuite regarder l'autre comment il se positionne […] Quelqu'un qui vous fixe en permanence, sans cligner des yeux, quelqu'un qui est assez rigide ou qui est très amical et puis, qui d'un seul coup change de registre c'est-à-dire qui est très amical pour vous dire « Comment ça va ? Tes vacances se sont bien passées ? » et que vous lui dites « Oui, très bien. Alors, je viens te voir. Je voudrais une augmentation » et vous voyez que là la personne se met en retrait et se rigidifie et ces changements de posture-là qu'il faut observer. Pourquoi la personne change de position au milieu du dialogue et qu'est-ce qui s'est passé à ce moment-là ?

🔊 **p. 69, Prononcez… Automatisez**
N° 31

• – Il m'a dit « Je suis acteur. »
– Il t'a dit qu'il était acteur !
• – Je lui ai demandé : « Vous faites du cinéma ? »
– Tu lui as demandé s'il faisait du cinéma !
• – Il m'a répondu : « J'ai joué dans *The Artist*. »
– Il t'a répondu qu'il avait joué dans *The Artist* !
• – Il m'a dit : « Je jouerai bientôt au théâtre. »
– Il t'a dit qu'il jouerait bientôt au théâtre !
• – Il m'a dit : « Je vous enverrai une invitation »
– Il t'a dit qu'il t'enverrait une invitation !
• – Je lui ai demandé : « Je peux faire un selfie avec vous ? »
– Tu lui as demandé si tu pouvais faire un selfie avec lui !

Leçon 4

🎬 **p. 70 , vidéo**
N° 4

Mariages : organisatrice de bonheur
Pour devenir organisatrice de mariages, j'ai fait des études de communication évènementielle, parce qu'un mariage est un évènement. C'est très important pour les mariés que cette journée soit bonne, donc il faut vraiment être très exigeant et très rigoureux.
C'est surtout beaucoup de travail. Il y a aussi beaucoup de déplacements avec les clients pour

aller visiter les lieux surtout, parce que c'est vraiment le lieu qui définit un petit peu tout le mariage et surtout la date. Donc, des visites, des rendez-vous avec certains prestataires, mais surtout beaucoup de travail en amont et beaucoup de déplacements sur le lieu du mariage.

On a une grosse clientèle internationale et on travaille en français et en anglais. Il faut s'adapter à chaque client parce que chaque demande est différente. C'est plus la relation que j'ai avec mes clients qui change plutôt que le mariage en lui-même, parce qu'un mariage se compose toujours de la même façon : un lieu, un traiteur, un photographe... Voilà, c'est à peu près les mêmes choses, mais c'est plus comment on gère le client, comment on parle avec lui, la relation qu'on peut avoir avec lui qui diffère.

Il y a des clients qui sont plus difficiles que d'autres, en effet. Il y en a qui sont plus exigeants, qui demandent beaucoup plus de travail parce qu'ils sont moins organisés eux-mêmes, donc ils sont un peu perdus dans l'organisation, donc ils demandent plus d'attention. Effectivement, il y en a qui sont plus difficiles. J'ai pu avoir des demandes un petit peu qui sortent de l'ordinaire, comme une montgolfière, des sculptures de glace. Mais finalement, ça reste assez classique.

Il y a un lieu qui m'a particulièrement marqué, c'est d'avoir fait un évènement au château de Chenonceau. Parce que le fait de pouvoir organiser quelque chose là-bas, c'était assez exceptionnel parce qu'il est très beau et très connu en France.

Il peut y avoir des problèmes effectivement de temps en temps, des petits soucis de compréhension de temps en temps avec des prestataires. Récemment, j'avais loué du matériel. Ce qu'on m'a livré n'était pas ce que j'avais demandé et donc j'ai dû à la dernière minute aller acheter moi-même du matériel pour remplacer tout ça.

L'intérêt c'est d'avoir des clients différents, en fait. Parce que ça me permet aussi, moi, de pouvoir dépasser ce que je fais à chaque fois, et de changer de style et de prestataire et de pouvoir faire quelque chose de différent à chaque fois. Le moment que je préfère dans un mariage, c'est... quand les gens sont assis pour le dîner parce qu'on se dit que... ils sont assis, et tout va bien !

Bilan

🔊 **p. 76, Exercice 5**
N° 32

1. Tu sais à la soirée, chez Mélanie et Augustin, j'étais à côté d'un type super intéressant, un historien. J'ai eu beaucoup de plaisir à l'écouter. En ce moment, il prépare un livre sur Cléopâtre, la reine d'Égypte. Passionnant ! C'est le genre de type que j'admire.
2. Vous savez, la fille de notre voisine, celle qui habite au bout de la rue. Elle fait de la planche à voile. Eh bien, elle participait aux jeux Olympiques. Et elle a eu la médaille d'or... On l'a vue à la télé. Tout le quartier est fier de cette

petite ! On est vraiment content pour elle et pour ses parents.
3. J'ai vraiment été déçue par Bertrand. Il m'avait promis que pour mon déménagement, il viendrait m'aider avec sa voiture. Et puis, la veille, il m'a annoncé que finalement, il ne pouvait pas venir. C'est pas sympa. On ne peut pas se fier à lui...
4. J'ai appris le décès de ta maman. Cela m'a beaucoup attristé. C'était une dame très gentille que j'appréciais énormément.
5. Ça y est, nous avons aménagé. Tu ne peux pas savoir comme je suis heureuse. On a du soleil, une vue sur le parc. C'est génial !
6. Ça alors ! Tu as pensé à mon anniversaire. Je ne m'y attendais pas. C'est vraiment très gentil.
7. Tu sais, au dîner, chez Sophie, je n'ai pas fait fort ! En faisant passer un plat, j'ai renversé la sauce sur le pantalon de mon voisin... Je ne savais plus où me mettre.
8. Là, j'ai dû envoyer au moins 200 CV avec lettre de motivation. Aucune réponse positive. J'avoue que je suis un peu découragé.

Unité 5
Leçon 1

🔊 **p. 78, Prononcez... Automatisez**
N° 33

1. *Mystère*
Comment ça s'explique ?...
Quelles sont les raisons ?...
La police analyse...
La cause est en Écosse...
Le résultat est sûr...

2. • – Les loups ont tué des brebis ?
– Ils en ont tué 25.
• – Le ministère a autorisé l'abattage de quelques loups ?
– Il l'a autorisé.
• – Les défenseurs des loups ont fait une manifestation ?
– Ils en ont fait une.
• – Ils ont invité Paul Watson ?
– Ils l'ont invité.
• – Ils s'opposent totalement à l'abattage des loups ?
– Ils ne s'y opposent pas totalement.

🔊 **p. 79, Exercice 3**
N° 34

– Que fait cet homme sur la photo ?
– Il est en train de polliniser les fleurs d'un arbre fruitier. Ça se passe en Chine, mais il est possible que bientôt on doive faire cela en France car beaucoup d'abeilles meurent. C'est un phénomène mondial. Pour le moment, c'est en Asie qu'il est le plus grave mais il s'étend au reste du monde.
– Pourquoi la disparition des abeilles est-elle grave ?
– Parce que ce sont les abeilles qui fécondent les fleurs.
– C'est-à-dire ?
– Pour qu'une fleur donne un fruit, il faut qu'elle reçoive le pollen venant d'une autre

fleur. Et ce sont les insectes, en particulier les abeilles, qui font ce travail en allant se nourrir de fleur en fleur. On appelle ça : la fécondation ou la pollinisation. Sans les abeilles pas de pollinisation, donc pas de fruits. Les pêchers ne produiraient pas de pêches, les cerisiers pas de cerises, etc.
– Mais quelles sont les causes de la disparition des abeilles ?
– Il y en a plusieurs. D'abord, la plus connue : les pesticides, c'est-à-dire les produits chimiques que les agriculteurs mettent sur les plantes pour tuer les parasites qui sont à l'origine de maladies. La mort des abeilles est souvent provoquée par les pesticides. Bon, aujourd'hui en France et dans d'autres pays on essaie de limiter leur utilisation. Mais c'est pas partout.
– On parle aussi d'un parasite, « le vampire de l'abeille »...
– Oui, c'est la deuxième cause de mortalité. C'est une sorte de poux qui se nourrit du sang des abeilles. Bien sûr, les scientifiques cherchent à détruire ce parasite mais ils n'ont pas encore trouvé la solution. Enfin, troisième cause, elle vient du changement de nos paysages. Depuis le milieu du xxᵉ siècle, les terres agricoles ont été agrandies. Avant, il y avait beaucoup d'espaces non cultivés et, sur ces espaces, il y avait des plantes et des fleurs qui poussaient et les abeilles trouvaient là à se nourrir. Aujourd'hui, beaucoup d'espaces non cultivés ont disparu et les abeilles n'ont plus de nourriture.
– Si les abeilles disparaissaient, il n'y aurait plus de fruits et de légumes ? Comment pourrait-on faire ?
– Alors, bien sûr, il faut essayer de préserver nos abeilles. Il y aurait bien sûr la pollinisation à la main comme en Chine mais cela coûterait beaucoup trop cher. La solution serait dans la création de végétaux qui se fécondent eux-mêmes. Il en existe déjà dans la nature.

Leçon 3

🔊 **p. 83, Prononcez... Automatisez**
N° 35

• – Tu as écrit au préfet ? Oui ?
– Oui, Je lui ai écrit.
• – Tu as envoyé un mail au maire ? Oui ?
– Oui, je lui ai envoyé un mail.
• – Tu as donné le dossier à tous les journalistes ? Oui ?
– Oui, je leur ai donné le dossier.
• – Tu as téléphoné au député ? Non ?
– Non, je ne lui ai pas téléphoné.
• – Tu as parlé aux membres de l'association ? Non ?
– Non, je ne leur ai pas parlé.
• – Tu as écrit au président de la région ? Non ?
– Non, je ne lui ai pas écrit.

🔊 **p. 83, La séquence radio**
N° 36

Journaliste : Vous faites partie d'une association de consommateurs contre l'obsolescence programmée. Pouvez-vous nous expliquer ce qu'est l'obsolescence programmée.

Militante : C'est très simple. Avant, quand on fabriquait un réfrigérateur ou un lave-linge, on essayait de faire le meilleur produit possible, pour être meilleur que la concurrence. Un téléviseur pouvait durer une vingtaine d'années. Aujourd'hui, on fait en sorte qu'il tombe en panne au bout de trois ou quatre ans, si possible après la période de garantie.

Journaliste : Mais comment expliquez-vous ce changement ?

Militante : Les entreprises, c'est bien connu, doivent faire toujours plus de profit. En conséquence, elles n'ont que deux possibilités. La première possibilité, c'est de vendre moins cher, mais dans des pays comme la France cette option est impossible car il y a la concurrence du reste du monde où la main-d'œuvre est moins chère. Alors, il reste la deuxième possibilité, vendre plus de produits. Et comme le nombre d'acheteurs n'est pas extensible, il faut que la durée de vie du produit soit plus courte. Du coup, le produit tombe en panne et le consommateur achète un nouveau produit.

Journaliste : Mais c'est immoral ! Pour vendre davantage, on peut proposer des produits plus innovants.

Militante : Les entreprises le font mais ce n'est pas suffisant pour persuader l'acheteur de changer. Si l'ampoule qui éclaire votre salon marche bien, vous n'allez pas la changer pour une nouvelle ampoule. L'innovation est attractive quand il s'agit de nouveaux produits comme ces dernières années le téléphone portable.

Journaliste : Mais pourquoi le consommateur ne proteste pas ?

Militante : Parce que nous avons adopté une culture du jetable et nous aimons ça. Tout ça, sous l'influence de la publicité, des médias, de la mode... Aujourd'hui, quand vous achetez un ordinateur c'est pour deux ou trois ans, pas plus. Vous savez aussi que vous changerez de voiture au bout de cinq ou six ans. C'est devenu un mode de vie. Passer des heures à choisir une nouvelle voiture ou un nouveau portable, ce n'est plus du temps perdu, c'est un loisir et un plaisir.

Leçon 4

p. 84, vidéo
N° 5

Artiste : saisir son époque

Gérard Lecloarec : Je m'intéresse aux portraits, j'allais dire de la tête aux pieds ! Parce que ce qui m'intéresse c'est l'humain et l'humain c'est ce qui véhicule nos rapports avec les autres. La peinture a d'autres possibilités simplement qu'esthétiques, plastiques. La peinture est là pour dire, pour révéler des choses qui ne sont pas toujours de grande qualité au niveau de l'humain.

La visiteuse : Je les aime bien tous. Après, celui que j'aime particulièrement ce serait peut-être tout simplement celui-là. J'aime bien les couleurs, j'aime bien le regard. C'est impressionnant, techniquement il y a beaucoup de choses, c'est très riche. C'est assez intrigant je trouve.

Un visiteur : Ce que j'aime beaucoup dans son œuvre, c'est tout d'abord son originalité. C'est le mélange des couleurs, le dynamisme, la puissance !

Gérard Lecloarec : Quand je sens que certains regardent mon travail, ou m'achètent mon travail, c'est sûr que je suis content, si personne ne disait rien... ! Mais je peins, je dessine comme je l'entends.

La visiteuse : Est-ce que je suis pour l'art contemporain dans les lieux publics ? Pas tellement... À partir du moment où c'est dans les lieux publics, ça devient officiel. Du coup on perd un peu la démarche artistique qui est sensée être un peu spontanée, quoi. Alors que là, ça nous est vraiment imposé.

Le visiteur : Je pense que c'est très important que l'art soit présent dans l'espace public, et justement, que des populations qui n'ont pas forcément accès à cet art puissent s'y trouver confrontées.

La visiteuse : Quand on met des œuvres contemporaines, comme ça, dans des lieux historiques, ce n'est pas en harmonie. Je trouve que ce n'est pas en phase, il y a un décalage. Ça dénature un petit peu les lieux.

Le visiteur : Il y a des œuvres qui semblaient choquantes et qui aujourd'hui sont ancrées dans notre paysage. Je pense à la tour Eiffel. La tour Eiffel a dû choquer au début, aujourd'hui tout le monde la visite. Justement, que ça crée une émotion, et que ça crée un débat public, est-ce que ce n'est pas justement, quelque part, la fonction de l'art ? Ça permet aussi de changer le regard sur un lieu, d'avoir une autre vision sur ce lieu. Et de s'interroger, du coup, sur la place qu'on peut avoir dans la société et dans l'avenir.

Gérard Lecloarec : Je m'intéresse au monde qui bouge, qui évolue. Je veux saisir mon époque. Et tous les jours ça bouge, donc tous les jours je m'interroge.

Bilan

p. 90, Exercice 5
N° 37

1. Ah, c'est surprenant. J'aime bien l'opposition des styles, la modernité du bâtiment qui s'oppose à ces maisons anciennes. C'est la modernité au milieu de la tradition !

2. J'aime bien le centre Pompidou car c'est un lieu convivial. Il y a beaucoup de monde, de toutes les nationalités. On peut faire des rencontres dans la bibliothèque, sur la grande place là-devant, ou même dans certaines salles d'exposition...

3. Pour tout dire, c'est assez laid même très laid. Ces formes bizarres, ces couleurs, c'est n'importe quoi !

4. C'est vraiment original ! J'ai jamais vu ça ailleurs. On montre ce qui est généralement caché : les tuyaux, les ascenseurs. Tout ça, normalement, c'est à l'intérieur des bâtiments. Là, on le fait voir.

5. J'adore ce lieu parce qu'il est lumineux. De partout, on a une vue sur Paris... Quand on monte par l'escalier extérieur, dans les salles du musée d'Art moderne, dans la bibliothèque, dans la cafétéria, on voit Montmartre, on voit la tour Montparnasse, on voit la tour Eiffel...

6. C'est un peu dépassé comme architecture. Dans les années 70, c'était moderne, original mais, aujourd'hui, on ne ferait plus ça !

Unité 6
Leçon 2

p. 95, Exercice 5
N° 38

1.

Au téléphone
– Qu'est-ce que tu fais à midi ?
– Je ne sais pas encore.
– Avec Marlène, on va au restaurant du coin de la rue. Ça te dit ?
– Ben oui.
– Alors, à midi et demie. On se retrouve à l'accueil.
– D'accord ! Alors, à tout à l'heure.

2.

Devant la machine à café
– Tu es en congé vendredi ?
– Oui, pourquoi ?
– Ben, je voudrais te demander un service.
– Dis-moi.
– Samedi, je vais au mariage de ma sœur à Marseille et j'aimerais bien partir vendredi. Est-ce que tu pourrais me remplacer ?
– D'accord ! Pas de problème !
– Super ! Je te revaudrai ça.
– J'espère bien !

3.

Au téléphone
– Agnès, normalement tu dois avoir le dossier AEF.
– Mais je l'ai transmis au patron !
– Ah non ! Je t'avais dit que je voulais le revoir.
– Attends ! Je vais le lui demander. Il l'a peut-être pas encore lu...
– OK, mais ce n'est pas du travail sérieux.

4.

Au téléphone
– Sébastien, tu as vu mon courriel ?
– Pas encore, j'arrive. J'ai cinquante mails à lire !
– Je m'en doutais. C'est pour ça que je t'appelle. La réunion de cet après-midi est reportée à demain, même heure.
– Demain, à 14 h ? Mais j'ai un déjeuner avec un client !
– Écoute ! Débrouille-toi mais sois à l'heure. Tu sais que le nouveau patron ne supporte pas les gens qui arrivent en retard.

5.

Devant la machine à café
– Dis-moi Nathalie, tu parles bien allemand ?
– Euh oui... Enfin, je suis pas bilingue...
– On a reçu une lettre en allemand, au service. Tu pourrais pas nous la traduire ?
– Ah ça, ça ne doit pas poser de problème. Écoute, je passe dans dix minutes.
– D'accord. Merci Nathalie !

1. J'ai mangé du thon.
J'ai mal aux dents.
Je n'ai pas le temps.
Je vous demande pardon.
C'est embêtant.
Il y a des moutons.
Il est prudent.
Le Journal de 20 h, nous le regardons.

2. *Présentation de photos*
• – Je t'ai parlé d'un copain anglais. Le voici.
– C'est le copain anglais dont tu m'as parlé !
• – Je rêve d'une maison. La voici.
– C'est la maison dont tu rêves !
• – J'ai besoin d'une grande voiture. C'est celle-ci.
– C'est la voiture dont tu as besoin !
• – Voici mon ami. Tu connais sa sœur.
– C'est ton ami dont je connais la sœur !
• – Voici ma copine. Son père est artiste.
– C'est ta copine dont le père est artiste !
• – C'est un pianiste. Tu as son CD.
– C'est un pianiste dont j'ai le CD !

Leçon 3

🔊➕ **p. 97, La séquence radio**
Nº 40

Dans une société de plus en plus mondialisée on doit souvent travailler avec des personnes de nationalités et de cultures différentes. Ces situations peuvent être source d'incompréhension. Benjamin Pelletier, spécialiste de formation interculturelle, examine quelques causes de malentendus et quelquefois de conflits dans l'entreprise. Et tout d'abord la langue. Est-elle le problème principal ?

Benjamin Pelletier : La langue... en fait, derrière cet enjeu de langue, il y a finalement même si on a une langue commune, par exemple le français [...] mais ce n'est pas parce qu'on a utilisé le même mot dans la même langue qu'on a forcément le même langage professionnel, et un des enjeux-là, c'est de saisir pour le même terme, le même mot, par exemple, le mot « décision » ou bien « Qu'est-ce qu'un bon manager ? », « Qu'est-ce qu'une réunion, à quoi ça sert ? ». Et bien on utilise le même terme en français ou en anglais et en revanche, on a des pratiques ou des définitions complètement différentes et on n'en a pas conscience avant de se rencontrer et c'est au moment où on se met à travailler qu'on se rend compte que là on commence un conflit de pratique qui vient justement de ces problèmes-là, de différences qu'on n'a pas réussi à mettre sur la table avant [...]
Mais la langue n'est pas la seule source d'incompréhension et de tensions.
B. P. : Par exemple, si je vais en Grande-Bretagne, je me rends compte qu'avec mes collègues britanniques la pause déjeuner n'est pas très importante voire complètement secondaire, ce qui agace énormément les Français qui disent « Ce n'est pas normal » et inversement, quand les Britanniques viennent en France, ils se disent

« Mais quelle perte de temps cette longue pause déjeuner » et ils commencent à juger en disant « Ce n'est pas normal ».
Voici aussi un trait du comportement des Français que les autres nationalités ont des difficultés à comprendre.
B. P. : Très souvent, on me dit : « Mais pourquoi quand nous, on fait une suggestion lors d'un lancement de projet les Français disent tout de suite « non » ? ». « Non, ce n'est pas possible, ce n'est pas réaliste ». Par exemple, ce « non » très frontal et très direct, par exemple, et ça... j'ai rencontré des Africains en Afrique de l'Ouest, mais aussi des Brésiliens, des Chinois, des Indonésiens qui m'ont raconté cette même anecdote. Et donc, on essaie de comprendre et d'expliquer pourquoi est-ce qu'on dit « non ». On a peut-être un usage..., nous, d'un mode contradictoire pour faire émerger de nouvelles idées. Nous nous contredisons pour décider des choses et faire émerger des idées et on le fait tout le temps, on le fait en famille, avec des amis... On le fait aussi avec des collègues, on voit tout de suite le verre à moitié vide plutôt qu'un petit peu plein. Et ça, c'est aussi un réflexe qu'on a depuis l'école et ça, ça revient très souvent. Le négatif qui s'exprime en premier lieu de la part des Français.

🔊➕ **p. 97, Prononcez... Automatisez**
Nº 41

• Le cinéma t'intéresse ?
– Oui, c'est ce qui m'intéresse.
• Tu voudrais faire du cinéma ?
– Oui, c'est ce que je voudrais faire.
• Tu as envie d'être metteur en scène ?
– Oui, c'est ce dont j'ai envie.
• Tu aimes faire des films ?
– Oui, c'est ce que j'aime faire.
• Ça te plaît d'écrire des scénarios ?
– Oui, c'est ce qui me plaît.
• Tu rêves de travailler avec de belles artistes ?
– Oui, c'est ce dont je rêve.

Leçon 4

🎬➕ **p. 98, vidéo**
Nº 6

En apprentissage
Clémence Forget : Je fais des études pour devenir éditrice. C'est une formation en deux années de master et deux années d'apprentissage.
Maylis Olphe-Gaillard : Moi aussi, à l'université de Marne-la-Vallée. En moyenne, c'est trois jours entreprise et deux jours école.
C. F. : Pour financer mes études, je devais trouver un travail. C'est pourquoi j'ai choisi l'apprentissage, pour pouvoir étudier et avoir un emploi rémunéré en même temps.
M. O.-G. : Dans l'entreprise, on est vraiment considérées comme des salariées à part entière. On a des responsabilités, on a des projets qui nous sont propres, sur lesquels on travaille en autonomie. J'ai de très bons rapports avec mon maître d'apprentissage. C'est la directrice éditoriale de l'entreprise. Il y a beaucoup de travail, donc on

essaye d'éviter de trop déranger pour des petites choses. J'ai également un référent qui travaille dans ce bureau.
C. F. : Notre référent va nous aider d'un point de vue ponctuel et va nous expliquer la procédure interne à l'entreprise. Mais quand c'est une question de fond, quelque chose de beaucoup plus global, là on a le bagage de l'université. Durant cette première année d'apprentissage, il y a eu des moments plus difficiles que d'autres. Entre le rythme de travail en entreprise et celui à l'université, j'ai souvent dû demander des délais pour pouvoir rendre mes devoirs.
M. O.-G. : Il y a des jours, c'est un peu plus compliqué de se motiver et de se dire que vous êtes aussi professionnelle. Et que à partir du moment où vous êtes professionnelle, vous avez des responsabilités envers votre entreprise. On a une très bonne relation avec nos collègues, donc c'est très agréable de travailler avec eux. On sort souvent après le travail justement, pour aller prendre un verre, dîner éventuellement. Il y a une relation différente effectivement quand on est autour d'une bonne pinte de bière. On ne parle pas des mêmes choses, on ne parle pas de la même façon. Après, on reste quand même assez égaux à nous-mêmes. Évidemment, il y a des moments de joie aussi au travail. Récemment, j'ai travaillé sur une méthode qu'on adaptait pour un pays qui avait des exigences particulières. Et, effectivement, quand on a la version imprimée dans les mains et que le client l'accepte, c'est une forme de récompense.
C. F. : Une fois que j'aurai terminé ma formation, j'espère devenir éditrice. J'aimerais un poste où je peux suivre le livre de la main de l'auteur à son impression et également à sa diffusion en version numérique.
M. O.-G. : L'apprentissage, c'est un très très bon moyen de mettre un premier pied dans le monde professionnel.
C'est la réalité du monde du travail. Et je ne regrette pas du tout ce choix. C'est vraiment une très bonne formation et je suis très contente de la faire.

Bilan

🔊➕ **p. 104, Exercice 4**
Nº 42

– Ici, à Clermont-Ferrand, la grande entreprise, c'est Michelin ?
– Ah oui, elle emploie encore près de dix mille personnes dans la région. Et à la grande époque, dans les années 70, elle employait trente mille personnes. Elle faisait vivre la région.
– Ça a été créé quand ?
– À la fin du XIXᵉ siècle, en 1889, je crois. Ce sont deux frères, les frères Michelin, André et Édouard, qui ont commencé à fabriquer des pneus pour les vélos.
– Parce que Michelin, c'est surtout la fabrication de pneumatiques.
– C'est ça... Après le vélo, il y a eu les voitures, les motos, les avions... et même aujourd'hui, c'est eux qui font les énormes pneus pour les engins industriels.

– Et ils n'ont jamais fabriqué autre chose ?
– Si, si... Pendant la Première Guerre mondiale, c'est Michelin qui a produit les premiers avions. Ils en ont fait près de trois mille. Après, ils ont fait aussi un autorail, c'est-à-dire un petit train qu'on a appelé la « Micheline ».
– Et puis, aujourd'hui, ils font aussi le célèbre guide Michelin.
– Il y a plusieurs sortes de guides. Il y a le guide rouge pour les restaurants et les hôtels mais il y a aussi les guides touristiques, des cartes et ils ont aussi un site Internet pour trouver les itinéraires...
– C'est la première entreprise au monde pour les pneus, je crois.
– Non, c'est fini... C'était la première entreprise. Aujourd'hui, ils sont passés au deuxième rang après Bridge Stone, une entreprise japonaise comme son nom ne l'indique pas ! Mais bon, ça reste une grande entreprise qui emploie plus de cent mille personnes en France et dans le monde.
– Oui, ils sont implantés un peu partout dans le monde.
– Oui mais là aussi avec la crise, c'est compliqué. Il y a des usines qui ont fermé en Allemagne, en Italie, au Royaume-Uni. D'autres qui se créent dans les pays émergents.
– Ça reste quand même une grosse entreprise, au niveau local ?
– Absolument ! Michelin a fait beaucoup pour Clermont-Ferrand. À une époque, ils ont construit des cités ouvrières. Récemment, ils ont participé à la création d'une salle de musique et puis, ils ont participé à la mise au point du tramway sur pneu.
– Et le bonhomme Michelin qu'on voit partout. D'où ça vient ?
– De l'époque de la création de l'entreprise. C'est Édouard Michelin qui en a eu l'idée en voyant un tas de pneus dans la cour. Il s'est dit « Tiens, on dirait un bonhomme ! » et il a demandé à un dessinateur d'en faire le logo de l'entreprise. Son nom « Bibendum ».

Unité 7

Leçon 1

🔊 **p. 107, Exercice 5**
N° 43

– Alors, tu as lu le dernier roman de Fred Vargas ?
– *Temps Glaciaires* ?
– Oui.
– Oui, je l'ai lu et ça m'a beaucoup plu !
On retrouve le commissaire Adamsberg.
– Toujours aussi rêveur et solitaire ?
– Et toujours aussi décontracté. C'est vraiment l'opposé d'Hercule Poirot ! Ce n'est pas quelqu'un de logique. Il fonctionne à l'intuition. C'est d'ailleurs ce qui énerve son adjoint Danglard.
– C'est un curieux personnage, ce Danglard. Il a une mémoire fantastique, il sait tout ! Une véritable encyclopédie et lui, il a les pieds sur terre.
– En fait, Adamsberg et lui se complètent, surtout dans ce dernier roman.

– Ne me raconte pas tout, mais ça commence comment ?
– Par deux meurtres. Le premier, c'est une vieille dame qu'on retrouve morte dans sa baignoire. Apparemment, elle s'est suicidée. Mais Adamsberg a un doute parce qu'il découvre un dessin bizarre sur la baignoire.
– Et dans le deuxième meurtre, on va retrouver le même dessin ?
– Tu as tout compris ! En fait, avant de mourir, la vieille dame avait expédié une lettre à quelqu'un. Les policiers découvrent l'adresse et ils y vont...
– Et ils trouvent un cadavre...
– Oui, mais pas celui du destinataire de la lettre. Celui de son père qui vient de se suicider d'un coup de fusil et ils découvrent le même dessin.
– Donc les deux meurtres sont liés.
– Oui ! Alors la police s'aperçoit que les deux personnes ont fait partie d'un groupe qui a fait une expédition sur une île d'Islande. Et au cours de cette expédition, un des membres du groupe a tué deux personnes mais leur a interdit d'en parler à la police.
– Et là, il est en train d'éliminer les membres du groupe qui risquent de parler.
– Oui et la police doit donc le retrouver...
Et, je m'arrête là !

🔊 **p. 107, Prononcez... Automatisez**
N° 44

1.

Perquisition
À qui est cette guitare ?... À qui ce guide de Quito ?
Depuis quand ces gants sont ici ?...
Qu'on contrôle tout... Avant qu'il nous quitte.

2.

L'auberge espagnole
• – Pierre est sorti. Puis, Marie est rentrée.
– Pierre est sorti avant que Marie rentre.
• – Paul a fait une fête. Puis, il est parti.
– Paul a fait une fête avant de partir.
• – Louis a fait les courses. Puis, Lisa a préparé le repas.
– Louis a fait les courses avant que Lisa prépare le repas.
• – Antoine a mis la table. Puis, nous avons dîné.
– Antoine a mis la table avant que nous dînions.
• – Léa et Léo se sont disputés. Puis, ils se sont réconciliés.
– Léa et Léo se sont disputés avant de se réconcilier.
• – Les colocataires ont payé le loyer. Ainsi, la propriétaire ne s'est pas fâchée.
– Les colocataires ont payé le loyer avant que la propriétaire se fâche.

Leçon 3

🔊 **p. 111, La séquence radio**
N° 45

Paris sportifs, paris hippiques et poker... En France, ces jeux d'argent sont autorisés sur Internet depuis 2010. Et en 2015, le marché français des jeux d'argent et de hasard en ligne comptait 2,5 millions de joueurs actifs dont 17 %

considérés comme accros. Alors les jeux en ligne sont-ils suffisamment réglementés ? Explications avec Clément Martin-Saint-Léon, directeur à l'ARJEL, l'Autorité de régulation des jeux en ligne.

Clément Martin-Saint-Léon : Alors on constate effectivement que sur Internet tout va très vite puisque le jeu sur mobile devient le premier vecteur de jeu devant l'ordinateur. On a maintenant même des jeux sur montres connectées.

Ingrid Pohu : Quels sont les risques, les dangers de jouer en ligne ?

C. M.-S.-L. : Alors le premier danger qui me vient à l'esprit lorsqu'on joue en ligne c'est celui de l'addiction évidemment et pour lequel l'ARJEL en tant qu'autorité de régulation est très vigilante. On émet beaucoup de recommandations avec nos opérateurs. On a mis en place un dispositif qui permet aux joueurs de s'auto-évaluer sur Internet qui est un site qui s'appelle evaluejeu.fr qui permet lorsque vous répondez à un certain nombre de questions, une dizaine de questions, d'évaluer votre niveau d'addiction et qui vont vous dispenser une série de conseils personnalisés en fonction des questions auxquelles vous avez répondu. Nous menons aussi des campagnes de sensibilisation auprès du grand public, par des actions dans la presse ou des actions avec l'UNAF par exemple, l'association des familles. Et enfin nous veillons à ce que les opérateurs agréés mettent en place un certain nombre de dispositifs qui sont prévus par la loi, des dispositifs d'auto-modération, des messages de prévention affichés sur les sites.

I. P. : Vu qu'on est sur le Net, on pourrait se dire que c'est peut-être plus facile de bloquer un compte, d'avoir une espèce de mainmise sur ce joueur en ligne ?

C. M.-S.-L. : Bloquer un compte... on est toujours dans le débat entre la liberté individuelle et la responsabilité qu'on a vis-à-vis des joueurs qu'on pourrait identifier comme étant pathologiques. C'est-à-dire à quel moment on doit prendre la décision de finalement interdire le jeu à un joueur sachant qu'il n'a pas fait lui-même la démarche de s'interdire de jeu. C'est compliqué parce que là on va le priver d'une liberté qui en plus est pas forcément complètement réelle puisqu'il pourrait toujours aller jouer sur des sites illégaux. On préfère essayer de responsabiliser au maximum le joueur. Et on a même un dispositif d'auto-exclusion des sites qui peut lui permettre pendant une période prédéterminée qui peut aller de sept jours à trois ans, que le joueur choisit, le joueur choisit de s'interdire de jeux sur cette période-là auprès des opérateurs sur lesquels il est inscrit.

I. P. : Et les opérateurs sont, j'ai envie de dire, en pointe là-dessus ?

C. M.-S.-L. : Ah ils ont pas le choix ! Puisque nous les contrôlons et ce sont des dispositifs qui sont obligatoires.

I. P. : Les jeux en ligne ont de beaux jours devant eux ?

C. M.-S.-L. : Alors les jeux en ligne ont forcément de beaux jours devant eux puisque de plus en plus de joueurs se tournent vers Internet avant de se rendre dans les lieux physiques... voilà.

Leçon 4

🔊 p. 113, Prononcez... Automatisez
N° 46

1.

Bricolage

La notice du produit... Je l'ai lue avec lui...
J'ai suivi mais je n'ai pas su.
Quand la nuit est venue... Quelle tuile ! C'était foutu !

2.

Il n'est pas bricoleur.

• – Tu as peint toi-même ton salon ?
– Non, je l'ai fait repeindre.
• – Tu as réparé ta porte toi-même ?
– Non, je l'ai fait réparer.
• – Tu as décoré ton salon toi-même ?
– Non, je l'ai fait décorer.
• – Tu fais ton jardin toi-même ?
– Non, je le fais faire.
• – Tu as installé toi-même ta box ?
– Non, je l'ai fait installer.

3. *Nouveau look*

• – Tes cheveux sont teints !
– Oui, je me suis fait teindre les cheveux.
• – Ils sont coupés courts !
– Oui, je me les suis fait couper courts.
• – Ton nez a été refait !
– Oui, je me suis fait refaire le nez.
• – Tu as un nouveau maquillage !
– Oui, je me suis fait maquiller.
• – Quelqu'un t'a donné des conseils pour tes vêtements ?
– Oui, je me suis fait donner des conseils.

🎬 p. 113, vidéo
N° 7

Créateur de mode pour raconter son époque

Il y a eu l'envie de concevoir, de créer des looks. En fait, à partir du moment où... l'imagination travaillait un petit peu, j'avais envie d'exprimer ça, donc c'est...Ça a commencé par l'envie de... de donner vie à ces inspirations, à ces idées créatives auxquelles on pense. C'est comme des challenges, en fait. Et puis, c'est un métier où l'on voyage, où l'on exprime une certaine liberté, en fait.
J'aime beaucoup les cultures asiatiques, que ce soit l'Inde, le Japon, la Corée, donc... Mais l'inspiration ça peut venir de partout. Ça peut être en regardant un film. Ça peut être en regardant le look d'une personne dans la rue, ou un vêtement traditionnel d'un pays. Il y a une idée... Il y a... surtout une sensation, quoi, une émotion qui se crée, et puis voilà, on se dit : « Ah ! Tiens...J'ai peut-être trouvé un chemin. J'ai quelque chose à raconter. »
Il n'y a pas que l'idée de faire porter le vêtement. Parce que, parfois, les gens apprécient un vêtement parce qu'ils apprécient l'univers aussi qu'il y a derrière, le message qui est véhiculé derrière. Ils y adhèrent. Donc c'est un tout, en fait. Pour moi, c'est la passion qui nous guide, dans ce métier. Plus on va être passionné, plus on va se donner les moyens, plus on va faire

des belles rencontres et plus ces rencontres vont êtres fructifiantes, et... Et il n'y a pas que le facteur chance, quoi, Il y a aussi... Il faut la provoquer, cette chance.
Aujourd'hui, vraiment, les créateurs à travers lesquels je me reconnais, le courant que j'apprécie, c'est les créateurs japonais, notamment Yohji Yamamoto et Issey Miyake. C'est vraiment deux créateurs que j'adore. Et puis, il y a aussi Martin Margiela, que j'aime beaucoup également, enfin... Voilà, c'est les trois créateurs, vraiment, qui en termes de styles, de produits, de philosophie qui m'inspirent vraiment le plus. Aujourd'hui, c'est des grosses sources d'inspiration pour la nouvelle génération. Dans mon métier, ce que j'aime beaucoup, c'est vraiment les moments où les idées elles jaillissent, et qu'on est dans toute cette phase où l'on recherche les solutions. C'est comme un laboratoire où, voilà, on est dans la recherche, recherche, recherche, et quand on trouve les solutions, on est content, quoi.
Mais après, c'est vrai que quand on a présenté la collection, le défilé, *et cetera*, moi je pense déjà à « C'est quoi le prochain chapitre ? »

Projet

🔊 p. 114, Exercice 5
N° 47

– Elle est prise où, cette photo ?
– C'est le petit cimetière Saint-Nicolas, ici, à Caen.
– Je connais pas. Pourtant, ça fait un an que j'habite à Caen. Il est où dans la ville ?
– Dans le centre. Au bout de la rue Saint-Pierre, tu as l'église Saint-Étienne. C'est juste après. Mais on ne le voit pas de l'extérieur parce qu'il est entouré de grands murs. C'est un endroit magique. J'y vais souvent pour me reposer et lire.
– Tu vas te reposer dans un cimetière !?
– Oui, mais celui-là est spécial. D'abord, il est abandonné depuis longtemps. On n'y enterre plus personne. Puis, c'est un lieu très romantique avec des vieilles tombes couvertes de mousse, des allées qui disparaissent sous le lierre et surtout de grands arbres qui font de l'ombre.
– Ça me fait penser à un film d'horreur.
– Mais non, c'est très tranquille. Quand on est là, on est coupé du monde. On entend à peine les bruits de la ville.
D'ailleurs, il y a des jeunes qui y vont en amoureux, des étudiants qui vont relire leurs cours, des vieux qui viennent lire le journal... J'aime surtout y aller pour l'atmosphère un peu mystérieuse avec les rayons du soleil qui passent à travers les arbres... Je te dis, c'est magique. Il faut que tu ailles le voir !

Bilan

🔊 p. 118, Exercice 6
N° 48

– J'adore la couture. Je me fais moi-même mes chemisiers et mes robes. Ça me vient de ma mère. Elle était costumière de théâtre. Je la

voyais faire ses dessins, ses patrons et j'essayais de l'imiter... Le temps que j'y passe ? C'est très variable. La couture n'est pas une activité qu'on pratique régulièrement sauf quand c'est votre profession. Si j'ai envie de me faire une robe, je peux y passer deux week-ends entiers, dix heures par jour.
Mais ça m'apporte beaucoup de satisfactions : le plaisir d'imaginer, de créer, de réussir à faire quelque chose... Et puis, le plaisir de porter un vêtement que les copines ne trouveront jamais dans une boutique... En plus, en cousant j'écoute la radio : France musique ou France culture. Donc, vous voyez, je me cultive...
– Je pratique la randonnée très régulièrement. C'est un copain de lycée qui m'a donné envie. Il était chez les scouts et il partait faire des balades en montagne. J'étais un peu jaloux mais moi, mon père m'interdisait d'entrer chez les scouts. Bref c'est ce copain qui m'a initié... Je fais une randonnée toutes les semaines et pendant les vacances je peux partir une semaine ou même un mois. Par exemple quand on a fait le chemin de Saint-Jacques ou la traversée de l'île de la Réunion... Pour moi, la rando, c'est que du bonheur : le plaisir de marcher au milieu de magnifiques paysages, de découvrir des petits villages, de bavarder avec les habitants... Quand le parcours est difficile, c'est le plaisir de l'effort physique. On se sent bien quand on marche... Et puis, il y a le plaisir d'être avec les autres. Si je pars seul – c'est rare mais ça m'arrive – je fais des rencontres. Quand on randonne à deux ou à trois, on apprend à se connaître ; c'est propice aux confidences. Si on est en groupe, c'est plus joyeux : on rit, on chante... Vous voyez, chaque randonnée est différente.
– Je suis devenue accro au jeu de bridge quand, avec mon mari on est parti quatre ans en Nouvelle-Calédonie. On avait des voisins qui jouaient, ils nous ont initiés. Au début, c'est pas facile parce que la règle est compliquée. Mais bon, le soir, il n'y avait pas grand-chose à faire, alors on jouait... Quand on est rentrés en France, on s'est inscrits à un club et on a continué... une fois par semaine au club, plus quelquefois le samedi soir avec des amis... C'est bien, ça stimule la réflexion ; il faut anticiper... Et surtout, on se prend au jeu. On peut enchaîner les parties jusqu'à deux ou trois heures du matin sans voir passer le temps. Et puis, il y a des joueurs de bridge très sérieux qui jouent sans dire un mot. C'est pas notre cas. Nous, tout en jouant, on plaisante, on boit, on mange des sandwiches. C'est aussi le plaisir d'être ensemble...

Unité 8

Leçon 1

🔊 p. 121, Exercice 6
N° 49

1. Bonjour et bienvenue sur le site d'Alpha Assurances. Pour accéder à notre menu, tapez sur la touche « étoile ». Si vous êtes déjà assuré chez Alpha Assurances, tapez 1. Pour avoir des renseignements sur nos prestations et être mis en relation avec un conseiller, tapez 2.

2. Vous êtes déjà assuré chez Alpha Assurances, votre demande concerne l'auto ou la moto : tapez 1, l'habitation : tapez 2, la santé : tapez 3, votre épargne ou votre assurance-vie : tapez 4, votre protection juridique : tapez 5.

3. Votre demande concerne l'habitation. Vous souhaitez faire un devis pour assurer votre habitation : tapez 1, modifier votre contrat : tapez 2, résilier votre contrat : tapez 3, déclarer un sinistre : tapez 4, suivre un sinistre déjà déclaré : tapez 5. Pour toute autre demande : tapez 6.

4. Votre demande concerne votre mobile : tapez 1, votre box : tapez 2, votre ordinateur ou votre tablette : tapez 3.

5. Vous souhaitez déclarer la perte de votre mobile : tapez 1, changer de forfait : tapez 2, résilier votre forfait : tapez 3, des informations sur votre facture : tapez 4, déclarer que votre ligne est en panne : tapez 5.

🔊 p. 121, Prononcez... Automatisez
N° 50

a. bien
• – Ce livre est plus intéressant que l'autre ?
– Il est bien plus intéressant.
• – Il est moins ennuyeux ?
– Il est bien moins ennuyeux.

b. plutôt
• – Ce mobile est plus esthétique que l'autre ?
– Il est plutôt plus esthétique.
• – Il est moins cher ?
– Il est plutôt moins cher.

c. beaucoup
• – Cette application est plus utile que l'autre ?
– Elle est beaucoup plus utile.
• – Elle est moins lente ?
– Elle est beaucoup moins lente.

d. un peu
• – Ce service est plus efficace que l'autre ?
– Il est un peu plus efficace.
• – Il est moins lent ?
– Il est un peu moins lent.

e. tellement
• – Cette voiture est plus économique que l'autre ?
– Elle est tellement plus économique !
• – Elle est moins confortable ?
– Elle est tellement moins confortable !

Leçon 2

🔊 p. 122, Exercice 1
N° 51

1. – Alors, le saumon, le cabillaud... Ça fait 36 euros.
– 36 euros, oh là, là. Je ne les ai pas ! Je peux payer avec ma carte ?
– Et non, sur le marché, ce n'est pas possible.
– Bon, alors, je ne prends que le saumon.
– Ça fait 18 euros. Ça ira ?
– Oui, oui. Excusez-moi, je n'ai pas pris assez d'argent...

2. – Excusez-moi, Madame. Je crois qu'il y a une petite erreur dans l'addition.

– Une erreur ? Voyons ça.
– Oui, regardez, vous avez compté des apéritifs. Mais nous n'avons pas pris d'apéritifs.
– Ah, je suis désolée, j'ai dû confondre avec la table 3. Je rectifie ça tout de suite. Et je vous offre les cafés.
– Ah, merci. Faites souvent des erreurs comme ça, alors !

3. – Bonjour, je voudrais une baguette et deux pains au chocolat.
– Voilà ! Avec ceci ?
– Ce sera tout.
– Alors, 2 euros 50.
– Je suis désolé, je n'ai que ce billet.
– Oh là là ! Ce n'est pas possible. Je n'ai plus de monnaie ! Ben écoutez, vous me payerez demain. Je vous fais confiance.

4. – *Le Figaro* et *L'Express*, ça fait 6 euros 70... Merci... et voilà...
– Je vous ai donné un billet de 20 euros et vous me rendez sur 10.
– Ah, excusez-moi ! Ce matin, j'ai la tête ailleurs.

5. – Voilà, je vais prendre celles-ci. C'est la bonne pointure.
– Vous avez raison, elles sont très belles, ces chaussures... Donc, ça fait 65 euros... Par carte ?
– Oui.
– Alors, insérez votre carte... Ah !? non valide. Enlevez-la et frottez-la. Allez-y, recommencez !... C'est bon. Ça marche.

🔊 p. 122, Exercice 4
N° 52

1. – Bonjour monsieur. Qu'est-ce que je peux faire pour vous ?
– Voilà, je suis argentin et je voudrais ouvrir un compte chez vous. C'est possible ?
– Bien sûr, c'est tout à fait possible. Il me faudra votre passeport, un justificatif de domicile. Vous avez une adresse permanente en France ?
– Oui, oui, je loue un appartement.
– Très bien, il me faudra une quittance de loyer et, ensuite, si vous voulez un chéquier ou une carte, il faudra approvisionner le compte. Vous allez l'approvisionner comment ?
– Par des virements depuis mon compte en Argentine...

2. – Bonjour mademoiselle Laurent ! Vous avez pris rendez-vous pour un prêt étudiant, c'est ça ?
– Oui, c'est ça. J'aimerais voir si c'est possible d'avoir un prêt de 15 000 €.
– Bon... 15 000 euros... Je peux vous proposer 15 000 euros avec un remboursement sur 7 ans. Ce qui fait des remboursements de 184 euros par mois. Un taux à 0,90 % c'est très bien, vous savez.
– Oui, je vais prendre ça.
– Vous avez plus de 18 ans, je suppose...
– Oui.
– Alors, il me faudra une pièce d'identité, un certificat de scolarité et puis, bien sûr, la caution de quelqu'un... Vos parents peuvent se porter caution ?

– Oui, je leur en ai parlé.
– Donc, on va ouvrir un dossier.

3. – Madame Grimbert ?
– Oui.
– Bonjour, c'est Arnaud Montel. Je vous appelle car je viens de recevoir mon relevé de compte et vous m'avez prélevé 126 euros. Je ne comprends pas très bien.
– Vous pouvez me rappeler votre numéro de compte.
– C'est le 208 321 B.
– Oui, effectivement, on vous a prélevé des agios car vous avez eu un découvert.
– Mais j'ai approvisionné mon compte.
– Oui, mais vous êtes resté dix jours avec un découvert.
– Vous pouvez pas me les enlever ces agios, madame Grimbert ?
– Ah, non, je suis désolée, cette fois, je ne peux rien. C'est le troisième mois consécutif que vous avez un découvert. Faites attention ! Le mois prochain, surveillez mieux vos dépenses et vous ne serez pas à découvert.

Leçon 3

🔊 p. 124, La séquence radio
N° 53

Aujourd'hui, on ne garde pas les objets que l'on possède aussi longtemps que par le passé. Parce qu'on doit déménager, parce qu'on veut en changer, on cherche à se débarrasser de certains objets. On peut les vendre grâce à des sites Internet comme « Le bon coin » ou dans des brocantes et des vide-greniers. On peut aussi les donner à des organisations caritatives ou à des « ressourceries ». Visite à la Ressourcerie du 13e arrondissement à Paris.

Justine Chauvin : La boutique ressemble à une caverne d'Ali Baba sur trois étages où sont mêlés objets du quotidien et trouvailles insolites. Ici, tout repose sur la collecte de dons. À peu de chose près, les particuliers peuvent amener ce qu'ils veulent. Chloé vient à la Ressourcerie au moins une fois par semaine.

Chloé : Aujourd'hui là, on est venus déposer des vêtements. Moi, j'en achète souvent ici, en fait. Ça fait une espèce de cercle de retour et de reprise en fait.

J. C. : Les dons sont soigneusement triés dans le petit sous-sol du magasin, un travail fastidieux qui permet à l'association de vendre des produits de récupération uniquement de bonne qualité et tout ça, à très bas prix. C'est donc un lieu propice aux bonnes affaires mais le concept va bien au-delà. Marigrine Auffray-Milésy est la présidente de « Ma Ressourcerie ».

Marigrine Auffray-Milésy : C'est d'abord un lieu de lutte contre le gaspillage puisque l'idée c'est de faire prendre conscience aux gens que les ressources de la planète ne sont pas infinies. Les gens se rendent compte que finalement ça peut rendre service à d'autres. Donc il y a aussi ce côté altruiste que je trouve sympathique de dire : « Moi, je n'en ai plus besoin ou ça m'encombre mais il y a peut-être un voisin, quelqu'un dans le quartier que je ne connais pas, qui aura l'usage de cet objet. »

J. C. : L'association a collecté 70 tonnes en un an. Ce qu'elle ne peut pas revendre, elle le transmet à des entreprises partenaires qui s'occupent du recyclage, en général, il reste beaucoup de textile. 90 % des vêtements qu'elle reçoit ne sont pas mis en rayon.

M. A.-M. : 700 kg de vêtements qui ne sont pas en état d'être vendus parce que, soit ils sont abîmés, soit ils sont bouloschés, soit ils sont sales. Ça représente une semaine de collecte et donc ça, ça va partir au recyclage pour faire du chiffon industriel ou du matériau isolant pour le bâtiment.

J. C. : Ma Ressourcerie reçoit des aides mais ça ne suffit pas car en plus des bénévoles, l'association emploie 7 salariés en contrat d'insertion avec des salaires subventionnés mais ces subventions ont diminué.

🔊 p. 125, Exercice 7
N° 54

Maéva : Jessica ?
Jessica : Oui... Maéva ! Comment ça va ?
Maéva : Ça va, ça va mais... écoute... je t'appelle pour une question délicate.
Jessica : Rien de grave, j'espère !
Maéva : Non... enfin quand même... Bon, voilà, j'ai un petit problème d'argent. J'ai pas trop fait d'économie l'année dernière et là, il faut que je change ma voiture. Ça fait deux fois que je tombe en panne et pour mon boulot, la voiture, c'est indispensable. Alors est-ce que tu pourrais m'aider ?
Jessica : Ben... ça dépend de la somme...
Maéva : 2 000 euros m'arrangeraient beaucoup.
Jessica : 2 000 euros ! Ce n'est pas rien !
Maéva : Écoute si tu peux pas, tant pis.
Jessica : Si mais 2 000 euros, c'est une somme. On pourrait s'y mettre à plusieurs. T'as demandé à Gilles et Florence... et à Victoria ?
Maéva : Victoria, elle peut pas : elle vient d'acheter un studio. Et Florence et Gilles, ils me les prêtent si je leur verse 10 % d'intérêt.
Jessica : Non !
Maéva : Ben si.
Jessica : J'aurais jamais cru ça de leur part.
Maéva : Ben si, les affaires sont les affaires.
Jessica : Bon écoute, je vais te les prêter mais à une condition : que tu me rendes 1 000 euros avant juin, parce que j'en aurai besoin pour ma réinscription à l'école.
Maéva : Tu les auras. Merci, c'est vraiment gentil.
Jessica : Mais cela implique que tu ne dépenses pas à tort et à travers comme l'été dernier.
Maéva : Oui, je vais faire attention. Et pour le solde ?
Jessica : Quand tu peux. À la fin de l'année, ça ira. Mais tu me promets...
Maéva : Quoi ?
Jessica : Tu t'achètes pas une voiture de 20 000 euros.
Maéva : T'inquiète pas, j'ai une bonne occasion à 5 000... Ben écoute, je te remercie infiniment...

🔊 p. 125, Prononcez... Automatisez
N° 55

1. – Je pars en vacances. Vous pouvez garder mon chien ?
– D'accord, s'il n'est pas méchant.
– Oui, d'accord, à moins qu'il soit méchant.
2. – Vous pouvez arroser mon jardin ?
– D'accord, s'il n'est pas trop grand.
– Oui, d'accord, sauf s'il est trop grand.
3. – Vous pouvez surveiller ma maison ?
– D'accord, si c'est pour deux ou trois jours.
– Oui, d'accord, seulement si c'est pour deux ou trois jours.
4. – Vous pouvez relever mon courrier ?
– D'accord, si j'ai la clé de la boîte aux lettres.
– Oui, à condition que j'aie la clé de la boîte aux lettres.
5. – Vous pourrez m'accompagner à l'aéroport ?
– D'accord, si mon emploi du temps le permet.
– Oui, d'accord mais ça dépend de mon emploi du temps.
6. – Vous pourrez venir me chercher à l'aéroport ?
– D'accord, si je ne suis pas en déplacement.
– Oui, d'accord, à moins que je sois en déplacement.

Leçon 4

🎬 p. 126, vidéo
N° 8

Du producteur aux consommateurs

Philippe Marguery : Aujourd'hui, on est dans la cueillette « Chapeau de Paille » de Cergy, donc, juste à l'ouest de Paris. C'est une cueillette où l'on vient cueillir soi-même ses fleurs, ses fruits et ses légumes. Alors, on va trouver une dizaine de fruits différents au fil de l'année et on va trouver une trentaine de légumes différents, et on aura aussi une quinzaine de fleurs différentes, qui vont être adaptées à la saison, réparties sur les six mois ou les sept mois d'ouverture de la cueillette.
Le principe de la cueillette « Chapeau de Paille » c'est que l'on cueille soi-même et on paye en sortant ce que l'on a récolté. Ce qui permet de faire des économies. Le producteur, quand lui il récolte, ça a un coût important. Et quand on vient cueillir soi-même, on a fait un geste qui n'a rien coûté au producteur qui lui permet de vous faire faire une économie en bout de ligne.
Une cliente : Alors, on n'est qu'au début de la récolte. J'ai trouvé des pommes de terre. J'ai trouvé des framboises. Je suis venue chercher aussi des tomates et des poivrons. La qualité des produits, elle est là. Quand vous prenez les produits de saison, les produits sont quand même beaucoup plus gorgés de sucre. Et les courgettes, les tomates, c'est beaucoup plus gorgé de vitamines. On le sent.
P. M. : Dans la cueillette « Chapeau de Paille », on fait des prix dégressifs à la quantité. Il y a des personnes qui viennent chercher 75 kilos de tomates pour faire leur coulis de tomate pour tout l'hiver, par exemple. On a vraiment une clientèle qui vient chercher de la qualité et de la quantité. Ce n'est pas un geste militant, c'est un geste

de diversification. C'est les producteurs qui ont décidé de se rapprocher du consommateur. Et on laisse les consommateurs venir directement voir ce qu'est une production, comment elle se déroule et récolter eux-mêmes. Donc il y a un phénomène de confiance. C'est une idée de relation directe. On est dans une société où on a besoin de retrouver de la confiance et à partir du moment où on multiplie les intermédiaires on perd de la confiance. Donc là, le fait de revenir à la source, ça permet de retrouver cette confiance. L'agriculture, notamment, a vraiment une place à jouer. Elle est restée vraiment très développée en France, et je pense que tous les métiers autour de l'agriculture sont des métiers de l'avenir.

Bilan

🔊 p. 132, Exercice 2
N° 56

Le vendeur : Allô...
Charlotte : Bonjour monsieur, j'appelle pour l'annonce que j'ai vue sur « Le bon Coin ». Il s'agit d'une armoire que vous vendez. Elle n'est pas vendue.
Le vendeur : Non, pas encore.
Charlotte : Alors je pourrais avoir quelques renseignements sur ce meuble ?
Le vendeur : Bien sûr.
Charlotte : Elle est en bon état ?
Le vendeur : En très bon état. Vous savez, je suis menuisier et c'est un meuble que j'ai fabriqué moi-même pour la chambre de mon fils.
Charlotte : Donc, c'est du vrai bois.
Le vendeur : Tout à fait, c'est une armoire en chêne.
Charlotte : Et elle est teintée plutôt foncée, d'après la photo ?....
Le vendeur : C'est ça, chêne foncé.
Charlotte : Très bien. Mais j'ai deux questions importantes : quelles sont ses dimensions parce que ce n'est pas précisé dans l'annonce et ensuite : est-ce qu'elle se démonte pour savoir si je peux la transporter moi-même.
Le vendeur : Alors, montée, elle fait 2,20 m de hauteur, 1,50 m de largeur pour une profondeur de 55 cm... Elle est démontable et le montage est très facile.
Charlotte : Donc je peux la transporter dans un break Peugeot ?
Le vendeur : Je pense que oui si vous rabattez les sièges...
Charlotte : Et le prix, c'est 450 € définitif. Vous pouvez pas ...
Le vendeur : Oui, ben, si vous venez la chercher rapidement, je vous la laisse à 400, mais pas moins, c'est un beau meuble, vous savez. Rien à voir avec ce que vous trouverez chez Fly !
Charlotte : Bon, c'est d'accord, je la prends. Est-ce que je peux venir demain, en fin d'après-midi, vers 18 h ?
Le vendeur : Pas de problème. Si vous avez un peu de temps je la démonterai devant vous. Comme ça, ce sera plus facile pour vous de la remonter. Ça prend 20 minutes, pas plus.
Charlotte : Ah, oui, c'est une idée.
Le vendeur : Je vous donne mon adresse...

🔊➕ p. 132, Exercice 4
N° 57

1. – Excusez-moi madame ! Vous savez où je pourrais trouver un distributeur de billets dans le quartier ?
– Un peu plus loin, à 100 m, dans la rue, à droite, vous avez une banque et il y a un distributeur.
– Merci madame.
– Mais de rien, monsieur.

2. – Voilà, je viens vous voir parce que je vais toucher une part de l'héritage d'un oncle et je voudrais placer cette somme.
– C'est une somme de combien ?
– 40 000 euros.
– Pourquoi vous ne la mettez pas sur votre plan d'épargne-logement ?
3. – Et voilà votre petite note...
– Vous acceptez les chèques ?
– Et non monsieur, je suis désolée, c'est écrit à l'entrée. Les chèques, c'est plus possible. On avait trop de chèques en bois.

4. – Est-ce que vous changez les pièces de monnaie des États-Unis ?
– Ah non, ici on ne change que les billets. Pour les pièces, vous pouvez essayer les bureaux de change de l'aéroport. Sinon, il y a des bureaux de change spécialisés. Vous trouverez ça sur Internet.
– Très bien, merci.

5. – Tu sais qu'on a un peu plus de 100 000 euros d'économie. Ils dorment sur un compte épargne. On devrait en faire quelque chose.
– En faire quoi ? À la banque, ça ne rapporte plus rien.
– L'assurance-vie rapporte encore 2,5 %.
– Ça va encore baisser. On ferait mieux d'acheter un studio à Lyon. Ça servirait aux enfants, pour leurs études...

Unité 9
Leçon 1

🔊➕ p. 134, Exercice 3
N° 58

Élodie : Ça fait combien de temps que tu es à Clermont-Ferrand ?
François : 10 ans...
Élodie : Déjà 10 ans ! Et comment ça se passe ? Les collègues, les gens... Vous vous êtes fait des amis ?
François : Ben, pas tellement... Ici, c'est pas comme à l'étranger. À Dakar, dès que tu arrives, tout le monde t'invite, tu rencontres tout de suite plein de gens. Ici, tu es l'étranger. Ils ont leurs amis, leur famille. Ils n'ont pas besoin de toi.
Élodie : Mais quand même vous n'êtes pas isolés. Il y a les collègues...
François : Il faut pas trop compter sur les collègues. Je suis directeur. Bien que je sois sympa avec eux, les employés se méfient. Quand je suis arrivé, mon adjoint m'a invité. On a rendu l'invitation. On s'invite une fois par an. C'est

tout... En fait, c'est plutôt grâce aux enfants qu'on a fait quelques connaissances. Les enfants, eux, n'ont pas de barrières. Ils se retrouvent pour des anniversaires, des fêtes. Quand on les amène ou qu'on va les chercher, on rencontre les autres parents. C'est comme ça qu'on a rencontré un couple sympa. On fait des balades ensemble...
Élodie : Et vos voisins, ils sont sympas ?
François : D'une manière générale, oui. Ils ne sont pas embêtants. On se rend de petits services. Mais si tu veux, c'est une chose d'avoir des relations de voisinage et une autre de trouver des gens avec qui on a des affinités. Alors, c'est vrai qu'il y a un couple avec qui on partage pas mal de choses. Ils lisent, ils vont au théâtre, au cinéma. On se fait des soirées tarots. Ils sont plus âgés que nous mais c'est quand même agréable. Lui est peintre. Elle, elle est décoratrice.
Élodie : Tu n'as pas repris la gym ?
François : Si, pas depuis longtemps. Mais je crois pas que c'est là que je vais agrandir mon cercle d'amis. Ils viennent eux-mêmes avec des copains ou alors ils sont trop jeunes.
Élodie : En somme, vous êtes un peu isolés...
François : On peut pas dire ça. Grâce aux amis dont je t'ai parlé, on a rencontré d'autres personnes. Et puis, il y a ceux qui viennent nous rendre visite, les gens du Sénégal ou mes vieux copains ou la famille. C'est une belle région ici. En été surtout, on reçoit pas mal de monde...

🔊➕ p. 135, Prononcez... Automatisez
N° 59

1. a. Il doit partir.
C'est un départ... sans retour.
Or, il va pleuvoir. C'est sûr.
Quel enfer !
b. Il est parti. Quelle perte !
Pourtant, on l'a dorloté !
Certes, elle était insupportable,
Mais on ne part pas de la sorte !

2. Bien intégré
• Il est étranger mais il s'est bien intégré.
– Bien qu'il soit étranger, il s'est bien intégré.
• Il parle mal français mais il participe aux conversations.
– Bien qu'il parle mal français, il participe aux conversations.
• On se moque de son accent. Il ne se fâche pas.
– Bien qu'on se moque de son accent, il ne se fâche pas.
• Il n'a pas de formation mais il trouve des petits boulots.
– Bien qu'il n'ait pas de formation, il trouve des petits boulots.
• Il n'est pas beau mais il sort avec une jolie fille.
– Bien qu'il ne soit pas beau, il sort avec une jolie fille.

Leçon 3

🔊➕ p. 138, La séquence radio
N° 60

Les Français sont fiers de leur histoire et surtout de leur patrimoine. Les nombreux musées qu'on peut visiter partout en France en témoignent.

À Marseille, un nouveau musée a été inauguré en 2013 : le MUCEM, Musée des civilisations de l'Europe et de la Méditerranée. Découverte du site, avec Benjamin Dehaut.
Benjamin Dehaut : Le Musée des civilisations de l'Europe et de la Méditerranée, dit MUCEM, est situé sur un site de près de 30 000 mètres carrés qui regroupe au total trois sites : le fort Saint-Jean, monument historique restauré qui surplombe l'entrée du Vieux-Port de Marseille..., le Centre de conservation et des ressources qui vous permet de voir comment est gardée une collection de près de 800 000 œuvres..., et enfin le bâtiment neuf, un magnifique cube de 45 000 mètres carrés face à la mer Méditerranée. Le toit terrasse est abrité partiellement par une ombrelle de dentelle bétonnée... et construire ce cube a été l'un des plus grands défis de l'architecte Rudy Ricciotti, né en Algérie et qui a fait toutes ses études à Marseille.
R. R. : Ce projet, je l'ai fait dans l'anxiété, il y a onze ans de ça... et j'avais la peur de me tromper et la peur de mal faire... et le projet raconte cette difficulté d'être... Évidement, on voit la réponse, c'est une réponse plutôt délicate. Chacun l'interprète comme il veut [...]
B. D. : Le bâtiment est relié au fort Saint-Jean par une passerelle aérienne de 115 mètres de long suspendue au-dessus de la mer. Au total près de 5 000 mètres carrés accueillent les différentes expositions : les permanentes pour montrer aux visiteurs la diversité des civilisations méditerranéennes, et à l'étage, des expositions temporaires consacrées cette fois-ci aux sociétés, aux lieux ou aux hommes. Parmi les plus appréciées des visiteurs celle de Thierry Fabre qui retrace l'histoire de la Méditerranée.
Th. F. : On va dire : « Qu'est-ce que c'est que cette histoire ? On invente la mer. Elle a toujours existé. » Ben non, la mer avant faisait peur. On ne s'y baignait pas en Méditerranée. Elle était sale. On considérait qu'elle portait des maladies. On avait peur d'être rapté puisqu'il y avait des pirates et des barbaresques. À partir du XIXe siècle, la Méditerranée devient un lac européen. Elle est pacifiée. Pour les Européens, c'est un lieu où on va pouvoir aller en villégiature, pour se faire plaisir et donc à travers ce tableau de Gustave Courbet, *Bord de mer à Palavas*, 1854, qui est un salut à la mer, à travers cet extrait des films de Louis Lumière qui montre la joie de se plonger dans l'eau, c'est les premières pratiques de plage auxquelles on assiste là.
B. D. : Et les Marseillais sont déjà conquis par leur nouveau musée.
F : Cette architecture en béton qui pourrait être lourde et qui est finalement si légère est une réussite, avec cet effet de jeux de lumière...
H : Ça, ça m'a fait quelque chose parce que je suis jamais venu visiter le fort Saint-Jean et... formidable. C'est quelque chose d'éblouissant. C'est un honneur de voir ressusciter Marseille...
F. : Moi, je trouve que c'est magnifique. C'est très grand en plus. Donc, on a le temps chacun... on peut passer différentes salles et voir toute l'évolution, de 1900 jusqu'à aujourd'hui. Moi je trouve que c'est aussi une réussite. Vraiment...

cent soixante et onze **171**

🔊➕ p. 139, Prononcez... Automatisez
N° 61

Jolie ville
Le musée est génial,
Le zoo est joli,
L'église est ouvragée,
Et sachez admirer les salles du château
Aux charmantes mansardes !

Leçon 4

🎬➕ p. 141, vidéo
N° 9

Députée : au service de la communauté française

Claudine Schmid : Avant d'être élue, je m'occupais depuis de nombreuses années de la communauté française, puisque je présidais une association de Français résidant à l'étranger. Donc j'étais déjà dans ce milieu-là, qui n'était pas politique, qui était associatif, mais qui était déjà la relation avec nos compatriotes établis hors de France.

Il n'y a pas de journée type. Le lundi, en général, je suis dans ma circonscription. Ma circonscription étant la Suisse. Je suis à ma permanence parlementaire. Et je viens le lundi soir à Paris, pour être opérationnelle dès le mardi matin. Parce que dès le mardi matin, nous avons des réunions, des petits-déjeuners de travail. Et je rentre dans ma circonscription le jeudi soir. Et le vendredi, je l'occupe à aller dans différentes villes de Suisse pour rencontrer nos compatriotes et répondre à leurs questions. Par exemple, lundi prochain j'ai une réunion politique, à Lausanne, donc je profite pour faire une permanence, et je reçois nos compatriotes qui résident dans cette ville, je les informe par Internet, et je les reçois.

Merci monsieur le Président, mesdames, messieurs les députés...

Nous avons tous, un peu, une spécialisation parce que nous ne pouvons pas être en même temps sur l'agriculture, sur la finance, sur les affaires sociales ou culturelles. Donc, en fait, on se spécialise un peu et on regarde les textes qui concernent notre commission et qui concernent les dossiers que nous connaissons particulièrement.

Quand nous lisons un texte, nous le lisons toujours avec une vue de personne qui réside à l'étranger et savoir si la loi peut s'appliquer également lorsqu'on vit à l'étranger. Ce qui est très important parce que les expatriés sont toujours français et sont appelés à revenir en France. Donc il faut que les lois soient faites aussi pour eux.

À l'Assemblée nationale, je représente nos compatriotes français, donc nous devons être très prudents de ne pas mettre en difficulté nos compatriotes en faisant des commentaires sur la politique de l'État dans lequel sont les personnes que nous représentons.

J'ai commencé à m'engager pour la communauté française quand mon dernier enfant avait dix ans. Les années de bas âge de mes enfants je les ai consacrées à mes enfants. Mais ça, c'est mon choix personnel. Peut-être que, maintenant, les jeunes savent mieux s'organiser, que les pères sont peut-être plus présents, que c'est peut-être plus accepté. Mais je ne peux parler que pour moi-même.

Bilan

🔊➕ p. 146, Exercice 5
N° 62

Journaliste : Vous connaissez les nouvelles caméras de surveillance qui interpellent les personnes en infraction... Vous êtes pour ou contre ?

Homme 1 : Moi, j'y suis favorable. Il y a tellement d'incivilités. Aujourd'hui, certaines personnes ne respectent plus rien !

Femme 1 : Il n'y a qu'en France que les trottoirs sont aussi sales. Je connais l'Allemagne, l'Angleterre. La semaine dernière j'étais en Pologne. On ne voit pas des crottes de chien partout comme ici. Alors, je vais vous dire, j'adhère totalement à cette initiative de la mairie.

Homme 2 : Moi, j'y suis totalement opposé. Ras le bol de l'état policier. On se sent constamment surveillés. Je suis contre !

Femme 2 : Moi, je défends ces caméras. Avec tout ce qui se passe aujourd'hui, on se sent un peu plus en sécurité....

Homme 3 : C'est dangereux. Donc je suis plutôt critique. L'autre jour, j'étais à vélo quand un de ces haut-parleurs s'est mis à faire une remarque à un piéton que j'allais dépasser. Tous les deux, on a eu peur. J'ai failli lui rentrer dedans...

Femme 3 : Je n'approuve pas ce genre d'initiative. C'est une atteinte à la vie privée. Ces caméras partout qui vous filment et en plus maintenant, elles vous engueulent ! Imaginez quand je passe devant et en même temps il y a un cambriolage à la banque. Je deviens suspecte...

La France physique et touristique

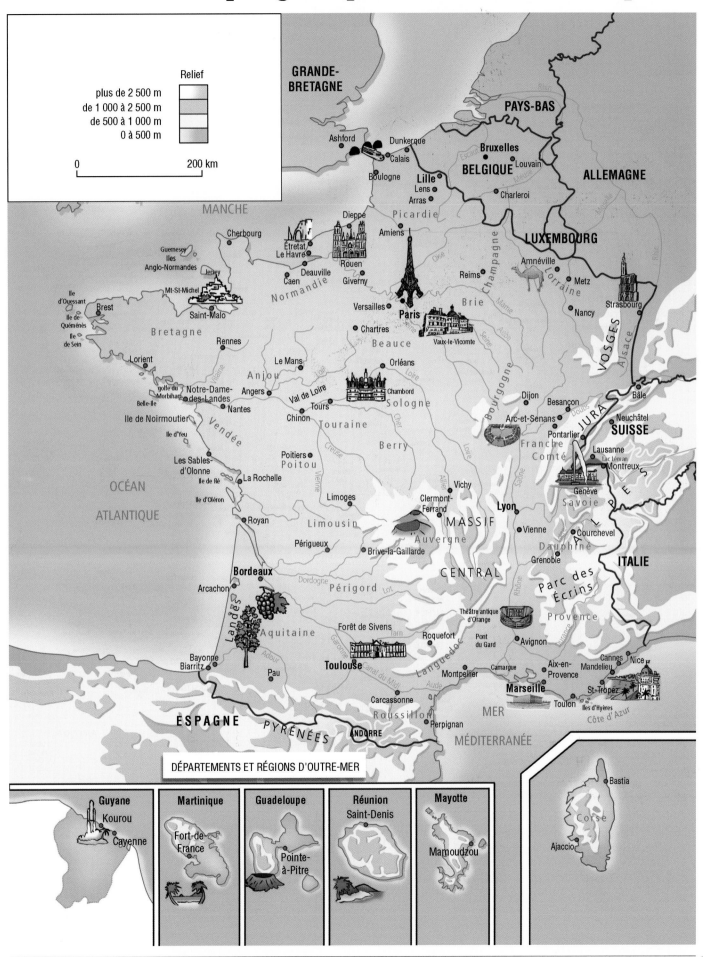

Relief

plus de 2 500 m
de 1 000 à 2 500 m
de 500 à 1 000 m
0 à 500 m

0   200 km

GRANDE-BRETAGNE

PAYS-BAS

Ashford · Dunkerque
Calais
Boulogne
Bruxelles
LILLE
Lens
Arras
Charleroi
BELGIQUE · Louvain
ALLEMAGNE
LUXEMBOURG

MANCHE

Cherbourg
Guernesey
Iles
Anglo-Normandes
Jersey
Mt-St-Michel
Brest
Ile
d'Ouessant
Ile de
Quéménès
Ile
de Sein
Saint-Malo
Bretagne
Rennes
Lorient
golfe du
Morbihan
Belle-Ile
Notre-Dame-des-Landes
Angers
Nantes
Ile de Noirmoutier
Ile d'Yeu
Vendée
Les Sables-d'Olonne
Ile de Ré
La Rochelle
Ile d'Oléron
OCÉAN
ATLANTIQUE
Royan

Dieppe
Étretat
Le Havre
Deauville
Caen
Normandie
Rouen
Giverny
Amiens
Picardie
Versailles
Paris
Chartres
Beauce
Le Mans
Anjou
Val de Loire
Tours
Chinon
Touraine
Poitiers
Poitou
Limoges
Limousin
Périgueux

Reims
Amnéville
Metz
Nancy
Champagne
Brie
Vaux-le-Vicomte
Bourgogne
Orléans
Chambord
Sologne
Berry
Dijon
Arc-et-Senans
Vichy
Clermont-Ferrand
Lyon
MASSIF
Auvergne
Brive-la-Gaillarde
CENTRAL

Strasbourg
VOSGES
Alsace
Bâle
Besançon
Neuchâtel
SUISSE
Pontarlier
Franche-Comté
Lausanne
Lac Léman
Montreux
Genève
Savoie
Vienne
Courchevel
Dauphiné
Grenoble
ITALIE
Parc des Écrins

Bordeaux
Arcachon
Landes
Aquitaine
Bayonne
Biarritz
Pau
Périgord
Dordogne
Lot
Forêt de Sivens
Tarn
Toulouse
Canal du Midi
Aude
Carcassonne
ESPAGNE
PYRÉNÉES
ANDORRE
Perpignan
Roussillon
Roquefort
Montpellier
Languedoc
Camargue
Théâtre antique d'Orange
Pont du Gard
Avignon
Provence
Aix-en-Provence
Marseille
Toulon
Iles d'Hyères
Cannes
Mandelieu
St-Tropez
Nice
Côte d'Azur
MER
MÉDITERRANÉE

DÉPARTEMENTS ET RÉGIONS D'OUTRE-MER

Guyane
Kourou
Cayenne

Martinique
Fort-de-France

Guadeloupe
Pointe-à-Pitre

Réunion
Saint-Denis

Mayotte
Mamoudzou

Bastia
Corse
Ajaccio

La France administrative

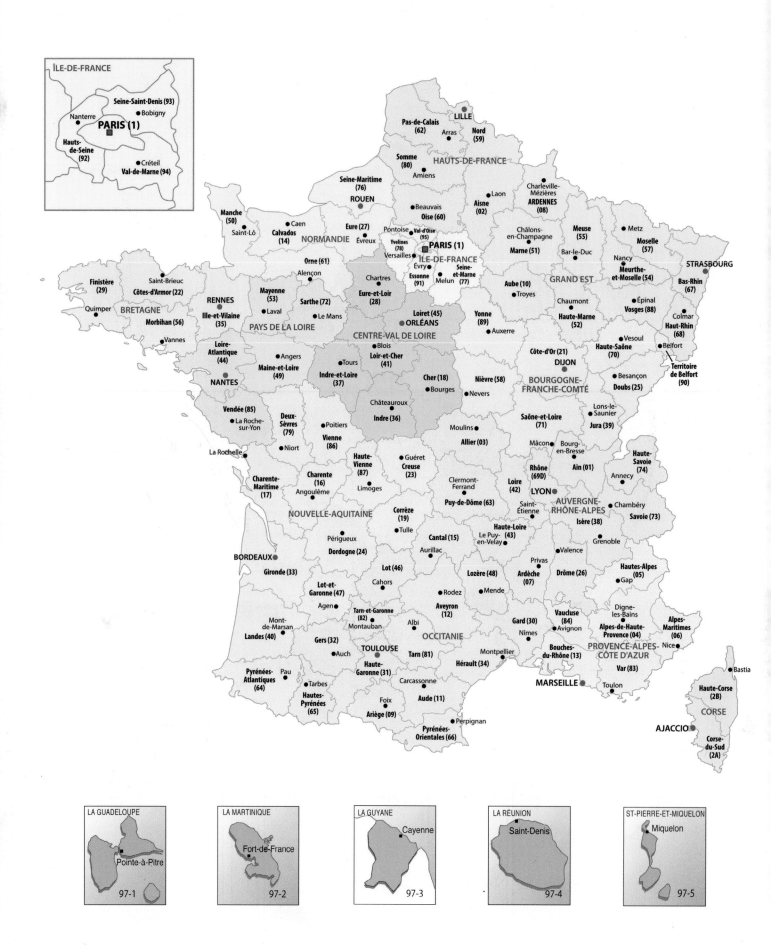